M. Scott Peck

DROGA
RZADZIEJ WĘDROWANA

Psychologia miłości,
wartości tradycyjnych
i rozwoju duchowego

Przełożył
Cezary Eugeniusz Urbański

Zysk i S
Wydawni

Tytuł oryginału
The Road Less Travelled
The New Psychology of Love, Traditional Values and Spiritual Growth

Projekt graficzny okładki
Mirosław Adamczyk

Redaktor serii
Tadeusz Zysk

Redaktor
Anna Kowalska

Wydanie zmienione i poprawione

Wydanie I ukazało się nakładem
Systems Integrating Art. & Knowledge, Inc., Sp. z o.o., Warszawa 1994

ISBN 83-7298-105-1

Zysk i S-ka Wydawnictwo
ul. Wielka 10, 61-774 Poznań
tel. (0-61) 853 27 51, 853 27 67, fax 852 63 26
Dział handlowy, ul. Zgoda 54, 60-122 Poznań
tel. (0-61) 864 14 03, 864 14 04
e-mail: sklep@zysk.com.pl
nasza strona: www.zysk.com.pl

Druk i oprawa: WZDZ – Drukarnia „LEGA”
45-301 Opole, Małopolska 18

Moim Rodzicom,
Elizabeth i Davidowi,
których dyscyplina i miłość
otworzyły mi oczy na łaskę.

SPIS TREŚCI

Część trzecia
Rozwój i religia

Część czwarta
Łaska

WSTĘP Z OKAZJI
25. ROCZNICY WYDANIA
DROGI RZADZIEJ WĘDROWANEJ

Jutro ktoś obcy będzie miał absolutną słuszność,
mówiąc to, cośmy myśleli i czuli przez cały czas.

RALPH WALDO EMERSON
esej *O poleganiu na sobie*

W listach otrzymywanych od czytelników po opublikowaniu *Drogi rzadziej wędrowanej* najczęściej znajdowałem wyrazy wdzięczności za moją odwagę — nie za powiedzenie czegoś nowego, lecz za napisanie o sprawach, o których cały czas myśleli i które cały czas przeczuwali, a o których bali się mówić. Nie jestem pewien, czy „odwaga" jest w tym przypadku właściwym słowem. Wydaje mi się, że lepszym sformułowaniem byłoby „wrodzona skłonność do zapominania". Jedna z moich pacjentek niedługo po debiucie *Drogi...*, będąc na jakimś przyjęciu usłyszała urywek rozmowy między starszą kobietą a moją matką: „Musi być pani bardzo dumna ze swojego syna Scottiego", na co moja matka odpowiedziała z właściwą dla osób starszych rezerwą: „Dumna? Dlaczego? To nie moja zasługa, tylko jego umysłu. A poza tym — to dar".

Myślę, że moja matka nie miała racji, mówiąc, iż nie ma z tym nic wspólnego. Jednak uważam, że miała wiele racji co do autorstwa *Drogi...* — iż pod wieloma względami było ono darem.

Zwiastuny tego daru pojawiły się dość dawno. Moja żona Lily i ja przyjaźniliśmy się z pewnym młodym człowiekiem o imieniu Tom. Jego matka znała mnie od dawna, ponieważ

9

gdy byłem dzieckiem, bawiłem się z jego starszymi braćmi. Na kilka lat przed wydaniem *Drogi...* Tom przyszedł do nas na kolację. Chwilowo zatrzymał się u swojej matki i przed naszym spotkaniem powiedział jej: „Mamo, jutro idę na kolację do Scotta Pecka. Pamiętasz go?". „Ależ tak — odpowiedziała. — To on był tym małym chłopcem, który zawsze mówił o sprawach, o których nie powinno się mówić".

Jak widać ów dar został mi dany rzeczywiście dość dawno temu, gdyż już w dzieciństwie było we mnie coś, co odróżniało mnie od większości moich rówieśników.

* * *

Ponieważ byłem autorem nieznanym, *Droga...* została opublikowana bez fanfar. Jej zaskakujący sukces przychodził stopniowo. Nie pojawiała się na krajowych listach bestsellerów przez pięć lat od jej pierwszego wydania w roku 1978. I cieszę się z tego. Gdyby odniosła sukces w jedną noc, nie wiem, czy okazałbym się na tyle dojrzały, by poradzić sobie z nieoczekiwaną sławą.

Droga... była „śpiochem" i dowiadywano się o niej głównie pocztą pantoflową. Informacje o niej rozchodziły się powoli kilkoma kanałami. Jednym z nich była wspólnota Anonimowych Alkoholików. Pierwszy list, który otrzymałem, zaczynał się od słów: „Drogi doktorze Peck, pan musi być alkoholikiem!". Autor listu nie mógł sobie wyobrazić, bym napisał taką książkę, nie będąc wieloletnim członkiem wspólnoty AA, którego choroba alkoholowa zmusiła do pokory.

Gdyby *Droga...* została opublikowana dwadzieścia lat wcześniej, wątpię, by ktokolwiek zwrócił na nią uwagę. Wspólnota AA, której działanie opiera się na Programie Dwunastu Kroków i do której należy wielu czytelników *Drogi...*, zaczęła przekształcać się w wielomilionową rzeszę ludzi podążających ścieżką duchowego rozwoju dopiero w połowie lat pięćdziesiątych ubiegłego wieku. W tym samym czasie również inne metody psychoterapii coraz bardziej się rozpowszechniały. Tak więc gdy w 1978 roku ukazało się pierwsze wydanie *Drogi...*, w Stanach Zjednoczonych było już na tyle dużo kobiet i mężczyzn potrzebujących wsparcia psychologicznego i duchowego, że zaczęto dość powszechnie zastanawiać się nad sprawami, „o których nie powinno się mówić". Wszyscy ci ludzie z niecierpliwością czekali na kogoś, kto wreszcie głośno o tych sprawach powie. Z tych przyczyn zainteresowanie *Drogą...* lawinowo narastało i nadal utrzymuje się na wysokim poziomie. Gdyby obecnie poproszono mnie o wygłoszenie wykładu dla czytelników moich książek, powiedziałbym im: „Nie jesteście typowymi przedstawicielami amerykańskiego społeczeństwa. Jednak wszyscy wykazujecie pewne cechy wspólne. Jedną z nich jest ta, iż wielu z was odbywało lub kontynuuje terapię na Programie Dwunastu Kroków, ewentualnie uczestniczy w innych formach psychoterapii. Myślę, że nie naruszę waszej anonimowości, prosząc o podniesienie ręki tych spośród was, którzy korzystali lub korzystają z takiej terapii". Jestem pewien, że 95 procent mojego audytorium podniosłoby ręce. „A teraz rozejrzyjcie się wokół siebie — powiedziałbym i kontynuowałbym wykład tymi słowy: — Ma to wiele implikacji. Jedną z nich jest fakt, że należycie do wielkiej rzeszy osób, które nie odpowiadają kulturowym stereotypom". Mówiąc tak, miałbym na myśli między innymi to, że oni od dawna „mówią o sprawach, o których nie powinno się mówić". I zgodziliby się z tym, gdybym wyjaśnił, co rozumiem przez „nieodpowiadanie kulturowym stereotypom" i podkreślał niezwykłą doniosłość tego faktu.

Kilka osób nazwało mnie prorokiem. Mogę zaakceptować ten górnolotny tytuł tylko dlatego, że wiele z nich wskazywało, iż prorokiem nie jest ktoś, kto widzi przyszłość, lecz ktoś, kto umie czytać znaki czasu. *Droga...* odniosła sukces, ponieważ była książką, która pojawiła się we właściwym czasie. To czytelnicy przyczynili się do sukcesu tej książki.

* * *

Gdy *Droga...* ukazała się po raz pierwszy dwadzieścia pięć lat temu, naiwnie myślałem, że od razu stanie się przedmiotem licznych recenzji w prasie ogólnokrajowej. Dzięki Bogu doczekała się tylko jednej recenzji, ale za to jakiej! Dużą część sukcesu mojej książki muszę przypisać Phyllis Theroux. Phyllie, będąca wspaniałą pisarką, była wtedy również krytykiem i przypadkiem natrafiła na egzemplarz sygnalny *Drogi...* w stosie książek w biurze wydawcy „The Washington Post". Przeczytawszy spis treści, zabrała książkę do domu i po dwóch dniach zwróciła z żądaniem, by to jej pozwolono ją zrecenzować. Wydawca z wielkim oporem przystał na to, Phyllie zaś, jak sama później powiedziała, „postanowiła napisać taką recenzję, która uczyniłaby z mojej książki bestseller". I tak właśnie się stało. Tydzień po ukazaniu się jej tekstu *Droga...* znalazła się wśród bestsellerów „The Washington D.C. Bestseller List". Dopiero po wielu latach trafiła na ogólnokrajowe listy najpopularniejszych tytułów. Jednak to recenzja Phyllie zapoczątkowała niebywałe zainteresowanie moją książką.

Jestem wdzięczny Phyllie z jeszcze jednego powodu. Gdy książka zaczęła zyskiwać rozgłos, zapragnąłem uspokoić Phyllie, że nie przewróci mi się od tego w głowie i nie będę zadzierał nosa, na co ona odrzekła: „Sam wiesz, że to nie jest twoja książka".

Natychmiast zrozumiałem, co miała na myśli. Każde z nas wiedziało, że *Droga...* nie jest w sensie dosłownym Słowem Bożym i że nie pisałem jej pod dyktando. Sam ją napisałem i jest w niej wiele miejsc, w których mogłem użyć lepszych słów i sformułowań. Nie jest doskonała i to ja ponoszę za to odpowiedzialność. Jednak mimo pewnych usterek, a także zapewne dlatego, że była książką potrzebną, jestem przekonany, że pisząc ją w samotności mojego małego biura, otrzymywałem pomoc. Nie mogę wyrazić słowami, na czym ta pomoc polegała, lecz moje jej doświadczanie nie było niczym wyjątkowym. W rzeczy samej, *Droga...* poświęcona jest tej właśnie pomocy.

WPROWADZENIE

Idee prezentowane w niniejszej książce zrodziły się przede wszystkim z mojej codziennej pracy z pacjentami walczącymi o uniknięcie lub uzyskanie wyższych poziomów dojrzałości. Z tej przyczyny zawiera ona fragmenty opisów rzeczywistych przypadków chorobowych.

Ponieważ tajemnica lekarska jest bezwzględnym wymogiem praktyki psychiatrycznej, imiona, nazwiska i niektóre szczegóły musiały zostać tak zmienione, by zachować anonimowość moich pacjentów, a jednocześnie zagwarantować autentyzm opisów naszych wspólnych doświadczeń. Mimo moich starań przytaczane historie mogły ulec pewnemu zniekształceniu ze względu na dokonane przeze mnie skróty. Psychoterapia rzadko kiedy trwa krótko, lecz ponieważ z konieczności skupiałem się na najważniejszych faktach, czytelnik może odnieść wrażenie, że dramaturgia przypadków sprowadza się do kilku jasno zdefiniowanych odsłon. Są to naprawdę dramatyczne historie i w pewnych sytuacjach udaje się osiągnąć klarowny obraz, lecz czytelnik musi zdać sobie sprawę, że w trosce o zrozumiałość przypadków pomijałem wiążące się nieodłącznie z procesem psychoterapii długie okresy frustracji, niepewności i błądzenia po omacku.

Chciałbym też wytłumaczyć, dlaczego mówiąc o Bogu, używałem rodzaju męskiego; czyniłem tak, chcąc uprościć sposób wyrażania, a nie ze względu na przypisywanie Bogu określonej płci.

13

Jako psychiatra uważam, że na samym początku powinienem powiedzieć o dwóch założeniach. Po pierwsze, nie czynię rozróżnienia między umysłem i duchem, a co za tym idzie — między rozwojem duchowym a rozwojem psychicznym. Uważam, że są tożsame. Po drugie, zakładam, że rozwój duchowy jest procesem złożonym, żmudnym i trwającym przez całe życie. Jeżeli psychoterapia ma istotnie przyczynić się do tego rozwoju, to nie może być procesem ani szybkim, ani łatwym. Nie należę do jakiejś szczególnej szkoły psychiatrii czy psychoterapii: nie jestem freudystą, jungistą, adlerystą, behawiorystą czy gestaltystą sensu stricte. Uważam, że nie ma uniwersalnego, jednego, łatwego i skutecznego rozwiązania. Uważam też, że krótkotrwałe formy psychoterapii mogą być pomocne i nie należy ich dyskredytować, jednak z założenia są bardzo powierzchowne i mogą pomóc tylko w ograniczonym zakresie. Wędrówka drogą rozwoju duchowego trwa przez całe życie.

Chciałbym podziękować tym moim pacjentom, którzy obdarzyli mnie przywilejem towarzyszenia im w głównych etapach wędrówki tą drogą. Bo ich wędrówka była również moją i w tej książce prezentuję wiele z tego, czego razem się nauczyliśmy. Chciałbym również wyrazić wdzięczność i podziękować wszystkim moim nauczycielom i kolegom, a także mojej żonie Lily. Jej wkład — jako mądrej małżonki, matki, doświadczonej psychoterapeutki i dobrego człowieka — w powstanie tej książki jest nie mniejszy od mojego.

CZĘŚĆ PIERWSZA

DYSCYPLINA

PROBLEMY I CIERPIENIE

Życie jest trudne.

To wielka prawda, jedna z największych*. Dlatego jest prawdą wielką, bo gdy ją rzeczywiście poznamy, pójdziemy dalej. Gdy naprawdę przyjmiemy do wiadomości, że życie jest trudne — gdy rzeczywiście to zrozumiemy i zaakceptujemy — życie przestanie być trudne. Akceptacja tego, że życie jest trudne, sprawia, iż fakt ten przestaje się liczyć.

Większość ludzi nie w pełni dostrzega tę prawdę, że życie jest trudne. I dlatego częściej lub rzadziej, głośniej lub ciszej skarży się na problemy, na brzemię, jakie przyszło im nieść, i trudności, tak jakby życie p o w i n n o być łatwe. Wyrażają pogląd — głośno lub po cichu — że ich trudności są nieszczęściem, na które nie zasłużyli i które nie wiadomo dlaczego spotyka właśnie ich, ich rodzinę, plemię, klasę, naród, rasę, lub nawet cały rodzaj ludzki. Wiem coś o tym biadaniu, bo sam się na nim czasem przyłapuję.

Życie to ciąg problemów. Czy mamy zatem na nie narzekać, czy starać się je rozwiązać? Czy chcemy uczyć nasze dzieci ich rozwiązywania? Podstawowym systemem technik rozwiązywania problemów życiowych jest dyscyplina. Bez niej nic nie wskóramy. Częściowa dyscyplina pozwoli nam rozwiązać tylko część problemów, pełna — wszystkie.

---

* Pierwsza z Czterech Szlachetnych Prawd, których nauczał Budda, brzmi: „Życie jest cierpieniem".

Życie jest dlatego trudne, że konfrontacja z problemami i ich rozwiązywanie jest procesem bolesnym. W zależności od swojej natury problemy wywołują w nas frustrację, urazę lub smutek, poczucie osamotnienia lub winy, żal, gniew, lęk, przerażenie, udrękę lub desperację. Są to nieprzyjemne uczucia — niekiedy porównywalne z największym bólem fizycznym. A ponieważ życie to nie kończący się ciąg problemów, więc jest ono zawsze trudne i pełne zarówno cierpienia, jak i radości. Jednak to właśnie napotykane problemy i ich rozwiązywanie sprawia, że życie ma sens. Nasza umiejętność radzenia sobie z nimi jest probierzem odróżnienia sukcesu od porażki. Bo problemy wymagają od nas odwagi i mądrości, w rzeczy samej — one je współtworzą. Tylko dzięki problemom rozwijamy się psychicznie i duchowo. Chcąc wesprzeć czyjś rozwój duchowy, staramy się pobudzić i zmobilizować jego zdolność do rozwiązywania problemów. Jest to proces analogiczny do celowego stawiania rozmaitych zadań dzieciom w szkole. Uczymy się poprzez ból konfrontacji i rozwiązywania problemów. Benjamin Franklin powiedział: „To, co boli, kształci". Z tej przyczyny ludzie roztropni uczą się nie wpadać z powodu problemów w panikę, lecz stawiają im czoło i akceptują ból, jaki niesie z sobą ich rozwiązywanie.

Większość z nas nie jest tak roztropna. Z obawy przed bólem niemal każdy stara się unikać problemów. Odkładamy ich załatwienie na później, mając cichą nadzieję, że miną same. Ignorujemy je, zapominamy o nich lub zaprzeczamy ich istnieniu. Sięgamy po leki psychotropowe lub narkotyki, by znieczuliły nas na ból lub pomogły zapomnieć o jego przyczynach. Próbujemy problemy obchodzić, zamiast zmierzyć się z nimi. Usiłujemy ich uniknąć, zamiast je przecierpieć.

Właśnie ta tendencja do unikania problemów i związanego z nimi emocjonalnego cierpienia stanowi pierwotne podłoże większości chorób psychicznych. Wielu z nas w mniejszym lub większym stopniu ulega tej skłonności, toteż na ogół nie jesteśmy całkiem zdrowi psychicznie. W skrajnych przypadkach owo unikanie problemów i cierpienia związanego z ich rozwiązywaniem skłania niektóre osoby do fantazjowania i ucieczki do świata urojonego, nie mającego nic wspólnego z rzeczywistością. Carl Gustav Jung ujął to w dosadnym, a jednocześnie eleganckim zdaniu: „Nerwica jest zawsze substytutem uzasadnionego cierpienia"*. Ów substytut staje się w końcu bardziej bolesny niż uzasadnione cierpienie, którego uniknięciu miał służyć. Wówczas sama nerwica staje się najpoważniejszym problemem. Wielu usiłuje uwolnić się od niego, budując — warstwa po warstwie — kolejne nerwice. Niektórzy zdobywają się na odwagę stawienia czoła nerwicy i — zazwyczaj z pomocą psychoterapii — uczą się, jak doświadczać uzasadnionego cierpienia. Zawsze, kiedy unikamy uzasadnionego cierpienia, rezygnujemy z możliwości rozwoju, jaką daje nam rozwiązywanie problemów. Dlatego człowiek cierpiący na chroniczną chorobę psychiczną przestaje się rozwijać, a jego nie uzdrowiony duch więdnie.

Uczmy się sami i wpajajmy naszym dzieciom sposoby dbania o zdrowie psychiczne i duchowe. Mam na myśli zachęcanie siebie samych i naszych dzieci do uczenia się, że cierpienie jest niezbędne, do doceniania jego wartości, do bezpośredniej konfrontacji z problemami oraz doświadczania cierpienia towarzyszącego ich rozwiązywaniu.

Jak powiedziałem, dyscyplina jest podstawowym narzędziem rozwiązywania problemów życiowych. W kolejnych rozdziałach książki przekonamy się, że na to narzędzie składają się różne sposoby doświadczania bólu towarzyszącego rozwiązywaniu problemów. Gwarantują one uporanie się z nimi, a zarazem stwarzają możliwość nauki i rozwoju duchowego. Ucząc się dyscypliny, uczymy się, jak cierpieć, a jednocześnie rozwijamy się.

Jakie techniki doświadczania bólu towarzyszącego konstruktywnemu rozwiązywaniu problemów składają się na to,

---

* *Collected Works of C.G. Jung*, przeł. R.F.C. Hull, Bollingen Series XX, wyd. II, Princeton, NJ, Princeton University Press, 1969, t. II, *Psychology and Religion: West and East*, s. 75.

co nazywam dyscypliną? Są nimi: odraczanie gratyfikacji, przyjęcie odpowiedzialności, wierność rzeczywistości i zachowywanie równowagi. Jak się przekonamy, techniki te nie są skomplikowane, a posługiwanie się nimi nie wymaga intensywnego treningu. Wręcz przeciwnie — są tak proste, że mogą je z powodzeniem stosować nawet dziesięcioletnie dzieci. Nierzadko jednak zdarza się, że prezydenci i królowie zapominają o nich — najczęściej na swoją zgubę. Problem tkwi nie tyle w ich złożoności, ile w braku woli ich stosowania. A to dlatego, że służą konfrontacji z bólem, a nie jego unikaniu. Jeśli ktoś chce unikać uzasadnionego cierpienia, to nie będzie chciał z nich korzystać. Dlatego też, po ich omówieniu, w następnych rozdziałach przyjrzymy się bliżej woli ich stosowania, której źródłem jest miłość.

ODRACZANIE GRATYFIKACJI

Pewna trzydziestoletnia kobieta, specjalista od finansów, od kilku miesięcy skarżyła się na skłonność do odkładania trudniejszych zadań służbowych na później. Zajęliśmy się uczuciami, jakich doświadcza w stosunku do pracodawcy, do autorytetów jako takich, a zwłaszcza do rodziców. Zbadaliśmy jej nastawienie do pracy i sukcesu, jak się ono ma do jej małżeństwa, tożsamości seksualnej, pragnienia rywalizacji z mężem oraz lęku wywoływanego tą rywalizacją. Mimo przeprowadzenia rutynowej i skrupulatnej psychoanalizy jej skłonność do ociągania się z realizowaniem zadań służbowych nie zmalała. Wreszcie pewnego dnia dotarliśmy do sedna sprawy.

— Czy lubi pani ciastka? — spytałem.

Odpowiedziała, że tak.

— A którą ich część najbardziej? — pytałem dalej.

— Oczywiście, że tę, która jest najsmaczniejsza! — zawołała z entuzjazmem.

— A w jaki sposób je pani ciastka? — drążyłem temat, mając świadomość, że mogę zostać uznany za psychiatrę, który pomylił się ze swoim powołaniem.

— Ma się rozumieć, że najpierw zjadam to, co najsmaczniejsze — odpowiedziała.

Zakończywszy analizę jej gustów smakowych, przeszedłem do analizowania jej nawyków w pracy i — tak jak przypuszczałem — okazało się, że codziennie pierwsze godziny pracy przeznaczała na realizację zadań „najłatwiejszych i najprzyjemniejszych", czyli tych, które gratyfikują, natomiast te, których nie lubiła, zostawiała na później. Zasugerowałem, by spróbowała zmusić się do wykonania najtrudniejszych zadań tuż po przyjściu do pracy, wówczas reszta dnia wyda się jej przyjemniejsza.

— Myślę, że trochę cierpienia na początku dnia pracy, po którym nastąpi kilka godzin zajęć ciekawszych, to bez wątpienia lepsze rozwiązanie niż chwila przyjemności na początek, a potem kilka godzin męki.

Zgodziła się ze mną, a będąc z natury osobą o silnej woli, zaprzestała odkładać najcięższą pracę na koniec dnia.

Odraczanie gratyfikacji jest procesem polegającym na planowaniu rzeczy przykrych i przyjemnych w taki sposób, by potęgować przyjemność przez to, że najpierw staje się wobec cierpienia, doświadcza go, a potem pokonuje jak przeszkodę. Jest to jedyny sensowny sposób na życie.

Tego sposobu planowania cierpienia i przyjemności w czasie dzieci uczą się stosunkowo wcześnie, niekiedy już w wieku pięciu lat. Zdarza się, że podczas zabawy w grupie rówieśników pięciolatek proponuje innemu dziecku, by pierwsze pobawiło się jakąś zabawką. Dzięki temu najpierw cieszy się nadzieją na zabawę, czekając na swoją kolej, a potem samą zabawą. Wielu sześciolatków je ciastka w sposób zaplanowany: najpierw to, co mniej smaczne, a na końcu to, co najsmaczniejsze. Podczas nauki w szkole podstawowej zdolność do odraczania gratyfikacji znajduje zastosowanie codziennie, zwłaszcza podczas odrabiania prac domowych. W wieku lat dwunastu niektóre dzieci potrafią już — bez ingerencji rodziców — odrobić lekcje, zanim zaczną oglądać telewizję. Po szesnastolatku można się spodziewać takiego zachowania i nie jest ono niczym nadzwyczajnym.

Jednak nauczyciele mający do czynienia z młodzieżą w tym wieku stwierdzają, że spora jej grupa odbiega pod tym względem od normy. Podczas gdy większość posiadła umiejętność odraczania gratyfikacji, u niektórych piętnasto- i szesnastolatków zdolność ta rozwinięta jest w niewielkim stopniu, u pewnej grupy zaś w ogóle jej brak. Uczniowie ci sprawiają mnóstwo kłopotów. Mimo przeciętnego, a niekiedy wyższego stopnia inteligencji dostają słabe oceny, ponieważ nie pracują. Pod wpływem kaprysu uciekają z lekcji lub w ogóle porzucają szkołę. Są impulsywni, a cecha ta przenosi się także na sferę życia rodzinnego i towarzyskiego. Bardzo często wdają się w bójki, biorą narkotyki lub handlują nimi i miewają zatargi ze stróżami prawa. Ich dewizą jest: „Baw się teraz, zapłać potem". Wtedy rodzice wpadają w popłoch i szukają pomocy psychologów i psychoterapeutów. Jednak często jest już za późno. Nastolatki obrażają się za wszelkie próby ingerowania w ich impulsywny styl życia. Nawet jeśli terapeucie uda się serdecznością, przyjacielskim stosunkiem i nieosądzającą postawą przezwyciężyć tę urazę, to i tak impulsywność młodych ludzi często uniemożliwia ich uczestnictwo w jakiejkolwiek sensownej formie psychoterapii. Nie przychodzą na umówione spotkania. Unikają rozmowy na temat ważnych i bolesnych zagadnień. Próby interwencji zazwyczaj kończą się fiaskiem, a oni sami porzucają szkołę i schodzą na manowce. Zawierają nieszczęśliwe małżeństwa, ulegają wypadkom, trafiają do szpitali psychiatrycznych lub do więzienia.

Dlaczego tak jest? Dlaczego większość młodych ludzi rozwija w sobie zdolność odraczania gratyfikacji, podczas gdy wielu innym to się nie udaje i nie sposób tego naprawić? Nauka nie potrafi tego wytłumaczyć. Nieznana jest rola czynników dziedzicznych. Na obecnym poziomie wiedzy nie można ustalić wpływu wszystkich czynników i sformułować bezsprzecznych wniosków. Jednak większość symptomów wskazuje na to, że czynnikiem decydującym jest wychowanie w rodzinie.

GRZECHY OJCÓW

Nie można powiedzieć, by w rodzinach dzieci bez wpojonej samodyscypliny nie panowała swoista dyscyplina. Przeciwnie — wobec tych dzieci często za byle przewinienie stosuje się surowe kary cielesne. Jednak taka dyscyplina nie ma żadnej wartości jako środek wychowawczy. A to dlatego, że jest dyscypliną niezdyscyplinowaną.

Tego typu dyscyplina nie ma żadnej wartości, ponieważ rodzice tych dzieci nie są zdyscyplinowani i stają się dla nich wzorcem braku samodyscypliny. Są rodzicami przekazującymi dzieciom: „rób, co mówię, a nie to, co robię". Nierzadko upijają się w obecności dzieci, biją się, nie zachowują umiaru, godności i zdrowego rozsądku. Bywają niechlujni. Obiecują i nie dotrzymują słowa. Ich własne życie jest chaotyczne, a czynione przez nich próby zaprowadzenia ładu w życiu ich dzieci nawet samym dzieciom wydają się bezsensowne. Jeśli ojciec bije matkę w obecności dzieci, to czy jest sens, by matka biła syna za to, że pobił swoją siostrę? Czy ma sens mówić mu, że powinien nauczyć się panować nad sobą? Małe dzieci nie mają okazji do porównań, więc w ich oczach rodzice są postaciami niemalże boskimi. Jeśli dziecko widzi, że rodzice na co dzień zachowują umiar, dyscyplinę, godność i potrafią kierować własnym życiem, to czuje, że tak właśnie należy postępować. Gdy zaś dzień w dzień jest świadkiem braku opanowania i samodyscypliny rodziców, będzie głęboko przeświadczone, że właśnie tak trzeba żyć.

Jednak dla dzieci ważniejsza niż przykłady czy wzorce jest miłość rodzicielska. Bo nawet jeśli życie rodzinne jest chaotyczne i niekonsekwentne, lecz dominuje w nim prawdziwa miłość, to dziecko może nauczyć się samodyscypliny. Zdarza się i tak, że rodzice o wysokich kwalifikacjach zawodowych — lekarze, prawnicy, działacze społeczni czy filantropi — wyznający surowe zasady moralne i dbający o pozory, lecz w swoim życiu nie kierujący się miłością, chowają dzieci równie niezdyscyplinowane, destrukcyjne i niezorganizowane jak dzieci z rodzin uznawanych za patologiczne. Ostatecznie wszystko sprowadza się do miłości. Omówimy ją w części drugiej. Niemniej dla zachowania jasności wywodu warto w tym miejscu powiedzieć parę słów na temat miłości i jej ścisłego związku z dyscypliną.

To, co kochamy, ma dla nas szczególną wartość, a jeśli coś ma dla nas wartość, to poświęcamy temu czas i wiążemy z tym swoje radości i troski. Przyjrzyjcie się nastolatkowi zakochanemu w swoim samochodzie i zwróćcie uwagę na to, ile czasu spędza na cieszeniu się nim, pucowaniu, reperowaniu i regulowaniu mechanizmów. Albo starszej osobie w ukochanym przez nią ogródku — ile czasu przeznacza na pracę w nim i zdobywanie wiadomości na temat pielęgnacji roślin. Tak samo jest z miłością do dzieci — podziwiamy je i troszczymy się o nie. Dajemy im swój czas.

Dobrze pojęta dyscyplina wymaga czasu. Jeśli nie możemy lub nie chcemy poświęcić go dzieciom, tracimy sposobność zbliżenia się do nich na tyle, by dostrzec subtelne sygnały świadczące o tym, że potrzebują one wsparcia w dążeniu do dyscypliny. Nawet gdy potrzeba dyscypliny przybiera formy tak wyraźne, że wdziera się do naszej świadomości, często nadal ją ignorujemy, bo łatwiej jest zostawić dzieci samym sobie i powiedzieć: „Dziś nie mam czasu ani siły, by się nimi zająć". W końcu — zmuszeni karygodnymi występkami potomstwa lub powodowani rozdrażnieniem — często brutalnie narzucamy dyscyplinę, płynącą bardziej z gniewu niż z rozwagi; nie staramy się zgłębić problemu czy choćby poświęcić odrobinę czasu na zastanowienie się, jaka forma dyscypliny byłaby najwłaściwsza.

Rodzice poświęcający swoim dzieciom czas nawet wtedy, gdy nie zmuszają ich do tego ewidentnie karygodne zachowania, dostrzegają owe ledwo uchwytne sygnały o potrzebie dyscypliny. Reagują delikatnym napomnieniem, naganą, zaleceniem, wskazówką czy pochwałą, aplikując te środki w sposób przemyślany i pełen troski. Będą obserwować, w jaki sposób dzieci jedzą ciastko, jak się uczą, kiedy dopuszczają się drobnych kłamstewek i w jakich sytuacjach uciekają od problemów, zamiast się z nimi zmierzyć. Poświęcają czas na dokonywanie drobnych zmian i korekt, słuchają tego, co dzieci im chcą powiedzieć i reagują na ich potrzeby. Zorientują się, gdzie należy zaostrzyć, a gdzie złagodzić dyscyplinę. Dadzą dzieciom jakąś książkę do przeczytania, opowiedzą coś, przytulą i pocałują, skarcą, ale nie zapomną o zasłużonej pochwale.

Rodzice miłujący stosują wobec swoich dzieci dyscyplinę skuteczniejszą niż rodzice, którzy swoich dzieci nie kochają. Jednak to nie wszystko. Poświęcając czas na obserwację i myślenie o potrzebach latorośli, kochający rodzice często przeżywają katusze przed podjęciem jakiejś decyzji, przez co — w sensie dosłownym — cierpią na równi ze swoimi pociechami. A one to widzą; dostrzegają, że rodzice gotowi są cierpieć wraz z nimi i, choć mogą nie okazywać wdzięczności, myślą: „Skoro rodzice gotowi są cierpieć wraz ze mną, to znaczy, że cierpienie nie jest takie złe i nie powinienem od niego uciekać". Od tego zaczyna się samodyscyplina.

Ilość i jakość czasu poświęcanego przez rodziców dzieciom są dla tych ostatnich dowodem ich wartości. Niektórzy rodzice — z natury nie miłujący — starają się ukryć swój brak troski. Zapewniają dzieci o miłości, mechanicznie powtarzają, jak bardzo są im drogie, a jednocześnie nie poświęcają im wystarczająco dużo czasu. Dzieci takich rodziców nie dadzą się zwieść czczą gadaniną. Może nawet świadomie przywiązują uwagę do owych oświadczeń, pragnąc wierzyć, że są kochane, lecz podświadomie wiedzą, że słowa rodziców nie znajdują potwierdzenia w czynach.

Natomiast dzieci prawdziwie kochane — choć w momentach rozgoryczenia mogą narzekać, że są zaniedbywane — podświadomie zdają sobie sprawę ze swojej wartości dla rodziców. Świadomość ta znaczy więcej niż całe złoto świata. Gdy dziecko wie, że jest cenione, gdy naprawdę jest o tym głęboko przekonane, wówczas czuje się osobą wartościową. Poczucie własnej wartości — przeświadczenie, że jest się wartościowym człowiekiem — stanowi podstawę zdrowia psychicznego i kamień węgielny samodyscypliny. Jest bezpośrednim skutkiem rodzicielskiej miłości. To przeświadczenie trzeba nabyć w dzieciństwie; niezmiernie trudno uzyskać je w wieku dojrzałym. I na odwrót: jeśli dziecko dzięki miłości rodzicielskiej rozwinie poczucie własnej wartości, to jest prawie niemożliwe, by trudności życia dorosłego zniszczyły jego ducha.

Poczucie własnej wartości jest kamieniem węgielnym samodyscypliny, ponieważ jeśli ktoś uważa się za osobę wartościową, to będzie dbał o siebie pod każdym względem; samodyscyplina obejmuje również dbanie o siebie samego. Jako że dyskutujemy na temat odraczania gratyfikacji — planowania i zarządzania czasem — przyjrzyjmy się bliżej temu zagadnieniu. Jeżeli mamy poczucie własnej wartości, to czujemy, że nasz czas również jest cenny, a skoro go cenimy, staramy się go dobrze wykorzystywać. Wspomniana wyżej specjalistka od finansów, która odkładała najtrudniejsze zadania na później, nie ceniła swojego czasu. Gdyby było inaczej, nie pozwalałaby sobie na marnowanie większości dnia pracy. Nie bez znaczenia jest fakt, że w okresie dzieciństwa pozostawiano ją płatnym niańkom i opiekunkom, choć jej rodzice byliby w stanie zająć się nią, gdyby tylko chcieli. Jednak nie cenili jej. Nie chcieli się nią opiekować. Wzrastała w przeświadczeniu, że niewiele znaczy i że nie zasługuje na troskę, a więc sama również nie troszczyła się o siebie. Choć była wykształconą i inteligentną kobietą, musiała rozwinąć w sobie podstawy samodyscypliny, ponieważ brakowało jej realnej oceny własnej wartości i swojego czasu. Gdy wreszcie pojęła, że jej czas jest cenny, naturalną koleją rzeczy zaczęła dążyć do jego planowania, maksymalnego wykorzystania i dotrzymywania określonych terminów.

Te szczęśliwe dzieci, które doświadczają rodzicielskiej miłości i troskliwości, wejdą w dorosłość nie tylko z głębokim przeświadczeniem o własnej wartości, lecz będzie im również towarzyszyć poczucie bezpieczeństwa. Każde dziecko boi się porzucenia — i to nie bez powodu. Obawa przed porzuceniem pojawia się około szóstego miesiąca życia, z chwilą, gdy dziecko zaczyna postrzegać siebie jako istotę odrębną od własnych rodziców. Wtedy zdaje sobie sprawę ze swojej całkowitej bezradności i uzależnienia od rodziców w każdej dziedzinie życia. Porzucenie jest dla niego równoznaczne ze śmiercią.

Większość rodziców — nawet jeśli w innych sytuacjach wykazuje ignorancję i gruboskórność — w tym przypadku reaguje z instynktowną wrażliwością na lęk dzieci przed porzuceniem, powtarzając dzień po dniu setki i tysiące razy: „Wiesz, że mamusia i tatuś nie pozostawią cię samego”; „Mamusia i tatuś na pewno wrócą i cię zabiorą”; „Mamusia i tatuś nigdy o tobie nie zapomną”. Jeśli słowa te znajdują potwierdzenie w czynach, co miesiąc, co rok, aż do wieku dojrzewania, to dziecko przestanie obawiać się porzucenia, a dzięki stabilnej sytuacji nabierze głębokiego, wewnętrznego przeświadczenia, że świat jest miejscem bezpiecznym i że zawsze można liczyć na ochronę i opiekę. Mając wewnętrzne poczucie trwałego bezpieczeństwa otaczającego je świata, dziecko może dowolnie odraczać tę czy inną gratyfikację, pewne, że prędzej czy później nadarzy się odpowiednia okazja, by ją otrzymać.

Jednak nie wszystkie dzieci mają tak szczęśliwe dzieciństwo. Wiele spędza je w osamotnieniu: z powodu śmierci rodziców, porzucenia, zwyczajnego niedbalstwa lub — jak w przypadku specjalistki od finansów — braku troski. Inne, choć nie porzucone w sensie dosłownym, nie otrzymały od rodziców zapewnienia, że nie zostaną opuszczone. Niekiedy rodzice, na przykład dążąc do wymuszenia dyscypliny najszybciej i najłatwiej jak tylko się da, posługują się otwartą lub zawoalowaną groźbą porzucenia, mówiąc: „Jeśli nie postąpisz dokładnie tak, jak chcę, przestanę cię kochać, a ty wiesz, co to znaczy!". Oznacza to, rzecz jasna, porzucenie i śmierć. Rodzice tacy przedkładają kontrolę i dominację nad miłość, przez co chowają dzieci lękające się przyszłości. Dzieci opuszczone — zarówno w sensie psychologicznym, jak i dosłownie — wkraczają w dorosłość pozbawione głębokiego przeświadczenia, że świat jest miejscem pewnym i bezpiecznym. Postrzegając świat jako złowrogi i przerażający, ani myślą wyrzec się jakiejkolwiek doraźnej gratyfikacji, dającej poczucie chwilowego bezpieczeństwa, na rzecz większej gratyfikacji, czyli bezpiecznej przyszłości, gdyż ta jest dla nich wielką niewiadomą.

Podsumujmy. Aby dzieci mogły rozwinąć w sobie zdolność do odraczania gratyfikacji, powinny mieć wzorce samodyscypliny, poczucie własnej wartości i bezpieczeństwa egzystencji. Ten „posag" najłatwiej możemy zdobyć dzięki samodyscyplinie i konsekwentnej, prawdziwej trosce naszych rodziców. Są to najcenniejsze dary, jakie matka i ojciec mogą przekazać swoim dzieciom. Jeśli nam ich nie przekażą, możemy je zdobyć z innych źródeł, lecz wówczas skazani będziemy na uciążliwą walkę trwającą niejednokrotnie przez całe życie i często bezowocną.

ROZWIĄZYWANIE PROBLEMÓW I CZAS

Omówiwszy pobieżnie wpływ miłości rodzicielskiej lub jej braku na rozwój samodyscypliny, a zwłaszcza na zdolność odraczania gratyfikacji, prześledźmy teraz subtelny, aczkolwiek wielce destrukcyjny wpływ problemów z odraczaniem gratyfikacji na życie wielu dorosłych. Większość z nas rozwinąwszy w sobie tę umiejętność, zdoła przebrnąć przez szkołę średnią, uniwersytet i osiągając dojrzałość, nie trafi do więzienia. Jednak nikt z nas nie opanował jej doskonale, więc nasza zdolność do rozwiązywania życiowych problemów zazwyczaj jest niepełna.

Ja sam nauczyłem się dokonywać drobnych napraw, dopiero mając trzydzieści siedem lat. Przedtem prawie każda podjęta przeze mnie próba naprawy kranu, reperacji zabawek lub złożenia mebli do samodzielnego montażu według dołączonej, zawiłej instrukcji kończyła się niepowodzeniem i moją frustracją. Choć byłem absolwentem medycyny i nie najgorzej radziłem sobie jako urzędnik i psychiatra, to w dziedzinie techniki uważałem siebie za zupełne beztalencie. Byłem przekonany, że nie mam jakiegoś genu lub tajemniczej cechy odpowiedzialnej za zdolności techniczne. Pewnego dnia, gdy miałem trzydzieści siedem lat, udałem się na wiosenną przechadzkę, podczas której napotkałem swojego sąsiada reperującego kosiarkę do trawy. Przywitawszy się z nim, powiedziałem: „Ojej, ale mi imponujesz. Ja niczego nie umiem naprawić". Sąsiad odrzekł bez chwili wahania: „To dlatego, że nie przeznaczasz na to wystarczająco dużo czasu". Ruszyłem dalej, nieco poruszony prostotą, spontanicznością i stanowczością odpowiedzi sąsiada, który przemówił jak jakiś guru. „Może on ma rację?" — zapytywałem sam siebie. Uwaga sąsiada zapadła głęboko w moją pamięć i gdy nadarzyła się okazja dokonania drobnej naprawy, przypomniałem sobie, że trzeba po prostu przeznaczyć na nią wystarczająco dużo czasu.

W samochodzie jednej z moich pacjentek zaciął się ręczny hamulec. Powiedziała, że trzeba by zajrzeć pod deskę rozdzielczą, coś tam nacisnąć i prawdopodobnie udałoby się go odblokować, nie miała jednak pojęcia, co i jak. Ułożyłem się więc na podłodze obok przedniego siedzenia. Najpierw bez pośpiechu wybrałem najwygodniejszą pozycję, następnie zorientowałem się w sytuacji. Przez kilka minut tylko się przyglądałem. W pierwszej chwili dojrzałem jedynie plątaninę przewodów, rurek i prętów niewiadomego przeznaczenia. Stopniowo jednak udało mi się wypatrzyć zespół hamulcowy i szczegóły jego budowy. Po chwili zobaczyłem zapadkę, która uniemożliwia odblokowanie hamulca. Obejrzałem ją dokładnie i zorientowałem się, że trzeba ją popchnąć do góry. Tak też zrobiłem. Jeden prosty ruch, lekki nacisk palcem i problem został rozwiązany. Zdobyłem uprawnienia mechanika samochodowego!

W rzeczywistości nie mam potrzebnej wiedzy ani czasu na jej zdobycie, by móc naprawiać wszystkie awarie, ponieważ swój czas przeznaczyłem na specjalizację w dziedzinie wiedzy nie związanej z mechaniką. Nadal więc w razie potrzeby zwracam się do mechaników. Teraz jednak wiem, że to kwestia mojego wyboru i nie ciąży na mnie żadna klątwa, nie jestem genetycznie obciążony czy pozbawiony pewnych zdolności. Przekonałem się, że — tak jak wszyscy inni zdrowi psychicznie ludzie — potrafię rozwiązać każdy problem, jeśli poświęcę mu odpowiednio dużo czasu.

Jest to ważna kwestia, wielu ludzi bowiem nie poświęca zazwyczaj zbyt wiele czasu na rozwiązywanie licznych kwestii intelektualnych, społecznych i duchowych, podobnie jak ja nie poświęcałem go na rozwiązywanie problemów technicznych. Przed moim oświeceniem technicznym zajrzałbym pod deskę rozdzielczą samochodu pacjentki, zacząłbym szarpać kable, nie mając pojęcia, co robić, a potem — stwierdziwszy, że wszystko na nic — otrzepałbym ręce i oznajmił: „To przekracza moje możliwości”.

Dokładnie tak zachowuje się wielu z nas w obliczu różnych problemów życia codziennego. Wspomniana na wstępie specjalistka od finansów była kochającą i oddaną, lecz raczej bezradną matką dwojga dzieci. Była na tyle czujna i uważna, by dostrzec, kiedy jej dzieci miały problemy emocjonalne lub jej metody wychowawcze nie sprawdzały się. Wtedy zawsze podejmowała działania dwojakiego rodzaju: albo robiła to, co w danym momencie przyszło jej do głowy — na przykład dawała dzieciom obfitsze śniadanie, kładła je wcześniej spać — nie zastanawiając się, czy taka zmiana rozwiąże zaistniały problem, albo przychodziła do mnie (specjalisty od napraw ludzkiej psyche) na kolejną sesję terapeutyczną, narzekając: „Nie umiem sobie z tym poradzić. Co mam robić?".

Owa kobieta, obdarzona przenikliwym i analitycznym umysłem, osiągałaby doskonałe wyniki w pracy zawodowej, gdyby tylko nie odkładała trudnych zadań na później. Natomiast w konfrontacji z problemami osobistymi postępowała bezmyślnie. Nie chciała poświęcić im czasu. Stanąwszy wobec problemu natury osobistej, czuła się zbita z tropu, chciała natychmiastowego rozwiązania, gdyż nie umiała cierpieć dyskomfortu przez czas potrzebny na znalezienie właściwego rozwiązania. Rozwiązanie stanowiło dla niej gratyfikację, lecz nie umiała odkładać jej dłużej niż na minutę lub dwie, wskutek czego jej decyzje zwykle okazywały się nietrafne, a w rodzinie panował ciągły chaos. Dzięki swojej determinacji i stosowaniu się do moich wskazówek stopniowo zdołała nauczyć się samodyscypliny — poświęcania czasu na analizę problemów rodzinnych, dzięki czemu jej decyzje stały się przemyślane i skuteczne.

Nie mówimy o tajemniczej niemocy rozwiązywania problemów, którą dotknięci są ludzie cierpiący na zaburzenia psychiczne. Każdy z nas w mniejszym lub większym stopniu zachowuje się jak wspomniana specjalistka od finansów. Któż mógłby z ręką na sercu powiedzieć, że zawsze poświęca wystarczająco dużo czasu analizie problemów oraz łagodzeniu napięć w swojej rodzinie? Kto ma taką samodyscyplinę, by w odniesieniu do problemów rodzinnych nigdy nie powiedzieć z rezygnacją: „To przekracza moje możliwości"?

Stając w obliczu jakiegoś problemu, często popełniamy jeszcze inny błąd — groźniejszy i bardziej destrukcyjny niż niecierpliwe dążenie do znalezienia łatwych i natychmiastowych rozwiązań. Jest nim żywienie nadziei, że problemy rozwiążą się same. Trzydziestoletni nieżonaty komiwojażer, uczestnik grupowej terapii w małym miasteczku, zaczął spotykać się z żoną innego członka tej grupy — bankiera, z którym była w separacji. Komiwojażer wiedział, że bankier jest osobnikiem krewkim i ma urazę do żony, że go porzuciła. Czuł się nie w porządku zarówno wobec grupy, jak i tego człowieka, ponieważ zataił przed nimi swój romans. Wiedział, że wcześniej czy później sprawa wyjdzie na jaw. Wiedział też, że jedynym rozwiązaniem byłoby zwierzenie się całej grupie i przetrzymanie ataku zdradzanego męża przy jej wsparciu. Nie uczynił tego jednak. Trzy miesiące później bankier rzeczywiście dowiedział się o romansie żony i — jak się należało spodziewać — wpadł we wściekłość. Wykorzystał ten fakt, by zaprzestać terapii. Kiedy grupa uświadomiła komiwojażerowi destruktywne działanie, ów odrzekł: „Wiedziałem, że jeśli o tym powiem, wywołam burzliwą dyskusję, a jeśli nie, to może uniknę awantury. Miałem nadzieję, że z czasem problem sam zniknie".

Problemy same nie znikają. Trzeba je rozwiązywać, bo w przeciwnym razie będą nam przeszkadzać w rozwoju duchowym. Grupa dała komiwojażerowi do zrozumienia, że skłonność do unikania rozwiązywania problemów poprzez ignorowanie ich w nadziei, że same znikną, jest jego najpoważniejszym problemem. Cztery miesiące później, wczesną jesienią, komiwojażer popełnił kolejne głupstwo: z dnia na dzień rzucił pracę i założył własny warsztat naprawy mebli, dzięki czemu nie musiał podróżować. Grupa wyrażała obawy z powodu postawienia wszystkiego na jedną kartę, kwestionowała sensowność takiego posunięcia u progu zimy, lecz komiwojażer przekonywał, że zarobi wystarczająco dużo, by utrzymać firmę. Sprawa ucichła. Wtem — na początku lutego — oświadczył, że rezygnuje z terapii, gdyż nie stać go na opłacanie honorarium. Zbankrutował i musi rozejrzeć się za inną pracą. Przez pięć miesięcy odnowił tylko osiem sztuk mebli. Spytany, dlaczego wcześniej nie poszukał pracy, odpowiedział: „Już sześć tygodni temu zorientowałem się, że pieniądze się kończą, ale jakoś nie chciało mi się wierzyć, że sprawy zajdą tak daleko. Sytuacja nie wyglądała wówczas aż tak źle, ale teraz jest fatalna". Był to kolejny przykład jego skłonności do ignorowania problemów. Powoli zaczął dochodzić do wniosku, że dopóki nie wyzbędzie się tej skłonności, nie uczyni żadnych postępów — nawet z pomocą najlepszych psychoterapeutów.

Skłonność do niedostrzegania problemów jest przejawem niechęci do odraczania gratyfikacji. Jak już wyjaśniłem, stawianie im czoła jest bolesne. Dobrowolna, wczesna konfrontacja z problemami — nim zmuszą nas do tego okoliczności — oznacza odłożenie na później czegoś przyjemnego lub mniej bolesnego i zajęcie się czymś nieprzyjemnym i bardziej bolesnym. Jest to wybór cierpienia tu i teraz, z nadzieją na przyszłą gratyfikację, zamiast kontynuowania bieżącej gratyfikacji w nadziei, że przyszłe cierpienia nie będą konieczne.

Może się wydawać, że komiwojażer, który pozornie nie dostrzegał tak oczywistych problemów, był emocjonalnie niedojrzały lub psychicznie niedorozwinięty, lecz prawda jest bardziej złożona. Każdy z nas wykazuje w pewnym stopniu taką niedojrzałość. Pewien generał, dowódca armii, powiedział mi kiedyś: „Jednym z największych naszych problemów i — jak sądzę — każdej innej organizacji jest to, że większość dowódców biernie przygląda się problemom w swoich jednostkach i nie robi nic; jak gdyby miały same zniknąć, jeśli poczeka się wystarczająco długo". Ten generał nie mówił o osobach ociężałych umysłowo czy nienormalnych. Mówił o generałach i pułkownikach — dojrzałych mężczyznach o wysokich kwalifikacjach i dyscyplinie.

Rodzice też są dowódcami — przeważnie źle przygotowanymi do swej roli — i mają do wypełnienia zadanie równie złożone jak kierowanie przedsiębiorstwem czy dowodzenie kompanią. Zwykle obserwują problemy swoich dzieci (a także te, które wynikają z ich wzajemnych stosunków) całymi miesiącami, czy nawet latami, zanim podejmą jakieś skuteczne działanie, jeżeli w ogóle je podejmą. Potem, przychodząc do psychologa dziecięcego z problemem, który pojawił się pięć lat temu, mówią: „Myśleliśmy, że ono z tego wyrośnie". Wziąwszy pod uwagę złożoność procesu wychowawczego, trzeba przyznać, że decyzje rodzicielskie są trudne i że dzieci często „z tego wyrastają". Nie zaszkodzi jednak spróbować pomóc im wyrosnąć lub przynajmniej bliżej przyjrzeć się problemowi. Dzieci na ogół „z tego wyrastają", ale nie zawsze. Im dłużej ignoruje się problemy dzieciństwa, tym stają się one poważniejsze i trudniej znaleźć ich rozwiązanie.

ODPOWIEDZIALNOŚĆ

Problemów życiowych nie można rozwiązać inaczej niż poprzez ich rozwiązywanie. Choć stwierdzenie to może zakrawać na tautologiczną bzdurę lub banał, do większości ludzi wcale nie przemawia. Zanim rozwiążemy problem, musimy przyjąć za niego odpowiedzialność. Nie da się go rozwiązać, mówiąc: „To nie moja wina". Nie rozwiąże się problemu, łudząc się nadzieją, że ktoś inny zrobi to za nas. Tylko wtedy uporam się z problemem, kiedy stwierdzę: „To mój problem i ja jestem odpowiedzialny za jego rozwiązanie". Jednak wielu ludzi chowa głowę w piasek i wmawia sobie: „To ICH wina, że tak jest, to kompleks uwarunkowań społecznych, na który nie mam wpływu, to ONI powinni rozwiązać ten problem, bo gdyby tak WSZYSCY... Tak naprawdę nie mam z TYM nic wspólnego".

Czasem wręcz bawi smutny skądinąd fakt, do czego zdolni są ludzie w celu uniknięcia odpowiedzialności za własne problemy. Zawodowy sierżant stacjonujący na Okinawie, mający duże kłopoty z powodu nadużywania alkoholu, został skierowany na badania psychiatryczne i ewentualne leczenie. Zaprzeczał, jakoby był alkoholikiem, nie przyznawał się nawet, że alkohol jest jego problemem. Tłumaczył się:

— Na Okinawie nie ma wieczorem nic innego do roboty.
— Czy pan lubi czytać? — spytałem.
— No, tak. Lubię czytać.
— To dlaczego wieczorami nie czyta pan, zamiast pić?
— W koszarach jest za głośno, nie da się czytać.
— Dlaczego więc nie pójdzie pan do czytelni?
— Bo jest za daleko.
— Czy dalej niż bar, do którego pan chodzi?
— No wie pan, aż takim molem książkowym to ja nie jestem.
— A czy lubi pan łowić ryby? — spytałem następnie.
— Lubię.
— Dlaczego więc nie pójdzie pan na ryby, zamiast pić?
— Bo pracuję przez cały dzień.
— Nie może pan łowić wieczorem?
— Nie, na Okinawie nie łowi się ryb wieczorem.
— Łowi się — stwierdziłem. — Znam kilka tutejszych klubów, których członkowie łowią w nocy. Mogę panu dać parę adresów.
— Szczerze mówiąc, nie przepadam za wędkowaniem.
— Z tego, co pan mówi, wynika, że na Okinawie można zająć się czymś innym, jednak pan najbardziej lubi pić.
— Myślę, że tak.
— Jednak z powodu picia ma pan kłopoty, więc jest ono dla pana problemem, prawda?
— Ta przeklęta wyspa każdego wpędzi w alkoholizm.
Przez jakiś czas usiłowałem mu pomóc, ale sierżant ani trochę nie był zainteresowany tym, by w nadużywaniu alkoholu dopatrzyć się jakiegokolwiek problemu, który mógłby rozwiązać sam lub z moją pomocą. Powiadomiłem więc z ubolewaniem dowódcę, że sierżantowi nie da się pomóc. Pił nadal, przez co w połowie służby został zwolniony z wojska.

W ambulatorium szpitalnym, także na Okinawie, poznałem młodą kobietę, która próbowała żyletką podciąć sobie żyły. Spytałem, dlaczego to zrobiła.
— Żeby skończyć ze sobą.

— Dlaczego chciała pani popełnić samobójstwo?

— Bo nie mogę już wytrzymać na tej cholernej wyspie. Musicie mnie odesłać do Stanów. Zabiję się, jeżeli dłużej tu zostanę.

— Dlaczego na Okinawie jest pani tak źle? — pytam.

Zaczęła płakać.

— Nie mam tu żadnych przyjaciół, cały czas jestem sama.

— Fatalnie. Jak to się stało, że z nikim pani się nie zaprzyjaźniła?

— Bo mieszkam w jakiejś cholernej dzielnicy, w której nikt nie mówi po angielsku.

— To dlaczego nie pojedzie pani do dzielnicy zamieszkanej przez Amerykanów lub do klubu żon żołnierzy zawodowych? Może tam znalazłaby pani przyjaciół?

— Bo mój mąż musi dojeżdżać do pracy samochodem.

— Nie mogłaby pani zawozić go do pracy, skoro czuje się pani samotna i znudzona przez cały dzień?

— Nie mogę. Ten samochód ma ręczną skrzynię biegów, a ja umiem prowadzić tylko samochody z przekładnią automatyczną.

— To dlaczego nie nauczy się pani prowadzić samochodu z ręczną skrzynią biegów?

Spojrzała na mnie z oburzeniem i stwierdziła:

— Na tych drogach? Pan chyba zwariował!

NERWICE I CHARAKTEROPATIE

Większość uczestników psychoterapii cierpi na tak zwaną nerwicę lub charakteropatię. Mówiąc najprościej, podłożem jednej i drugiej są problemy z ustaleniem zakresu swojej odpowiedzialności. Oba te zaburzenia reprezentują odmienne sposoby odnoszenia się do świata i jego problemów. Nerwicowiec przyjmuje na siebie nadmierną odpowiedzialność, charakteropata zaś — zbyt małą. Nerwicowcy znalazłszy się w konflikcie ze światem, obarczają winą siebie. Natomiast charakteropaci popadłszy w konflikt, automatycznie zakładają, że to wina innych. Przypadki opisane w poprzednim podrozdziale należą do tej drugiej kategorii: sierżant o swój alkoholizm obwiniał Okinawę, a żona podoficera nie dostrzegała tego, że sama jest winna swojego osamotnienia. Natomiast inna znerwicowana kobieta — której też doskwierała samotność na Okinawie — narzekała: „Jeżdżę codziennie do klubu żon oficerów i staram się znaleźć przyjaciół, ale nie czuję się wśród nich dobrze. Sądzę, że inne kobiety mnie nie lubią. Chyba coś ze mną jest nie tak. Powinnam łatwiej zawierać przyjaźnie. Częściej wychodzić na miasto. Chciałabym zrozumieć, która z cech mojego charakteru sprawia, że jestem tak nielubiana". Ta kobieta przyjęła na siebie całą odpowiedzialność za swoją samotność, sądząc, że jest ona przez nią zawiniona.

Podczas terapii okazało się, że nie czuła się dobrze nie tylko w towarzystwie innych żon oficerów, lecz również w towarzystwie swojego męża, ponieważ była od nich o wiele inteligentniejsza i ambitniejsza. Uzmysłowiła sobie, że jej samotność — aczkolwiek jest jej problemem osobistym — niekoniecznie jest przez nią zawiniona i nie jest spowodowana jakąś jej wadą. Zdecydowała się więc na rozwód, samotnie wychowując dzieci, ukończyła studia, została wydawcą magazynu i ponownie wyszła za mąż za osiągającego sukcesy kolegę po fachu.

Nawet sposób mówienia nerwicowców i charakteropatów jest zupełnie inny. Nerwicowcy zwykle używają takich sformułowań, jak: „powinienem", „nie powinienem", co wskazuje, że postrzegają siebie jako istoty niższego gatunku, nie stające na wysokości zadania lub zawsze dokonujące nietrafnych wyborów. Natomiast charakteropaci często używają zwrotów „nie potrafię", „nie mogę", „muszę", „byłem zmuszony", czym dają do zrozumienia, że nie mają żadnej możliwości wyboru, a ich zachowaniem kierują siły zewnętrzne nie podlegające ich kontroli. Nerwicowcy — jak łatwo się domyślić — są w porównaniu z charakteropatami bardziej podatni na psychoterapię, gdyż przyjmują na siebie całkowitą odpowiedzialność za swoje kłopoty, uświadamiając sobie, że mają problemy. Natomiast charakteropaci dużo trudniej poddają się psychoterapii, często ją wręcz uniemożliwiają, gdyż nie widzą, że źródłem problemu są oni sami. Są przeświadczeni, że to nie oni, lecz świat powinien się zmienić, przez co nie dostrzegają konieczności zmiany swojego myślenia. Jednak w rzeczywistości większość uczestników psychoterapii cierpi jednocześnie na nerwicę i charakteropatię. Mówi się, że mają nerwicę charakteru. Powoduje ona, że w pewnych dziedzinach życia dokucza im poczucie winy, gdyż obarczają się odpowiedzialnością za coś, co od nich nie zależy. W innych zaś nie potrafią przyjąć właściwej odpowiedzialności za swoje postępowanie. Dopiero gdy poprzez psychoterapię uda się w końcu nerwicowej stronie osobowości pacjentów zaszczepić wiarę i ufność, można skłonić ich do zmiany sposobu myślenia i pozbycia się niechęci do przyjmowania odpowiedzialności.

Tylko nieliczni z nas nie są ani nerwicowcami, ani nie wykazują charakteropatii, i dlatego w zasadzie każdy może odnieść korzyść z psychoterapii, jeśli tylko zapragnie się jej poddać. Przyczyną takiego stanu rzeczy jest trudność odróżnienia, za co jesteśmy, a za co nie jesteśmy odpowiedzialni. Jest to jeden z największych dylematów naszej egzystencji. Nigdy nie uda się nam go rozwiązać; przez całe życie zmuszeni będziemy określać i poddawać rewizji miejsce i zakres naszej odpowiedzialności w wartko płynącym nurcie zdarzeń. Jeśli owo określanie i rewizję wcześniejszych ustaleń prowadzić dogłębnie i rzetelnie, są one bolesne. Wymagają woli i zdolności do cierpienia, gdyż polegają na dokonywaniu sumiennego obrachunku moralnego. Zdolność ta — czy też wola — wcale nie jest wrodzona. W pewnym sensie wszystkie dzieci wykazują charakteropatię przejawiającą się w tym, że mają instynktowną skłonność do zrzucania z siebie odpowiedzialności za wiele konfliktów, w których uczestniczą. Kłócące się rodzeństwo zawsze będzie się wzajemnie oskarżało o wywołanie konfliktu i żadna ze stron nie przyzna się do winy. Wszystkie dzieci przejawiają też nerwicę, ponieważ instynktownie biorą na siebie odpowiedzialność za doznawane deprywacje, choć jeszcze nie pojmują ich przyczyn. Dlatego dziecko nie kochane przez swoich rodziców raczej uzna, że nie zasługuje na miłość, niż że jego rodzicom brakuje zdolności kochania. Nastolatki, które nie mają powodzenia u płci przeciwnej lub nie sprawdzają się w sporcie, będą się raczej uważać za osoby gorsze niż za nieco odstające od normy czy zupełnie przeciętne, którymi zazwyczaj są. Tylko dzięki ogromnemu doświadczeniu oraz długiemu i udanemu dojrzewaniu osiągamy zdolność realistycznego widzenia świata, naszego miejsca w nim, a tym samym rzeczowej oceny naszej odpowiedzialności za siebie i wobec świata.

Rodzice są odpowiedzialni za wspieranie rozwoju swoich dzieci. Będą mieli tysiące okazji unaocznienia im ich skłonności do uchylania się od odpowiedzialności za własne postępowanie. Powinni je też pocieszać w sytuacjach przez nie niezawinionych. Jednak wykorzystanie tych okazji — jak już wspomniałem — wymaga od rodziców głębokiej wrażliwości na potrzeby dzieci oraz chęci poświęcenia czasu na trud ich zaspokajania. To z kolei wymaga od rodziców miłości i gotowości przyjęcia na siebie odpowiedzialności za wsparcie rozwoju dziecka.

Tymczasem wielu rodziców — pomijając zwykłą nieczułość czy niedbalstwo — przeszkadza dzieciom w pomyślnym rozwoju. Nerwicowcy — ze względu na ich skłonność do przyjmowania odpowiedzialności — mogą być wspaniałymi rodzicami, jeśli ich nerwica ma postać stosunkowo łagodną i jeśli nie przyjmują na siebie zbyt wielkiej odpowiedzialności, tracąc na to energię potrzebną do dobrze pojętego wypełniania rodzicielskich obowiązków. Natomiast charakteropaci zazwyczaj są fatalnymi rodzicami. Trwając w błogiej niewiedzy, często wpływają destruktywnie na swoje dzieci. Mówi się, że „nerwicowcy krzywdzą samych siebie", natomiast charakteropaci „krzywdzą wszystkich wokół".

Pierwszymi ofiarami charakteropatów są przede wszystkim ich dzieci. Podobnie jak w innych dziedzinach życia, tak i w obowiązkach rodzicielskich nie potrafią przyjąć na siebie właściwej dozy odpowiedzialności. Zazwyczaj zbywają swoje dzieci byle czym, zamiast poświęcić im wystarczająco dużo czasu i uwagi. Jeśli dzieci popełnią jakieś wykroczenie lub mają kłopoty w szkole, rodzice-charakteropaci automatycznie obarczają za to winą system szkolny lub inne dziecko, które — jak uparcie twierdzą — ma zły wpływ na ich latorośl.

Taka postawa jest jawnym ignorowaniem problemu. Rodzice ci, sami unikając odpowiedzialności, służą swoim dzieciom za wzór nieodpowiedzialności. W krańcowych przypadkach zdarza się, że rodzice-charakteropaci starając się uniknąć odpowiedzialności za własne życie, obarczają tą odpowiedzialnością swoje dzieci, czemu dają wyraz, mówiąc im: „Doprowadzacie mnie do choroby nerwowej", „Tylko ze względu na was nie zdecydowałam się na rozwód z waszym ojcem", „Matka przez was straciła nerwy", „To przez was piję", „Mógłbym skończyć studia i zrobić karierę, gdybym nie musiał na was zarabiać". W rezultacie rodzice przekazują dzieciom taką informację: „To wy jesteście odpowiedzialne za moje małżeństwo, moje zdrowie psychiczne, alkoholizm i niepowodzenia życiowe". Skoro rodzice nie są w stanie przyjąć odpowiedzialności za swoje życie, dzieci częstokroć przyjmują tę odpowiedzialność na siebie i stają się nerwicowcami. W ten oto sposób rodzice-charakteropaci prawie zawsze wychowują dzieci z charakteropatią lub nerwicą. Wymierzają dzieciom karę za własne grzechy.

Charakteropaci są nieskuteczni nie tylko jako rodzice. Te same wady charakteru negatywnie rzutują na ich małżeństwo, przyjaźnie, życie zawodowe — na każdą sferę życia, za którą nie czują się odpowiedzialni. I tak być musi, gdyż — jak już powiedziałem — żadnego problemu nie da się rozwiązać, nie przyjmując na siebie odpowiedzialności za jego rozwiązanie. Nawet gdy charakteropaci winą za swoje problemy obarczają kogoś innego (małżonka, dziecko, przyjaciela, pracodawcę), czy też coś innego (złe wpływy, ICH, szkołę, drapieżny kapitalizm, społeczeństwo, system), to problemy i tak nie przestają istnieć. Owo zrzucanie winy niczego nie rozwiąże. Uchylając się od przyjęcia odpowiedzialności, odczuwają ulgę, lecz jednocześnie tracą możliwość rozwiązania życiowych problemów, a hamując swój rozwój duchowy, stają się ciężarem dla społeczeństwa. Swoim cierpieniem obarczają społeczeństwo. Aforyzm, którego autorstwo przypisuje się Eldridge'owi Cleaverowi, dotyczy nas wszystkich i jest zawsze aktualny: „Jeśli nie jesteś częścią rozwiązania, to jesteś częścią problemu".

UCIECZKA OD WOLNOŚCI

Psychiatra stawia diagnozę charakteropatii wtedy, gdy rozpozna u badanego stosunkowo szeroką sferę unikania odpowiedzialności. Jednak w pewnych sytuacjach prawie wszyscy staramy się uniknąć — często w sposób dość wyrafinowany — przykrej odpowiedzialności za własne problemy. Ja sam, mając trzydzieści lat, wyleczyłem się z drobnej charakteropatii dzięki Macowi Badgely'emu. Był on kierownikiem przychodni przy klinice psychiatrycznej, w której odbywałem właśnie praktykę. Moim kolegom praktykantom i mnie przydzielano coraz to nowych pacjentów. Poświęcałem im więcej czasu niż moi koledzy. Oni przyjmowali pacjentów raz w tygodniu, dzięki czemu opuszczali szpital codziennie o wpół do piątej. Napawało mnie to rozgoryczeniem. Ja wyznaczałem terminy wizyt dwu- lub trzykrotnie częściej, przyjmując pacjentów do godziny dwudziestej i później. Moje rozgoryczenie narastało, byłem coraz bardziej zmęczony i uznałem, że muszę coś z tym zrobić.

Poszedłem więc do doktora Badgely'ego i opowiedziałem o swoich żalach. Spytałem, czy może przez kilka tygodni nie kierować do mnie nowych pacjentów, abym mógł nadrobić zaległości. A może znalazłby inne rozwiązanie problemu? Badgely wysłuchał mnie uważnie, ze zrozumieniem, nie przerywając ani razu. Gdy skończyłem, po chwili milczenia powiedział współczująco:

— No tak, widzę, że ma pan problem.

Rozpromieniłem się, czując, że zrozumiał, o co mi chodzi.

— No właśnie — powiedziałem. — Co pańskim zdaniem można by zrobić?

Na to Badgely odrzekł:

— Mówiłem już, panie Scott, że ma pan problem.

Nie spodziewałem się takiej odpowiedzi.

— Tak — powtórzyłem nieco strapiony. — Wiem, że mam problem. Dlatego właśnie przyszedłem do pana. Co pańskim zdaniem należy zrobić w tej sprawie?

A on znów swoje:

— Scott, najwyraźniej nie słucha mnie pan uważnie. Ja wysłuchałem pana i zgadzam się. Ma pan problem.

— Do licha — powiedziałem. — Wiem, że mam problem. Wiedziałem o tym, kiedy tu przyszedłem. Chodzi o to, jak mam postąpić.

— Scott, proszę posłuchać — odparł Badgely. — Słuchać uważnie, a ja powtórzę. Zgadzam się z panem. Rzeczywiście ma pan problem. Przede wszystkim problem czasu. Pańskiego czasu. Nie mojego. To nie mój problem. To pański problem z pańskim czasem. Pan, panie M. Scott Peck, ma problem z czasem. To wszystko, co mam na ten temat do powiedzenia.

Odwróciłem się na pięcie i wypadłem wściekły z biura Badgely'ego. Aż trząsłem się ze złości. Nienawidziłem Maca Badgely'ego. Nienawidziłem go przez trzy miesiące. Byłem przekonany, że cierpi na charakteropatię. Jak mógł być aż tak gruboskórny? Zwróciłem się do niego pokornie, prosząc o niewielką pomoc, o drobną radę, a on nie uznał za stosowne przyjąć na siebie tyle odpowiedzialności, żeby choć spróbować mi pomóc. W końcu należy to do jego obowiązków, jest przecież kierownikiem kliniki. Jeżeli pracując na tym stanowisku, nie potrafi poradzić sobie z takim problemem, to po co tu w ogóle jest?

Wreszcie po trzech miesiącach dotarło do mnie, że Badgely miał rację. To nie on, lecz ja cierpiałem na charakteropatię. To ja jestem odpowiedzialny za swój czas. Ode mnie zależy, w jaki sposób ułożę sobie plan zajęć i zagospodaruję dzień pracy. Jeśli chcę poświęcić moim pacjentom więcej czasu niż moi koledzy, to jest to wyłącznie mój wybór i za jego skutki ja ponoszę odpowiedzialność. Mogło mnie boleć to, że koledzy opuszczają przychodnię dwie lub trzy godziny wcześniej ode mnie, mogły mnie boleć narzekania żony, że za mało czasu poświęcam rodzinie, lecz te cierpienia były jedynie konsekwencją mojego wyboru. Gdybym nie pragnął cierpieć, mógłbym wybrać lżejszy rozkład zajęć i nie przepracowywać się. Ciężka praca nie została mi narzucona przez bezlitosny los czy nieczułego kierownika kliniki; to ja sam wybrałem taki styl życia i sam ustaliłem priorytety. Gdy wreszcie to do mnie dotarło, postanowiłem niczego nie zmieniać. Znikła moja złość na kolegów. Nie było sensu gniewać się na nich za to, że wybrali styl życia inny od mojego. Mogłem przecież — gdybym chciał — pracować tak samo jak oni. Potępianie ich oznaczałoby potępianie wyboru, by żyć inaczej niż oni. Wyboru, który czynił mnie szczęśliwszym.

Trudność przyjęcia odpowiedzialności za własne zachowania wynika z chęci uniknięcia bolesnych konsekwencji tych zachowań. Żądając od Maca Badgely'ego przyjęcia odpowiedzialności za rozplanowanie mojego czasu, próbowałem uniknąć cierpienia związanego z dłuższym dniem pracy, nawet jeśli ten dłuższy dzień pracy był nieuchronną konsekwencją mojego wyboru — decyzji poświęcenia się pacjentom i praktyce. Równocześnie nieświadomie dążyłem do wyolbrzymienia władzy Badgely'ego przez ofiarowanie mu swojej własnej władzy i swojej wolności. W gruncie rzeczy mówiłem mu:

„Zaopiekuj się mną. To ty masz być szefem". Starając się uchylać od odpowiedzialności za własne postępowanie przerzucamy ją na inną osobę, organizację lub jednostkę społeczną. Oznacza to, że oddajemy temu swoją władzę; obojętne czy będzie to los, społeczeństwo, rząd, przedsiębiorstwo czy przełożony. Erich Fromm niezwykle trafnie zatytułował studium nazizmu i autorytaryzmu: *Ucieczka od wolności*. Dążąc do uchylenia się od cierpienia związanego z odpowiedzialnością, miliony, a nawet miliardy ludzi uciekają codziennie od wolności.

Mam błyskotliwego, lecz wiecznie zrzędzącego znajomego. Gdyby mu na to pozwolić, gadałby bez przerwy i ze swadą o siłach gnębiących nasze społeczeństwo: o rasizmie, seksizmie, elicie przemysłowo-militarnej oraz o policji, która uwzięła się na niego i jego przyjaciół, bo noszą długie włosy. Staram się mu uświadomić, że nie jest przecież dzieckiem. W dzieciństwie — wskutek rzeczywistej i daleko idącej zależności — rodzice mają nad nami dużą władzę. To oni są odpowiedzialni za nasz los, a my jesteśmy zdani na ich łaskę. Gnębione przez rodziców dzieci są zazwyczaj bezsilne; mają bardzo ograniczoną swobodę wyboru. Jednak w wieku dorosłym, jeśli tylko zdrowie nam dopisuje, nasz wybór jest niemalże nieograniczony. Nie oznacza to wcale, że jest bezbolesny. Często polega on na wyborze mniejszego zła, jednak decyzja należy do nas.

Tak, zgadzam się z moim znajomym, że w naszym świecie działają siły zła. Jednak mamy wolność wyboru takiego sposobu postępowania, by sobie z nimi radzić i właściwie na nie reagować. Mój przyjaciel zdecydował się mieszkać w tej części kraju, w której policja nie lubi „długowłosych typków", a mimo to nosił długie włosy. Mógłby przenieść się do innego miasta, obciąć włosy, a nawet ubiegać się o stanowisko szefa policji. Jednak mimo swojej błyskotliwości nie umie dostrzec możliwości dokonania wolnego wyboru. Woli raczej ubolewać, że brak mu wpływów politycznych, niż uznać swoją nieograniczoną władzę nad samym sobą i cieszyć się nią. Mówi o umiłowaniu wolności i o ciemiężących go siłach, lecz ilekroć skarży się na nie, wyrzeka się w gruncie rzeczy swojej wolności. Mam nadzieję, że pewnego dnia przestanie gniewać się na życie za to, że pewne wybory są trudne i bolesne*.

We wstępie do książki *Learning Psychotherapy* doktor Hilde Bruch stwierdza, że w zasadzie wszyscy pacjenci zgłaszają się do psychiatrów z „tym samym problemem: poczuciem bezradności, lękiem połączonym z wewnętrznym przeświadczeniem, że »nie radzą sobie« i nic nie potrafią zmienić"**. Jednym z korzeni owego „poczucia bezsilności" jest u większości pacjentów pragnienie częściowego lub całkowitego uchylenia się od wolności cierpienia, a co za tym idzie, częściowa lub całkowita niemożność przyjęcia odpowiedzialności za swoje problemy i własne życie. Czują bezsilność, bo w rzeczywistości odrzucili swoją moc i władzę. Wcześniej czy później, jeśli mają zostać uzdrowieni, muszą zrozumieć, że życie dorosłego człowieka to seria wyborów i decyzji. Jeśli zdołają to zaakceptować, staną się ludźmi wolnymi; jeśli nie, wciąż będą czuli się zniewolonymi.

WIERNOŚĆ RZECZYWISTOŚCI

Trzecim instrumentem dyscypliny — czyli techniki radzenia sobie z cierpieniem towarzyszącym rozwiązywaniu problemów — którym należy posługiwać się nieustannie, jeśli

---

* O ile mi wiadomo, kwestia wyboru mniejszego zła została najlepiej omówiona przez psychiatrę Allena Wheelisa w rozdziale zatytułowanym „Freedom and Necessity" książki *How People Change* (New York, Harper & Row, 1973). Autor dyskutuje o tym zagadnieniu z taką swadą, że z trudem powstrzymałem się od zacytowania tego rozdziału w całości. Polecam jego lekturę każdemu, kto pragnie bliżej zapoznać się z tą kwestią.

** Cambridge, MA, Harvard University Press, 1974, s. ix.

chcemy zdrowo żyć i rozwijać się duchowo, jest wierność rzeczywistości. Na pierwszy rzut oka powinno to być oczywiste. Prawda to rzeczywistość. To, co jest fałszywe, jest nierzeczywiste. Im dokładniej postrzegamy rzeczywistość świata, tym więcej mamy środków do dyspozycji, by sobie z nim radzić. Im bardziej mgliście postrzegamy rzeczywistość, tym nasz umysł jest bardziej podatny na fałsz, błędne postrzeganie, złudzenia i tym mniej jesteśmy zdolni do wytyczania prawidłowego toku działania i podejmowania trafnych decyzji. Nasza wizja rzeczywistości przypomina mapę naszego życia. Jeżeli mapa ta jest dokładna i zgodna z rzeczywistością, szybko orientujemy się, gdzie jesteśmy, a zdecydowawszy, dokąd idziemy — z łatwością odnajdujemy drogę. Mapa niedokładna nie odzwierciedla rzeczywistości i gubimy się w terenie.

Większość z nas w jakimś stopniu lekceważy tę oczywistą prawdę. Ignorujemy ją, ponieważ poznanie rzeczywistości wcale nie jest łatwe. Nie rodzimy się z mapą: musimy wykonać ją sami, a to wymaga wysiłku. Im więcej go wkładamy w poznanie i postrzeganie rzeczywistości, tym obszerniejszą i dokładniejszą tworzymy mapę. Jednak wielu nie chce podjąć tego wysiłku. Niektórzy zatrzymują się w wieku młodzieńczym. Ich mapy są ograniczone i fragmentaryczne, a poglądy na życie wąskie i mylne. Osiągnąwszy wiek średni, większość z nas zaprzestaje tego trudu. Przekonani, że mapa jest już kompletna, a światopogląd prawidłowy (wręcz: jedynie słuszny), nie interesujemy się nowymi informacjami. Czujemy zmęczenie. Tylko nieliczni szczęśliwcy nie ustają w wysiłkach aż do śmierci, badają tajniki rzeczywistości, nieustannie poszerzają, wzbogacają i od nowa weryfikują pojmowanie świata i prawdy.

Największym problemem przy tworzeniu mapy nie jest to, że musimy zaczynać od samego początku, lecz to, że jeśli nasze mapy mają być dokładne, to należy je nieustannie korygować. Świat podlega ciągłym zmianom. Klimat się zmienia. Kultury rozkwitają i przemijają. Rozwija się nauka i technika. Co gorsza — nawet dogodny punkt, z którego obserwujemy świat, także zmienia się nieustannie i gwałtownie. Będąc dziećmi, jesteśmy zależni i bezsilni, jako dorośli możemy posiadać wielką moc. Jednak w podeszłym wieku, schorowani i bezradni, znów możemy być bezsilni i zależni od innych. Jeśli mamy dzieci, które otoczą nas opieką, to świat będzie wyglądał inaczej niż wtedy, gdy ich nie mamy; kiedy niańczymy niemowlęta, świat wygląda odmiennie niż wówczas, gdy wychowujemy nastolatka. Gdy jesteśmy biedni, świat jawi się nam inaczej niż wówczas, gdy mamy pieniądze. Dzień w dzień bombardują nas nowe informacje, bez przerwy musimy dokonywać przeglądu swojej mapy, a gdy zgromadzi się wystarczająco dużo nowych danych, musimy dokonać jej zasadniczej rewizji. Ten proces — zwłaszcza zasadniczej rewizji — sprawia ból, a czasem jest udręką. I właśnie to jest głównym źródłem wielu nieszczęść ludzkości.

Co się dzieje, gdy ktoś starannie i długo wypracowywał swój pogląd na świat — pozornie użyteczną, dokładną mapę — lecz sytuacja zmusza go do przyznania, że jego światopogląd jest błędny, a mapę trzeba sporządzić na nowo? Bolesny trud, jakiego wymaga ten proces, wydaje się przerażać i przekraczać granice naszych możliwości. Zazwyczaj podświadomie staramy się ignorować nową sytuację. Często akt owej ignorancji nie jest bynajmniej pasywny. Możemy uznać nową informację za fałszywą, niebezpieczną, za herezję czy dzieło diabła. Możemy wytoczyć jej wojnę i nawet próbować tak pokierować światem, by skłonny był uznać nasz pogląd na rzeczywistość. Zamiast korygować mapę, próbujemy burzyć nową rzeczywistość. Smutne, że w ostateczności można zużyć więcej energii na obronę przestarzałego światopoglądu, niż byłoby potrzeba na jego rewizję i korektę.

PRZENIESIENIE: MAPA NIEAKTUALNA

Kurczowe trzymanie się przestarzałych poglądów na rzeczywistość jest podłożem wielu chorób psychicznych. Psychiatrzy nazywają je przeniesieniem. Istnieje zapewne tyle samo drobnych różnic w definicjach przeniesienia ilu psychiatrów. Więc dorzucę moją definicję: przeniesienie to posługiwanie się w dorosłym życiu postrzeganiem ukształtowanym w dzieciństwie, które wtedy było właściwe i gwarantowało przetrwanie, lecz rzutuje negatywnie na życie dorosłej osoby.

Przeniesienie, wszechobecne i destruktywne, przejawia się często w sposób bardzo subtelny, jednak przypadki poważniejsze są bardzo łatwe do zdiagnozowania. Oto jeden z nich: pewien pacjent zrezygnował z psychoterapii właśnie wskutek przeniesienia. Niezwykle inteligentny, choć pechowy technik komputerowy, po trzydziestce, zgłosił się do mnie, gdy rzuciła go żona i zabrała dwójkę dzieci. Nie przejął się zbytnio odejściem partnerki, lecz rozpaczał nad utratą dzieci, do których był bardzo przywiązany. Pragnąc je odzyskać, zdecydował się na psychoterapię, ponieważ żona zagroziła, że nie wróci do niego, jeśli nie podda się on leczeniu. Zarzucała mu, że jest o nią chorobliwie i bezpodstawnie zazdrosny, a jednocześnie pełen chłodu, rezerwy, niekomunikatywny i niewrażliwy. Skarżyła się, że często zmienia pracę.

Odkąd stał się młodzieńcem, wiódł nieustabilizowane życie. Jako nastolatek miewał zatargi z policją, trzykrotnie trafił do aresztu za pijaństwo, bójki, włóczęgostwo oraz „przeszkadzanie policji w czynnościach służbowych". Rzucił uniwersytet, na którym studiował inżynierię elektryczną, ponieważ — jak twierdził — „wykładowcy byli takimi samymi hipokrytami jak policjanci". Dzięki inteligencji i zdolnościom w dziedzinie techniki komputerowej stał się cenionym specjalistą. Nie mógł jednak awansować, a nawet utrzymać się w pracy dłużej niż pół roku. Niekiedy go zwalniano, lecz częściej sam rezygnował po kłótni z przełożonymi, których nazywał „kłamcami i oszustami, mającymi wszystkich innych w dupie". Najczęściej używał zwrotu: „Nie można ufać tym draniom". Dzieciństwo swoje określał jako „normalne", a rodziców jako „przeciętnych".

Przez krótki czas uczestnictwa w psychoterapii zdawkowo i bez emocji opowiadał o licznych rozczarowaniach, jakich doznał w dzieciństwie, na przykład gdy rodzice zapomnieli o obiecanym mu na urodziny rowerze, w zamian dając coś innego. Kiedyś w ogóle zapomnieli o jego urodzinach, lecz on sam nie widział w tym nic złego, gdyż „byli bardzo zajęci". Często obiecywali, że zorganizują atrakcyjny weekend, lecz zazwyczaj wypadały im wtedy jakieś inne sprawy do załatwienia. Wielokrotnie zapominali odebrać go ze spotkań czy przyjęć, bo „mieli za dużo na głowie".

Będąc dzieckiem, ów człowiek doznawał raz po raz bolesnych rozczarowań wskutek braku rodzicielskiej troski. Stopniowo lub gwałtownie — trudno to ocenić — nabrał przeświadczenia, że nie może ufać swoim rodzicom. Doszedłszy do tego wniosku, poczuł się lepiej, gdyż przestał doznawać kolejnych zawodów. Nie oczekiwał więc niczego od rodziców i przestał wierzyć ich obietnicom. Dzięki temu jego życie stało się o wiele łatwiejsze i przewidywalne.

Jednak takie przystosowanie może być przyczyną poważnych problemów w dorosłym życiu. Dla dziecka rodzice są wszystkim: jego całym światem. Dziecko nie ma możliwości dokonywania porównań, nie dostrzega jeszcze, że może być inaczej; że bywają lepsi i gorsi rodzice. Ich postępowanie uznaje za kanon naturalnych zachowań. W dziecku kształtuje się świadomość; rzeczywistość, jaką ono postrzega. Jest nią: „Nie mogę ufać rodzicom". To postrzeganie przenosi na innych, przez co dochodzi do wniosku: „Nie mogę ufać ludziom". Brak zaufania do kogokolwiek tworzy mapę, z którą dziecko wkracza w wiek młodzieńczy i dorosłość. Z taką mapą i ogromnym bagażem rozżalenia, wynikłego z licznych rozczarowań, wspomniany technik komputerowy nieustannie wchodził w konflikty z przedstawicielami władzy — z policją, nauczycielami i pracodawcami. Konflikty te z kolei utwierdzały go w przekonaniu, że ludziom, którzy mogliby mu coś ofiarować, ufać nie może.

Wielokrotnie miał możliwość zrewidowania swojej mapy, lecz z niej nie skorzystał. Jedynym sposobem, w jaki mógł się przekonać, że w świecie dorosłych są ludzie godni zaufania, byłoby okazanie im zaufania. To zaś wymagałoby zrewidowania stosunku do swoich rodziców i uświadomienia sobie faktu, że go nie kochali, że nie miał normalnego dzieciństwa, a rodzice swoją niewrażliwością na jego potrzeby dalece odstawali od normy. Zdanie sobie z tego sprawy byłoby niezmiernie bolesne. Nieufność wobec ludzi stanowiła więc dostosowanie do realiów dzieciństwa, ponieważ zmniejszała jego ból i cierpienie. A skoro tak trudno było mu zmienić to sprawdzone w praktyce nastawienie, pozostawał nieufny, nieświadomie stwarzając sytuacje sprzyjające jego umacnianiu, wyobcowując się i uniemożliwiając sobie czerpanie radości z miłości, ciepła, serdeczności i bliskości drugiej osoby. Nie wytworzył zażyłych stosunków z żoną, gdyż jej również nie uważał za osobę godną zaufania. Jedynymi istotami, z którymi łączyło go uczucie bliskości, była dwójka dzieci. Tylko one pozostawały pod jego kontrolą, tylko one nie miały nad nim władzy i dlatego jedynie im mógł ufać.

Jeśli w grę wchodzi — dość rozpowszechniony — problem przeniesienia, psychoterapia polega między innymi na zrewidowaniu mapy. Pacjenci zgłaszają się na terapię, ponieważ ich mapa przestaje być aktualna. Dlaczego więc tak uparcie bronią jej przez cały czas trwania psychoterapii, walcząc o każdy szczegół? Często ów opór przeciw utracie mapy i walka o nią są tak zażarte, że uniemożliwiają terapię. I tak właśnie się stało w przypadku technika komputerowego. Najpierw zażyczył sobie spotkań w soboty. Po trzech sesjach przestał przychodzić, bo wziął dodatkową pracę również na soboty i niedziele — pielęgnację trawników. Zaproponowałem mu wtorki wieczorem. Zjawił się dwukrotnie i ponownie przestał przychodzić z powodu nadgodzin w fabryce. Poszedłem mu na rękę i dokonałem zmian w moim planie, przekładając spotkania na poniedziałkowe popołudnia, kiedy to — jak twierdził — nie chciał pracować po godzinach. Po kolejnych dwóch sesjach znów przestałem go widywać, ponieważ okazało się, że musi pracować również w poniedziałki. Oświadczyłem, że w tych warunkach jakakolwiek terapia nie jest możliwa. Wtedy przyznał, że nikt nie zmuszał go do pracy w nadgodzinach, lecz potrzebuje pieniędzy i dlatego praca jest dlań ważniejsza niż terapia. Może przychodzić do mnie tylko w te poniedziałki wieczorem, kiedy nie ma dodatkowej pracy, i każdorazowo poinformuje mnie telefonicznie o czwartej po południu, czy przyjdzie tego dnia czy nie.

Warunki takie były z kolei dla mnie nie do przyjęcia. Nie miało sensu dezorganizowanie poniedziałkowych wieczorów tylko po to, by przekonać się, czy będzie mógł przyjść na sesję. Wtedy doszedł do wniosku, że jestem nieustępliwy, nie mam zrozumienia dla jego kłopotów i troszczę się wyłącznie o swoje sprawy, ani trochę nie dbając o niego. Więc nie może mi ufać. Tak zakończyły się nasze próby nawiązania kontaktu, a ja stałem się jeszcze jednym punktem odniesienia jego przestarzałej mapy.

Problem przeniesienia pojawia się nie tylko w relacji między terapeutą a pacjentem. Występuje również między rodzicami i dziećmi, współmałżonkami, pracodawcami i pracownikami, przyjaciółmi, grupami społecznymi, a nawet narodami. Niezmiernie ciekawe byłoby zbadanie roli, jaką to zjawisko odgrywa w stosunkach międzynarodowych. Nasi prezydenci również mieli dzieciństwo i doświadczenia, które ich ukształtowały. Jaką mapą kierował się Hitler i jak ona powstała? Jaką mapą posługiwali się przywódcy Ameryki, wzniecając i prowadząc wojnę w Wietnamie? Na pewno była to mapa całkowicie inna od tej, jaką przyjęło pokolenie, które nastąpiło po nich. W jaki sposób doświadczenia narodu amerykańskiego z lat wielkiego kryzysu wpłynęły na mapę tamtego pokolenia, a sytuacja lat pięćdziesiątych i sześćdziesiątych ubiegłego wieku — na mapę kolejnych generacji?

Jeśli doświadczenia całego narodu lat trzydziestych i czterdziestych przyczyniły się do kształtowania zachowań przywódców amerykańskich, którzy rozpętali wojnę wietnamską, to jak mają się one do sytuacji lat sześćdziesiątych i siedemdziesiątych? W jaki sposób można szybciej aktualizować nasze mapy?

Gdy prawda lub rzeczywistość jest bolesna, zazwyczaj się jej unika. Możemy zrewidować mapę tylko wtedy, gdy mamy wystarczającą dyscyplinę, żeby znieść ból wiążący się z tym procesem. Aby wyrobić w sobie tę dyscyplinę, musimy być wierni prawdzie; ustalić ją możliwie najdokładniej i konsekwentnie trzymać się jej; by była dla nas ważniejsza i istotniejsza niż nasza wygoda. Zawsze musimy traktować osobistą niewygodę jak sprawę stosunkowo nieważną, a nawet mile widzianą w służbie prawdy. Zdrowie psychiczne to wierność rzeczywistości — za wszelką cenę.

OTWARTOŚĆ NA WYZWANIA

Czym jest życie w wierności rzeczywistości? Jest ono przede wszystkim nieustannym i nigdy nie kończącym się procesem odważnego obrachunku moralnego. Naszą znajomość rzeczywistości ogranicza nasze postrzeganie jej. Aby poznać ją w pełni, musimy badać nie tylko świat zewnętrzny, lecz również badacza. Psychiatrzy uczą się tego podczas studiów i praktyki, wiedzą zatem, że nie można zrozumieć konfliktów i przeniesień pacjentów, nie zrozumiawszy własnych konfliktów i przeniesień. Dlatego zachęca się ich, by w ramach ćwiczeń i dla własnego rozwoju duchowego poddawali się psychoterapii i psychoanalizie. Jednak nie wszyscy psychiatrzy godzą się na to. Wielu ludzi — również psychiatrzy i psychoterapeuci — krytycznie patrzy na świat, lecz mniej krytycznie na samych siebie. Może i nie brak im wiedzy, lecz z pewnością brak im mądrości. A życie mądre to rozwaga połączona z działaniem. Niestety, w historii Ameryki były okresy, gdy rozwaga nie była w cenie. W latach pięćdziesiątych ubiegłego wieku Adlaiowi Stevensonowi przypięto etykietkę „jajogłowego" i uznano, że nie może być dobrym prezydentem właśnie dlatego, że był człowiekiem refleksyjnym, głęboko myślącym i pełnym wątpliwości.

Zdarza się, że rodzice mówią swoim dorastającym dzieciom: „Za dużo myślisz". Cóż to za absurd, zważywszy na to, że właśnie czynność przednich płatów mózgu — nasza zdolność do myślenia i autorefleksji — czynią nas ludźmi. Na szczęście takie podejście jest coraz rzadsze; zaczynamy zdawać sobie sprawę, że źródło wielu bolączek świata tkwi w nas samych, a nie na zewnątrz, że proces nieustannej autorefleksji i kontemplacji jest podstawą naszego przetrwania. Jednak krąg ludzi, którzy nabrali szacunku dla myślenia, nadal jest stosunkowo niewielki. Badanie świata zewnętrznego nigdy nie jest tak bolesne jak badanie świata wewnętrznego i dlatego większość ludzi stroni od rzetelnej samooceny. Jednak ten, kto za wszelką cenę chce być wierny prawdzie, nie zważa na wiążące się z tym cierpienie, znosi je tym łatwiej, im głębiej bada siebie.

Życie w całkowitej wierności prawdzie wymaga gotowości do przyjmowania wyzwań. Jedynym sposobem upewnienia się, że nasza mapa rzeczywistości jest aktualna, jest poddawanie jej krytyce i konfrontacji z mapami sporządzonymi przez innych. W przeciwnym razie będziemy żyć w izolacji — pod kloszem, by użyć metafory Sylvii Plath — a oddychając stale własnymi wyziewami, ulegniemy złudzeniom. Z obawy przed cierpieniem, nieodmiennie towarzyszącym procesowi rewizji mapy rzeczywistości, unikamy kwestionowania aktualności mapy. Mówimy dzieciom: „Nie pyskuj, jestem twoim rodzicem". Współmałżonkom radzimy: „Żyjmy i dajmy żyć jedno drugiemu. Jeśli będziesz mnie krytykować, dam ci tak do wiwatu, że pożałujesz". Starsi ludzie przekazują rodzinom i całemu światu takie oto przesłanie: „Jestem stary i słaby. Jeśli

będziecie mi dokuczać, umrę, a na wasze głowy spadnie odpowiedzialność za zatrucie mi ostatnich dni". Naszym pracow-
nikom komunikujemy: „Jeśli będzie pan na tyle bezczelny, by
się ze mną spierać, to proszę czynić to rozważnie lub poszu-
kać pracy gdzie indziej"*.

Tendencja do unikania krytyki jest tak wszechobecna, że
można ją uznać za naturalną. Jednak uznanie jej za naturalną
nie oznacza, że jest niezbędna, przynosi korzyść i że nie
można jej zmienić. Załatwianie potrzeb fizjologicznych
w majtki i niemycie zębów również jest naturalne, lecz czy
można uznać je za pożądane? Dlatego uczymy się postępować nienaturalnie tak długo, aż stanie się to naszą drugą
naturą. Dyscyplinę wewnętrzną można nazwać inaczej uczeniem się robienia tego, co nienaturalne. Wszak najbardziej
ludzką cechą natury człowieka jest czynienie tego, co jest

---

* Nie tylko pojedyncze osoby, lecz również całe organizacje unikają
wyzwań. Przed wieloma laty szef sztabu armii zlecił mi przygotowanie taj-
nej analizy psychologicznych przyczyn okrucieństw popełnionych w My
Lai i opracowanie wytycznych działań, które miałyby zapobiec takim zaj-
ściom w przyszłości. Zlecenia nie zaaprobował sztab generalny armii, twierdząc, że badań nie da się utrzymać w tajemnicy. „Istnienie takiej analizy
mogłoby nas narazić na kolejne wyzwania. Ani prezydent, ani armia nie
potrzebują obecnie nowych wyzwań" — usłyszałem. Dlatego analiza przyczyn utajnionego incydentu również została utajniona. Unikanie wyzwań
nie dotyczy wyłącznie instytucji militarnych czy Białego Domu. Takie postawy są na porządku dziennym w Kongresie, różnych agencjach federal-
nych, korporacjach, na uniwersytetach i w instytucjach charytatywnych —
krótko mówiąc, we wszystkich organizacjach. Tak jak niezbędne jest, by
pojedyncze osoby akceptowały, a nawet poszukiwały wyzwań, które pomo-
gą im w rewidowaniu indywidualnych map rzeczywistości i sposobów działania, by były one jak najskuteczniejsze, tak i dla organizacji nieodzowne
jest akceptowanie wyzwań, jeśli chcą zachować żywotność i się rozwijać.
John Gardner z Common Cause [organizacja obywatelska założona w 1970 r.
w Waszyngtonie — C.U.] twierdzi, że w ciągu kilku następnych dziesięcio-
leci podstawowym zadaniem naszego społeczeństwa będzie wymuszenie na
zbiurokratyzowanych strukturach organizacji państwowych jawności i otwartości na krytykę, które powinny zastąpić powszechny obecnie, zinstytucjo-
nalizowany opór.

sprzeczne z jego naturą — jej przezwyciężanie, a tym samym transformacja i rozwój osobisty. Żaden czyn nie jest bardziej nienaturalny, a przez to ludzki, niż poddanie się psychoterapii. Polega bowiem na rozmyślnym otwarciu się i wystawieniu na najgłębszą krytykę ze strony innego człowieka. A na dodatek dużo płacimy za zaglądanie do naszych myśli i ich ocenę. To otwarcie się i kompletna bezbronność symbolizowane są leżeniem pacjenta podczas sesji na kozetce. Poddanie się psychoterapii jest aktem najwyższej odwagi.

Głównym powodem, dla którego ludzie się jej nie poddają, nie jest brak pieniędzy, lecz właśnie brak odwagi. Wielu psychiatrów, nie wiadomo dlaczego, niechętnie poddaje się psychoanalizie, choć z przyczyn zawodowych mają najwięcej powodów, by z niej korzystać. Odwaga, na jaką zdobywają się ludzie udający się po pomoc do psychoterapeuty, wbrew obiegowym opiniom dowodzi, że są oni zdrowsi i silniejsi od ogółu.

Poddanie się psychoterapii stanowi krańcową formę otwarcia na wyzwanie. Drobniejsze okazje do zaryzykowania otwartości mamy codziennie: na zebraniu, podczas gry w tenisa, przy kolacji, w kontaktach z kolegami, szefami i podwładnymi, ze współmieszkańcami, przyjaciółmi, towarzyszem życia, z rodzicami i dziećmi. Starannie ufryzowana kobieta, która przychodziła do mnie przez jakiś czas, od pewnego dnia zaczęła się czesać, wstając z kozetki po zakończonej sesji. Zwróciłem uwagę na to nowe zachowanie. „Kilka tygodni temu mąż zauważył, że za każdym razem, gdy od pana wracam, moja fryzura jest nieco rozczochrana" — wyjaśniła, czerwieniąc się. — Nie mówiłam mu, dlaczego. Bałam się, że zacznie ze mnie szydzić, gdy dowie się, że wyleguję się u pana na kanapie". Mieliśmy zatem nowy temat do rozpracowania.

Największą korzyścią odnoszoną przez pacjenta z psychoterapii jest rozszerzenie wymaganej przez nią dyscypliny na wszystkie dziedziny życia i związki z innymi ludźmi. Nie można mówić o pełnym uzdrowieniu, dopóki otwartość na

54

wyzwania i krytykę nie stanie się sposobem na życie. Moja pacjentka nie osiągnie pełni równowagi, póki nie nauczy się być tak otwarta wobec męża jak wobec mnie. Spośród pacjentów zgłaszających się do psychiatry czy do psychoterapeuty tylko nieliczni od początku świadomie poszukują wyzwań, czyli nauczenia się dyscypliny. Większość po prostu szuka „ulgi". Gdy się przekonają, że szukając pomocy, stanęli nie tylko przed szansą uzyskania wsparcia, lecz podjęli również wyzwanie, wielu od razu bierze nogi za pas, a inni rozważają taką możliwość. Unaocznienie im, że jedyną rzeczywistą ulgę daje stawienie czoła wyzwaniom i dyscyplina, jest zadaniem długotrwałym i często kończy się niepowodzeniem. Dlatego mawiamy, że staramy się pacjentów „usidlić" lub wciągnąć w psychoterapię. O niektórych pacjentach, którzy przychodzą na psychoterapię przez rok, a nawet dłużej, możemy powiedzieć: „Oni tak naprawdę jeszcze jej nie zaczęli".

Dość skutecznym sposobem skłaniania (lub zmuszania, jeśli ktoś tak woli to nazwać) do szczerości jest metoda „swobodnych skojarzeń". Zaleca się wówczas pacjentowi: „Mów, co ci przyjdzie do głowy, niezależnie od tego, jak bardzo wyda ci się to nieistotne, krępujące, bolesne czy głupie. Jeśli przyjdzie ci na myśl kilka rzeczy jednocześnie, wybierz tę, o której trudniej ci mówić".

Łatwiej powiedzieć niż zrobić. Ci, którzy pracują sumiennie, zwykle czynią w terapii szybkie postępy. Wielu jednak do tego stopnia nie daje się sprowokować, że zmyśla owe swobodne skojarzenia. Ze swadą mówią o tym i owym, pomijając jednak istotne szczegóły. Pewna kobieta przez godzinę opowiadała, jak trudne miała dzieciństwo, lecz nie wspomniała ani słowem, że mąż rano zrobił jej awanturę, bo doprowadziła do tysiącdolarowego debetu na koncie. Tacy pacjenci próbują przekształcić sesję terapeutyczną w rodzaj konferencji prasowej. W najlepszym razie tracą czas, usiłując unikać wyzwania za pomocą mniej lub bardziej subtelnych kłamstw.

Bezwzględnym wymogiem otwartości osób lub organizacji na wyzwanie jest poddanie ich map rzeczywistości skrupulatnej, publicznej kontroli. A to wymaga o wiele więcej niż tylko konferencji prasowej. Życie w wierności prawdzie można inaczej nazwać życiem w bezwzględnej uczciwości. Oznacza to ciągły, nie kończący się proces samokontroli, gwarantujący, że nasza komunikacja — nie tylko słowa, lecz i sposób, w jaki są wypowiadane — będzie możliwie najwierniejszym odbiciem prawdy i rzeczywistości, jaką znamy.

Uczciwość tak pojęta nie przychodzi bez bólu. Ludzie kłamią, chcąc uniknąć cierpienia wynikającego z konfrontacji i jej następstw. Okłamując opinię publiczną w aferze Watergate, prezydent Nixon nie różnił się od czterolatka kłamiącego matce, że lampa sama spadła ze stołu i stłukła się. O ile natura konfrontacji jest uzasadniona (a zwykle jest), o tyle kłamstwo stanowi próbę obejścia uzasadnionego cierpienia i w rezultacie może prowadzić do choroby psychicznej. Chęć obejścia cierpienia rodzi zjawisko „chodzenia na skróty". Ilekroć próbujemy obejść przeszkodę, szukamy takiej drogi, która będzie łatwiejsza i pozwoli szybciej osiągnąć cel. Wychodząc z założenia, że rozwój ludzkiego ducha jest celem naszej egzystencji, jestem szczególnie przywiązany do idei postępu. Powinniśmy rozwijać się tak szybko, jak jest to możliwe. Korzystanie z każdej uzasadnionej drogi na skróty jest zatem rzeczą ze wszech miar właściwą. Kluczowe znaczenie ma tu przymiotnik „uzasadniona". Istota ludzka ma taką samą skłonność do lekceważenia uzasadnionych dróg na skróty jak do szukania ścieżek nieuzasadnionych. Uzasadnioną drogą na skróty może być czytanie streszczenia zamiast całej książki w trakcie przygotowywania się do egzaminu magisterskiego, jeśli streszczenie jest dobre, zrozumiałe oraz umożliwia zdobycie wiedzy łatwiej i szybciej. Natomiast ściąganie na egzaminie nie jest uzasadnioną drogą na skróty. Może i pozwoli zaoszczędzić jeszcze więcej czasu i — jeżeli jest robione sprytnie — otrzymać dobry stopień i upragniony dyplom, lecz nie da niezbędnej wiedzy. Dyplom zdobyty w sposób nieuczciwy nie stanowi dowodu wiedzy jego właściciela i sprawia, że życie oszusta staje się zakłamane, pokrętne i często sprowadza się wyłącznie do osłaniania i uwierzytelniania kłamstwa.

Skuteczna psychoterapia jest często lekceważoną, choć ze wszech miar uzasadnioną drogą na skróty, zmierzającą do rozwoju osobowości. Jej słuszność kwestionuje się, między innymi mówiąc: „Obawiam się, że psychoterapia to coś w rodzaju protezy. Nie chcę się od niej uzależniać". Takim stwierdzeniem maskujemy zwykle dużo ważniejsze obawy. Psychoterapeuta nie jest w większym stopniu protezą niż gwoździe i młotek w trakcie budowy domu. Można zbudować dom bez młotka i gwoździ, ale czy da się w nim mieszkać? Czy stolarz ma przez to narzekać na uzależnienie od młotka i gwoździ? Podobnie jest z rozwojem osobowości: można ją osiągnąć bez pomocy psychoterapii, lecz może to być proces męczący, długotrwały i trudny. Warto posłużyć się dostępnym narzędziem, które go skróci.

Psychoterapię można także wykorzystać jako nieuzasadnioną drogę na skróty. Zdarza się na przykład, że rodzice przyprowadzają dzieci do psychiatry, chcąc, by przestały brać narkotyki, nie miały napadów złego humoru lub zaczęły się uczyć. Niektórzy — wyczerpawszy wszelkie swoje sposoby pomocy dzieciom — przychodzą do psychoterapeuty ze szczerą wolą rozwiązania problemu. Jednak inni, otwarcie przedstawiając źródła kłopotów dziecka, mają nadzieję, że psychiatra dokona magicznej sztuczki i odmieni ich dziecko bez konieczności usunięcia przyczyny problemu: „Wiemy, że w naszym małżeństwie są problemy. Na pewno przyczyniają się do kłopotów naszego syna, lecz nie chcemy nic zmienić w naszym pożyciu. Nie chcemy poddać się psychoterapii. Niech pan pracuje z synem i — jeśli to możliwe — pomoże mu być szczęśliwszym".

Inni rodzice nie są tak otwarci. Przychodzą, deklarując chęć uczynienia wszystkiego, co niezbędne, lecz gdy tłumaczę, że problemy dziecka są wyrazem buntu przeciw ich stylowi życia, w którym nie ma dla niego miejsca ani czasu, słyszę: „Jak pan może żądać od nas, byśmy dla naszego syna całkowicie odmienili swoje życie?". Wychodzą, szukając innego psychiatry, który być może zaproponuje im bezbolesną drogę na skróty. Zadowoleni z siebie, powiedzą zapewne znajomym i samym sobie: „Zrobiliśmy dla naszego chłopca wszystko, co się dało. Byliśmy z nim u czterech różnych psychiatrów, ale nic nie pomogli".

Okłamujemy oczywiście nie tylko innych, ale i siebie. Konfrontacja naszego sposobu na życie — naszej mapy — z własnym sumieniem i uczciwymi obserwacjami może być równie bolesna jak konfrontacja z otoczeniem. Z niezliczonych kłamstw, w które ludzie wierzą, można wymienić dwa najpospolitsze i najbardziej zgubne: „Naprawdę kochamy nasze dzieci" i „Nasi rodzice naprawdę nas kochali". Może oczywiście być i tak, że rodzice nas kochali, a my kochamy swoje dzieci. Niejednokrotnie jednak zdarza się, że jeżeli prawda jest inna, ludzie podejmują wprost niezwykłe wysiłki, by nie dopuścić tego faktu do świadomości. Często określam psychoterapię jako „zabawę w prawdę" lub „zabawę w szczerość", gdyż między innymi pomaga ludziom stanąć oko w oko z kłamstwem. Jednym z korzeni chorób psychicznych jest sprzężony system kłamstw, które nam wmówiono i które wmawiamy sami sobie. Korzenie te można odsłonić i wyplenić tylko w atmosferze bezwzględnej szczerości. W celu stworzenia takiej atmosfery terapeuta powinien wywołać przeświadczenie o wzajemnej otwartości i prawdomówności. Czy mogę liczyć na to, że pacjent zniesie ból konfrontacji z rzeczywistością, jeśli ja sam nie będę gotów cierpieć wraz z nim? Możemy służyć za przewodników tylko do miejsca, do którego sami już doszliśmy.

ZATAJANIE PRAWDY

Są dwa rodzaje kłamstwa: białe i czarne*. Kłamstwo czarne to takie, gdy twierdzimy coś, wiedząc, że to fałsz. Białe kłamstwo samo w sobie nie jest fałszem, lecz pomija istotną część prawdy. Fakt, że jakieś kłamstwo jest białe, nie czyni go lepszym czy wybaczalnym. Może mieć tak samo niebezpieczne następstwa jak kłamstwo czarne. Rząd cenzurujący najistotniejsze informacje nie jest bardziej demokratyczny niż ten, który kłamie. Pacjentka zatajająca spowodowanie dziury w budżecie rodzinnym opóźnia postępy w terapii w nie mniejszym stopniu, niż gdyby wprost skłamała. W rzeczywistości — właśnie dlatego, że zatajanie istotnych informacji w y d a j e   s i ę mniej naganne, stanowi najpowszechniejszą formę kłamstwa, a będąc trudniejszym do wykrycia i sprostowania, jest w końcu bardziej szkodliwe niż kłamstwo czarne.

Białe kłamstwo uważa się w pewnych relacjach międzyludzkich za dopuszczalne, gdyż — jak to sobie tłumaczymy — „nie chcemy ranić ludzkich uczuć". Potem jednak ubolewamy, że nasze stosunki towarzyskie są płytkie. Rodzice uważają, że karmienie dzieci papką białego kłamstwa jest nie tylko usprawiedliwione, lecz często — w ich mniemaniu — świadczy o miłości i przynosi pożytek. Nawet małżonkowie odważni na tyle, by otworzyć się przed sobą, z trudem zdobywają się na otwartość w stosunku do własnych dzieci. Nie mówią im, że tato ma problemy z piciem, że poprzedniego wieczoru pokłócili się, że mają pretensje do dziadków, bo wtrącają się do wszystkiego, że lekarz powiedział, iż jedno z nich lub oboje mają zaburzenia psychosomatyczne, że po-

---

* CIA będąca ekspertem od tych zagadnień stosuje bardziej rozbudowany system klasyfikacji i mówi o białej, szarej i czarnej propagandzie. Szara propaganda jest po prostu czarnym kłamstwem, a czarna propaganda — czarnym kłamstwem niesłusznie przypisywanym innemu źródłu w celu jego uwiarygodnienia.

rywają się na ryzykowną inwestycję, czy choćby o tym, ile pieniędzy mają na koncie. Takie zatajanie prawdy i brak otwartości uzasadnia się zwykle pragnieniem ochraniania dzieci i zaoszczędzania im niepotrzebnych zmartwień. W większości przypadków taka „ochrona" jest nieskuteczna. Prędzej czy później dzieci i tak się dowiedzą, że tato często się upija, że często dochodzi do sprzeczek, że rodzice nie mogą wytrzymać z dziadkami, że mama jest nerwowa, a tato przepuszcza pieniądze. Nie jest więc to ochrona, lecz deprywacja. Dzieci pozbawia się możliwości zdobycia wiedzy o pieniądzach, chorobach, alkoholizmie, seksie, małżeństwie, rodzicach, dziadkach i życiu. Zostają pozbawione również poczucia ufności, jakie mogłyby mieć, gdyby zagadnienia te poruszano w rodzinie z większą otwartością.

Zamiast wzorców otwartości i szczerości dostarcza się im wzorców częściowej szczerości, niepełnej otwartości i ograniczonej odwagi. U niektórych rodziców pragnienie „ochraniania" dzieci wynika z prawdziwej, choć źle pojętej miłości. Dla innych „pełnia miłości", czy chęć chronienia, służy bardziej jako przykrywka uzasadniająca unikanie konfrontacji z dziećmi, a także jako pragnienie utrzymania nad nimi władzy. Ci rodzice przekazują swoim dzieciom taki komunikat: „Drogie dzieci, bądźcie dziećmi i nie wtrącajcie się w sprawy dorosłych. Postrzegajcie nas jako silnych i kochających opiekunów. Taki wizerunek jest dobry dla nas i dla was, więc nie stawiajcie nam wyzwań. Nam pozwala on się czuć silnymi, a wam bezpiecznymi, więc lepiej nie zagłębiajmy się zanadto w te sprawy".

Prawdziwy konflikt może zaistnieć wówczas, gdy pragnienie całkowitej szczerości zderzy się z potrzebą określonej ochrony. Oto przykład: nawet udane małżeństwo może czasami rozważać ewentualność rozwodu. Jednak informowanie o tym dzieci, zanim owa perspektywa przybierze realne kształty, może jedynie sprawić, że na ich barki spadnie niepotrzebne brzemię. Perspektywa rozwodu jest krańcowym zagrożeniem dla dziecka — ogromnym, gdyż nie jest ono w stanie wyobrazić sobie jego wszystkich następstw. Możliwość rozpadu rodziny stanowi poważne zagrożenie nawet wtedy, gdy jest to sprawa dość odległa. Jeżeli małżeństwo rodziców ulegnie rozpadowi, dzieci i tak będą musiały uporać się z perspektywą rozwodu, bez względu na to, czy rodzice będą o tym z nimi rozmawiać czy nie. Jednak gdy małżeństwo jest w zasadzie zgodne, rodzice wyrządzają dzieciom prawdziwie niedźwiedzią przysługę, mówiąc całkiem otwarcie: „Rozmawialiśmy wczoraj wieczorem o rozwodzie, ale na razie nie jest to nic pewnego".

Inny przykład: psychoterapeuci powinni niekiedy, zwłaszcza na wczesnym etapie psychoterapii, skrywać swoje myśli, opinie i wnioski przed pacjentami, którzy nie są jeszcze gotowi ich zaakceptować. W pierwszym roku mojej praktyki psychiatrycznej pewien pacjent podczas czwartej sesji opowiedział mi sen, który niedwuznacznie wskazywał na jego skłonności homoseksualne. Pragnąc okazać się błyskotliwym terapeutą i dokonać szybkiego postępu w leczeniu, powiedziałem mu: „Pański sen dowodzi, że podejrzewa pan siebie o skłonności homoseksualne". Przestraszył się nie na żarty. Nie pojawił się na kolejnych trzech sesjach. Tylko dzięki usilnym staraniom i dużej dozie szczęścia udało mi się go przekonać, by kontynuował terapię. Mieliśmy jeszcze dwadzieścia sesji, po czym musiał się przenieść służbowo do innego miasta. Spotkania te bardzo mu pomogły, chociaż nigdy więcej nie poruszyliśmy tematu homoseksualizmu. Fakt, że nieświadomie był tą sprawą zaniepokojony, nie oznaczał, że był gotowy do świadomego rozpatrzenia tego zagadnienia, ja zaś — nie zataiwszy przed nim swojego wglądu w problem — wyrządziłem mu niedźwiedzią przysługę: nieomal straciłem go nie tylko jako pacjenta, lecz mogłem go zniechęcić do jakiejkolwiek psychoterapii.

Wybiórcze skrywanie swojej opinii konieczne jest czasami w świecie biznesu i polityki lub gdy ktoś stara się wejść do ośrodków władzy. Gdyby ludzie ujawniali swoje poglądy we wszystkich sprawach, zostaliby uznani przez przełożonych za nieobliczalnych, a przez przywódców organizacji — za zagrożenie. Zyskaliby opinię pyskaczy i niezdolnych do reprezentowania organizacji. Jeśli ktoś ma być aktywnym członkiem jakiejś organizacji, to musi częściowo stać się „jej człowiekiem", ostrożnym w wyrażaniu osobistych opinii i identyfikującym się z organizacją. Z drugiej strony, gdy ktoś karierę w organizacji uzna za jedyny powód swojego utożsamienia się z nią — pozwalając sobie na wyrażanie wyłącznie takich opinii, które nie wzbudzają kontrowersji — to znaczy, że przyjął, iż cel uświęca środki, i tracąc indywidualną integralność i tożsamość, stał się b e z   r e s z t y człowiekiem tej organizacji. Ludzie na wysokich stanowiskach kroczą wąską ścieżką między zachowaniem indywidualizmu a tożsamością grupową i tylko nielicznym udaje się zachować równowagę.

Wyrażanie opinii, uczuć, przekonań, a nawet wiedzy musi być w szczególnych okolicznościach poprzedzone głębokim namysłem. Jakimi zasadami winien kierować się człowiek wierny prawdzie? Po pierwsze, nigdy nie mówić nieprawdy. Po drugie, mieć na uwadze zarówno fakt, że ukrywanie prawdy zawsze stanowi potencjalne kłamstwo, jak i to, że zatajanie prawdy w każdym wypadku wymaga podjęcia ważnej z moralnego punktu widzenia decyzji. Po trzecie, decyzja o zatajeniu prawdy nigdy nie powinna wypływać z pobudek osobistych, takich jak żądza władzy, chęć zdobycia popularności czy ochrona swojej mapy przed konfrontacją z rzeczywistością. Po czwarte, decyzja o zatajeniu prawdy zawsze powinna opierać się na wiedzy o dążeniach ludzi, przed którymi się ją skrywa. Po piąte, ustalenie potrzeb i dążeń innej istoty stanowi akt odpowiedzialności tak złożony, że można go mądrze podjąć jedynie wówczas, gdy kierujemy się szczerą miłością do drugiego człowieka. Po szóste, podstawą oceny potrzeb innego człowieka musi być ocena jego umiejętności wykorzystania prawdy dla własnego rozwoju duchowego. I wreszcie, oceniając zdolność innej osoby do wykorzystania prawdy dla własnego rozwoju, musimy pamiętać, że mamy zwykle skłonność raczej do niedoceniania tej zdolności niż do jej przeceniania.

To wszystko może wydawać się zadaniem niezwykle trudnym, niemożliwym do wypełnienia w sposób doskonały. Ciężkim i nieznośnym brzemieniem na całe życie, prawdziwą kulą u nogi. I rzeczywiście jest — dźwiganym przez całe życie brzemieniem dyscypliny. Dlatego ludzie częściej decydują się na ograniczoną uczciwość i otwartość, życie względnie zamknięte i ukrywają przed światem siebie i swoje mapy. Tak jest łatwiej. Jednak nagroda za trudne życie w szczerości i wierności prawdzie przewyższa cenę wyrzeczeń. Dzięki temu, że mapy ludzi otwartych podlegają nieustannej weryfikacji, ludzie ci rozwijają się nieustannie. Otwartość pozwala im nawiązać i utrzymać zażyłe związki o wiele skuteczniej niż ludziom zamkniętym. Ponieważ nigdy nie kłamią, są bezpieczni i mogą być dumni z tego, że nie powiększają chaosu w świecie, lecz służą innym za źródło iluminacji i drogowskaz. Mogą być sobą. Nie muszą ukrywać się ani przemykać chyłkiem. Nie muszą opowiadać nowych kłamstw ani tuszować starych. Nie tracą sił na zacieranie śladów i maskaradę. W ostatecznym rozrachunku zużywają mniej energii na uczciwe postępowanie, niż potrzebowaliby na nieustanne ukrywanie prawdy o sobie. Im jest się uczciwszym, tym łatwiej nim pozostać, a im więcej się nakłamało, tym głębiej brnie się w kolejne kłamstwa. Dzięki otwartości ludzie wierni prawdzie żyją z podniesioną głową, a okazywanie odwagi i szczerości uwalnia ich od lęku.

ZACHOWYWANIE RÓWNOWAGI

Mam nadzieję, że udało mi się wykazać, iż praktykowanie dyscypliny jest zadaniem skomplikowanym, do którego należy podchodzić elastycznie i roztropnie. Człowiek odważny musi zarówno zachowywać bezwzględną uczciwość, jak i umieć zatajać prawdę w uzasadnionych przypadkach. Natomiast wolność wymaga od niego przyjęcia całkowitej odpowiedzialności za siebie, lecz również odrzucania tej, która nie jest jego. By działać w sposób zorganizowany i skuteczny, by żyć mądrze, musimy, z uwagi na przyszłość, umieć odkładać gratyfikację — niekiedy przez czas dość długi. A jednocześnie, jeśli życie ma nas cieszyć, powinniśmy — unikając zachowań destrukcyjnych — żyć teraźniejszością i działać spontanicznie. Innymi słowy, dyscyplina jako taka też musi podlegać swoistej dyscyplinie. Tę swoistą dyscyplinę nazywamy zachowywaniem równowagi. Jest to czwarta i ostatnia technika dyscypliny, którą chcę omówić w tej części książki.

Zachowywanie równowagi jest formą dyscypliny, która sprzyja elastyczności postaw. By nasze wysiłki zostały uwieńczone sukcesem we wszystkich sferach egzystencji, potrzebujemy wprost niezwykłej elastyczności. Jako przykładem posłużymy się gniewem i sposobami jego wyrażania. Gniew jest emocją wrodzoną, która u ludzi i niektórych organizmów wyższych pojawiła się dość wcześnie w toku ewolucji. Współdziała on z instynktem samozachowawczym i ułatwia gatunkowi przetrwanie. Gniew budzi się w nas zawsze wtedy, gdy stwierdzamy, że jakiś inny organizm próbuje wkroczyć na nasze geograficzne lub psychologiczne terytorium lub usiłuje zmusić nas do czegoś. Gniew popycha nas do walki. Gdybyśmy nie mogli wyrażać gniewu, bylibyśmy nieustannie deptani, a w końcu zgnieciono by nas i unicestwiono. Dlatego gniew jest potrzebny. Przy pobieżnej analizie pewnych sytuacji może się nam wydawać, że inni próbują nas ujarzmić i nasza reakcja gniewem jest uzasadniona. Jednak po ich dokładniejszym zbadaniu możemy dojść do innych wniosków. Nawet jeśli ktoś rzeczywiście wkracza na nasze terytorium, to w pewnych przypadkach reagowanie na to gniewem nie leży w naszym dobrze pojętym interesie. I dlatego właśnie rozsądek powinien niezawodnie podpowiadać nam, kiedy i w jaki sposób okazywać emocje.

Byśmy mogli sensownie funkcjonować w naszym skomplikowanym świecie, musimy posiąść umiejętność zarówno wyrażania, jak i powstrzymania się od wyrażania gniewu. Co więcej — nauczyć się różnych sposobów jego okazywania. Niekiedy należy wyrazić go po namyśle i trzymając nerwy na wodzy. Innym znów razem korzystniej jest okazać gniew bezpośrednio i spontanicznie. Czasem lepiej na zimno i spokojnie, w innych okolicznościach — głośno i ostro. Musimy zatem nie tylko wiedzieć, w jaki sposób radzić sobie z gniewem w rozmaitych okolicznościach, ale także jak dopasować formę ekspresji do sytuacji. Do umiejętnego i stosownego do okoliczności wyrażania gniewu potrzebujemy elastycznego i wypracowanego systemu reagowania. Nic więc dziwnego, że mistrzowskie opanowanie sposobów wyrażania gniewu jest trudne i długotrwałe. Wielu z nas zdobywa je dopiero po osiągnięciu dorosłości, inni w wieku średnim, a niektórzy nigdy.

Każdy z nas w większym lub mniejszym stopniu cierpi na niedostateczną elastyczność systemu reagowania. Praca psychoterapeuty w dużej mierze polega na pomaganiu pacjentom w wyzwalaniu się od starego systemu i w budowaniu nowego. Zazwyczaj im bardziej są oni sparaliżowani lękiem, poczuciem winy czy niepewnością, tym zadanie jest trudniejsze i bardziej żmudne. Przykładem może być pewna trzydziestoletnia schizofreniczka, dla której prawdziwym objawieniem była wiadomość, że niektórych mężczyzn nie powinna wpuszczać za próg domu, innych do salonu, jeszcze innych zaś do sypialni. Przedtem kierowała się specyficznym systemem reagowania, w myśl którego albo wszystkich zapraszała do sypialni, albo — gdy okazało się, że ów system się nie sprawdza — nie wpuszczała do domu nikogo. Tym samym popadała w skrajności: od poniżającej rozpusty do jałowej izolacji. W przypadku tej kobiety musieliśmy poświęcić dodatkowe sesje na problem pisania kartek z podziękowaniami. Czuła się mianowicie zobligowana do wysyłania długich, wymyślnych, kaligrafowanych i pod każdym względem doskonałych listów w odpowiedzi na najdrobniejszy prezent czy zaproszenie. Oczywiste, że nie mogła długo znieść takiego wysiłku, więc albo w ogóle nie odpowiadała, albo odsyłała wszystkie podarunki i zaproszenia. I znów była zaskoczona, że są takie dary, za które nie musi słać dziękczynnych listów, a jeśli już wypada podziękować, to w zupełności wystarczą dwa słowa.

Zdrowie psychiczne wymaga więc niezwykłej umiejętności elastycznego równoważenia sprzecznych potrzeb, dążeń, obowiązków, odpowiedzialności i wytycznych. Istotą dyscypliny równowagi jest „wyrzeczenie". Po raz pierwszy przekonałem się o tym pewnego letniego ranka, mając bodajże dziesięć lat. Uczyłem się właśnie jazdy na rowerze i radośnie odkrywałem możliwości, jakie otwierały się przede mną dzięki tej nowej umiejętności. Półtora kilometra od domu droga stromo schodziła w dół i skręcała ostro u stóp wzgórza. Jadąc tego ranka z góry na dół, w miarę nabierania szybkości czułem rosnącą ekstazę. Naciśnięcie hamulca i rezygnacja z tego uczucia wydawała mi się w tym momencie nie do zniesienia. Pomyślałem więc, że zachowując szybkość, jakoś poradzę sobie z zakrętem u podnóża. Kilka sekund potem moje upojenie skończyło się, bo wyleciałem jak z procy prosto w krzaki na poboczu drogi. Odniosłem rany, a przednie koło nowiutkiego roweru nie nadawało się do użytku, pokiereszowane uderzeniem w drzewo. Straciłem równowagę. Równowaga jest dyscypliną dlatego, że akt wyrzeczenia sprawia ból. W danym przypadku nie chciałem wyrzec się upojenia szybkością na rzecz utrzymania równowagi na zakręcie. Jednak nauczyłem się, że utrata równowagi bywa w rezultacie bardziej bolesna niż wyrzeczenie. Przez całe życie, w ten czy inny sposób, wciąż odrabiam tę samą lekcję. Wszyscy uczymy się jej, ponieważ pokonując krzywizny i zakręty drogi życia, musimy nieustannie wyrzekać się części nas samych. Jedyną alternatywą tego wyrzeczenia byłoby zaniechanie kontynuowania wędrówki drogą rozwoju duchowego.

Może dziwić, że większość ludzi wybiera tę alternatywę i postanawia nie kontynuować wędrówki, zatrzymując się w jakimś momencie, by uniknąć bólu wyrzeczenia się cząstki siebie samego. Jednak wydaje się to dziwne tylko dlatego, że trudno zrozumieć bezmiar cierpienia związanego z takim wyrzeczeniem. W przypadkach skrajnych jest ono jednym z najboleśniejszych doświadczeń ludzkiego życia.

Dotychczas mówiłem tylko o jego mniej istotnych formach: rezygnacji z szybkości, z luksusu wyrażania niepohamowanego gniewu, z bezpieczeństwa zatajania złości czy pisania dziękczynnych epistoł. Zastanówmy się teraz nad wyrzeczeniem się pewnych cech osobowości, ustalonych wzorców zachowań, ideologii, a nawet całego stylu życia. Są to przypadki poważniejsze, lecz nieodzowne, jeśli ktoś pragnie daleko zawędrować drogą duchowego rozwoju.

Pewnego wieczoru postanowiłem spędzić nieco czasu z moją czternastoletnią córką. Od kilku tygodni chciała zagrać ze mną w szachy, więc zaproponowałem partię. Ochoczo przystała na to i zasiedliśmy do wyrównanej, a zarazem trudnej gry. Zrobiło się jednak późno, a moja córka musiała rano wstać do szkoły. O dziewiątej wieczorem spytała, czy mógłbym szybciej myśleć nad kolejnymi ruchami, bo musi iść spać. Wiedziałem, jak rygorystycznie przestrzega godzin snu, lecz wydawało mi się, że powinna nauczyć się czasami odstępować od sztywnych zwyczajów. Powiedziałem: „Córeczko, raz możesz położyć się trochę później. Nie zaczyna się gry, jeśli nie można jej skończyć. Przecież gra się nam tak dobrze". Graliśmy przez kolejny kwadrans, ona zaś wykazywała coraz mniej entuzjazmu. W końcu poprosiła:

— Tatusiu, pośpiesz się.

— Chwileczkę — odparłem. — Szachy to poważna gra. Jeśli chcesz grać dobrze, musisz grać bez pośpiechu. Jeżeli nie bierzesz jej serio, to lepiej w ogóle nie graj.

Choć czuła coraz większy dyskomfort, ciągnęliśmy grę przez następny kwadrans, aż w końcu wybuchła płaczem, wołając, że oddaje grę, po czym szlochając, uciekła do swego pokoju. W mgnieniu oka poczułem się tak jak wtedy, gdy miałem dziesięć lat i potłuczony leżałem w krzakach na poboczu drogi obok rozbitego roweru. Popełniłem ewidentny błąd. Najwyraźniej znów nie udało mi się pokonać zakrętu. Wieczór zacząłem z myślą, że oboje z córką będziemy się dobrze bawić. Po półtorej godziny tonęła w łzach i była na mnie tak zła, że z trudem mogła mówić. Co się stało? Odpowiedź narzucała się sama, lecz ja nie chciałem jej znać i dwie godziny zajęła mi męka uświadamiania sobie faktu, że to ja spartaczyłem wieczór, pozwalając, by chęć zwycięstwa w grze wzięła górę nad pragnieniem kontaktu z córką. Byłem szczerze zmartwiony. Jak mogłem do tego stopnia utracić równowagę? Powoli zaczęło do mnie docierać, że moje pragnienie zwycięstwa było zbyt wielkie, że powinienem był częściowo zeń zrezygnować. Niestety, przerosło to moje siły. Przez całe życie owo dążenie do zwycięstwa było bardzo przydatne, ponieważ pomogło mi odnosić sukcesy. Czy można grać w szachy, nie pragnąc zwycięstwa? Nigdy nie czułem się dobrze, robiąc coś bez entuzjazmu. Jak można grać w szachy, nie traktując gry poważnie? Postanowiłem jednak spróbować się zmienić. Wiedziałem, że mój entuzjazm, pragnienie współzawodnictwa i poważny stosunek do gry stanowiły część wzorca zachowań, który wciąż trwając, nadal będzie zniechęcał moje dzieci do zabawy ze mną. Jeśli nie spróbuję go zmienić, zabawa z dziećmi zawsze będzie się kończyć ich płaczem i żalami. Popadłem w depresję.

Więc wyrzekłem się dążenia do zwycięstwa za wszelką cenę i w każdym przypadku. Ta część mnie przestała istnieć. Umarła. Musiała umrzeć. Zabiłem ją. Zabiłem ją chęcią odniesienia sukcesu w roli ojca. Gdy byłem dzieckiem, moja żądza zwycięstwa w grze bardzo mi pomagała. Jako rodzic stwierdziłem, że jest mi z nią nie po drodze. A zatem musiała odejść. Czasy się zmieniły. By za nimi nadążyć, musiałem z niej zrezygnować. I jestem z tego zadowolony. Myślałem, że będzie mi jej brakować, lecz wcale tak nie jest.

OŻYWCZE DZIAŁANIE DEPRESJI

Opisany powyżej przykład jest niczym w porównaniu z cierpieniami osób decydujących się na psychoterapię spowodowanymi wieloma i dużo poważniejszymi wyrzeczeniami. Okres intensywnej terapii jest okresem intensywnego rozwoju, a w jego trakcie pacjent może zmienić się bardziej niż niektórzy ludzie przez całe życie. By takie przyspieszenie rozwojowe mogło zaistnieć, pacjent musi zrezygnować z proporcjonalnej części swojego „dawnego Ja". Taka jest cena skutecznej psychoterapii. W rzeczywistości proces rezygnacji zaczyna się, jeszcze zanim pacjent zgłosi się na pierwsze spotkanie z psychoterapeutą. Często już sama decyzja szukania pomocy psychiatrycznej świadczy o rezygnacji z wizerunku „jestem w porządku". W naszym kręgu kulturowym może być to szczególnie trudne dla mężczyzn, gdyż dla nich świadomość faktu: „Nie jestem w porządku i potrzebuję pomocy, aby zrozumieć, dlaczego i jak mogę to zmienić" często równoważna jest ze smutną konstatacją: „Jestem słaby, niemęski i do niczego". Proces wyrzeczenia zaczyna się jeszcze wcześniej — zanim pacjent podejmie decyzję o szukaniu porady u psychiatry. Wspomniałem już, że rezygnując z dążenia do zwycięstwa w każdej sytuacji, popadałem w depresję. A to dlatego, że uczucie towarzyszące wyrzeczeniu się czegoś, co się kocha, co stanowi część nas samych lub jest nam znane, jest depresją. Ponieważ psychicznie zdrowe istoty ludzkie muszą się rozwijać, a wyrzeczenie się lub utrata „dawnego Ja" stanowi integralną część rozwoju psychicznego, depresja jest normalnym i zdrowym objawem. Nienormalna i niezdrowa będzie dopiero wtedy, gdy tej rezygnacji staje coś na przeszkodzie i nie można podjąć ostatecznej decyzji o wyrzeczeniu się. Wówczas stan depresji przechodzi w depresję chroniczną, spowodowaną niedokończeniem procesu rezygnacji (wyzbywania się)*.

---

* Wiele czynników może utrudniać proces wyzbywania się i zmieniać zwykłą, zdrową depresję w depresję chroniczną (patologiczną). Jeden z tych

Najczęstszym powodem, dla którego ludzie decydują się szukać porady u psychiatry, jest właśnie depresja. Innymi słowy, pacjenci rozpoczęli proces rezygnacji, lub mówiąc inaczej — rozwoju, zanim zdecydowali się na psychoterapię. Jednak o tym nie wiedzą i jedynie symptomy tego procesu skłaniają ich do szukania pomocy psychiatry. Zadanie terapeuty polega na udzieleniu pacjentowi pomocy w zakończeniu procesu rozwojowego, który on sam zapoczątkował. To oznacza, że pacjenci zazwyczaj nie uświadamiają sobie, co się z nimi dzieje. Najczęściej pragną tylko uwolnić się od objawów depresji, chcąc, „by wszystko było po staremu". Nie wiedzą, że nic już nie będzie „po staremu". Wie o tym ich nieświadomość. Proces rozwoju i dojrzewania do decyzji o wyrzeczeniu jest inicjowany przez nieświadomość za pomocą depresji, gdyż ta część psychiki wie, że „po staremu" dalej żyć się nie da. Dlatego pacjent twierdzi: „Nie mam pojęcia, skąd ta depresja", lub też jej pojawienie się przypisuje zupełnie nieistotnym czynnikom.

Ponieważ na poziomie świadomości pacjenci nie są jeszcze gotowi uznać, że „dawne Ja" i „po staremu" są przeżytkiem, nie pojmują, że ich depresja jest sygnałem, iż do skutecznego przystosowania rozwojowego konieczne są poważniejsze zmiany. Fakt, że nieświadomość wyprzedza o krok świadomość,

---

czynników występuje nadzwyczaj powszechnie i wywiera silny wpływ: są to zdarzenia z dzieciństwa, w którym rodzice lub „los", nie zważając na potrzeby dziecka, odbierali mu „coś", nim stało się ono psychicznie gotowe samo wyzbyć się tego lub nim stało się na tyle silne, by pogodzić się ze stratą. Jeśli takie doświadczenia są częste, to dziecko „uczula się" na straty i przejawia o wiele silniejszą niż u jednostek doświadczających dobrego rodzicielstwa tendencję do przywiązywania się do „czegoś" i dążenie do unikania żalu po stracie lub żalu towarzyszącego wyzbywaniu się. Z tej przyczyny — choć wszystkie depresje patologiczne wiążą się z pewnym upośledzeniem procesu wyzbywania się — jestem przekonany, że istnieje odrębny typ chronicznej depresji nerwicowej, której źródłem są urazy zadane wczesnej zdolności jednostki do wyzbywania się (uporania się z żalem po stracie). Ten podtyp depresji nazywałbym „nerwicą z wyzbycia".

może laikowi wydawać się osobliwy, lecz jest tak nie tylko w tym przypadku. Zjawisko to jest tak częste, że należy je uznać za sposób funkcjonowania psychiki. Zagadnieniu temu poświęcimy więcej uwagi pod koniec książki.

Często się mówi o „kryzysie wieku średniego". W rzeczywistości to tylko jeden z wielu „kryzysów", czy też krytycznych etapów rozwoju — jak postulował Erik Erikson ponad pół wieku temu. Erikson opisał osiem kryzysów, lecz możliwe, że jest ich więcej. Tym, co czyni owe przejściowe okresy życia kryzysami — czyli etapami pełnymi problemów i cierpienia — jest fakt, że aby sobie z nimi poradzić, zmuszeni jesteśmy zrezygnować z wypieszczonych koncepcji oraz starych metod działania i postrzegania. Wielu ludzi nie chce lub nie potrafi cierpieć bólu wyrzeczenia się tego, z czego już wyrośli i co powinni porzucić. Uparcie obstają więc — często do końca — przy starych wzorcach myślenia, przez co nie udaje im się uporać z żadnym kryzysem, nie rozwijają się i nie doświadczają radosnego poczucia odrodzenia towarzyszącego przejściu na wyższy poziom dojrzałości. Choć na temat każdego z przełomów można napisać książkę, pozwolę sobie tylko wymienić, z grubsza w kolejności ich występowania, niektóre z najważniejszych stanów, dążeń i postaw, których należy się wyrzec, by nasze życie można było uznać za udane:

- stan niemowlęctwa, w którym nie trzeba spełniać żadnych wymagań otoczenia,
- fantazje na temat własnej wszechmocy,
- żądza wejścia w całkowite posiadanie (nie wyłączając seksualnego) swoich rodziców (lub jednego z nich),
- uzależnienie charakterystyczne dla okresu dzieciństwa,
- wypaczone wizerunki swoich rodziców,
- poczucie wszechmocy, właściwe wiekowi młodzieńczemu,
- „wolność" braku zobowiązań,
- zaradność młodości,
- atrakcyjność seksualna i/lub potencja młodości,

- fantazja o nieśmiertelności,
- władza nad swoimi dziećmi,
- rozmaite formy władzy doczesnej,
- niezależność dawana przez zdrowie fizyczne,
- poczucie własnego Ja i życie jako takie.

WYRZECZENIE I ODRODZENIE

Patrząc na zamieszczoną powyżej listę niezbędnych wyrzeczeń, wielu czytelników może odnieść wrażenie, że ostatni punkt traktujący o wyrzeczeniu się własnego Ja i życia jako takiego jest okrucieństwem ze strony Boga czy losu, którego nigdy nie da się w pełni zaakceptować. Takie podejście jest typowe dla współczesnej kultury Zachodu, która stawia ego na piedestale i nie chce mówić o uwłaczającej mu śmierci. A przecież jest inaczej. To dzięki rezygnacji z własnego Ja człowiek może odnaleźć największą ekstazę, trwałą, niezmienną, mocną radość życia. Śmierć nadaje sens życiu. Właśnie ten „sekret" jest największą mądrością religii.

Proces wyrzeczenia się własnego Ja (związany z omawianym w następnym rozdziale zjawiskiem miłości) u większości z nas przebiega wieloetapowo — jako seria zrywów. Jedna z form tego wyrzeczenia zasługuje na szczególne omówienie, ponieważ jej praktykowanie jest niezbędne dla rozwoju w okresie dojrzałości, szczególnie istotnym dla rozwoju ludzkiego ducha. Mam na myśli jeden z podtypów zachowywania równowagi, który nazywam „braniem w nawias". „Branie w nawias" jest w zasadzie równoważeniem potrzeby stabilności i afirmacji własnego Ja z potrzebą poznawania i większego rozumienia dzięki jego wyrzekaniu się. Można rzec, że jest to odłożenie swojego Ja na bok, aby zrobić miejsce dla czegoś nowego, co zostanie w nie inkorporowane. Dyscyplinę tę znakomicie scharakteryzował teolog Sam Keen w książce *To a Dancing God* (Tańczącemu Bogu):

Następny krok wymaga wyjścia poza nawykowe i egocentryczne natychmiastowe postrzeganie tego, czego się doświadcza. Zrozumienie możliwe jest tylko po przetrawieniu i oczyszczeniu się z uprzedzeń i przesądów będących bagażem osobistych doświadczeń. Zrozumienie nowej sytuacji wymaga dwóch zabiegów: wyciszenia tego, co znajome, i powitania tego, co obce. Zawsze, gdy zbliżam się do nieznanego obiektu, osoby lub wydarzenia, mam skłonność pozwalać moim obecnym potrzebom, minionym doświadczeniom i przewidywaniom rzeczy przyszłych określać to, co widzę. Jeśli mam docenić wyjątkowość czegokolwiek, to muszę sobie dokładnie uświadomić swoje uprzedzenia, emocje i wziąć je w nawias na czas wystarczająco długi, by móc powitać obcość i nowość w moim świecie postrzegania. Ta dyscyplina brania w nawias, oczyszczania i wyciszania wymaga dogłębnego poznania swojej jaźni i odważnej uczciwości. Bez tej dyscypliny każda chwila obecna jest jedynie powtórzeniem czegoś już poprzednio widzianego lub doświadczonego. Aby mogło we mnie zaistnieć coś autentycznie nowego, bym mógł doświadczyć wyjątkowości rzeczy, osób czy zjawisk, muszę przejść decentralizację własnego ego*.

Dyscyplina brania w nawias ilustruje fakt o najwyższym znaczeniu dla procesu wyrzekania się i dyscypliny jako takiej: w zamian za to, z czego rezygnujemy, dostajemy więcej. Wewnętrzna dyscyplina jest procesem poszerzania swojej jaźni. Cierpienia związane z rezygnacją to cierpienia śmierci, lecz śmierć starego oznacza narodziny nowego. Ból śmierci to ból narodzin, ból narodzin zaś to ból śmierci. Rozwinięcie nowej i lepszej idei, koncepcji, teorii czy pojmowania oznacza, że stara idea, koncepcja, teoria czy pojmowanie muszą umrzeć. W zakończeniu poematu *Wędrówka Trzech*

---

* Sam Keen, *To a Dancing God*, New York, Harper & Row, 1970, s. 28.

Króli T.S. Eliot tak opisuje cierpienia mędrców, którzy przechodząc na chrześcijaństwo, wyrzekli się swojego starego świata:

Było to dawno temu, pamiętam,
I uczyniłbym to jeszcze raz, lecz ustalmy
To ustalmy
To: czy droga prowadziła nas do
Narodzin czy Śmierci? To były Narodziny — oczywiście,
Mieliśmy dowód, bez wątpienia. Widziałem narodziny i śmierć.
Lecz sądziłem, że różnią się. Te narodziny — były dla nas
Ciężką i nieznośną agonią; jak Śmierć, nasza śmierć.
Wróciliśmy do swych ziem, do dawnych Królestw,
Lecz nie jest nam już łatwo w starym ładzie.
Wśród obcych ludów wielbiących swych bogów.
Z wdzięcznością przyjmę inną śmierć*.

Skoro narodziny i śmierć to — jak się zdaje — dwie różne strony tego samego medalu, to należałoby zwrócić większą uwagę na koncepcję reinkarnacji, której w kulturze Zachodu poświęca się niewiele miejsca. Niezależnie od tego, czy chcemy poważnie traktować możliwość jakiejś formy odrodzenia po śmierci fizycznej, jest oczywiste, że t o ż y c i e jest ciągiem śmierci i narodzin. Dwa tysiące lat temu Seneka powiedział: „Przez całe życie należy uczyć się żyć i — co może jeszcze bardziej cię zdziwi — przez całe życie należy się uczyć umierać**.

Nie ulega też wątpliwości, że im dłużej wędrujemy drogą życia, tym więcej mamy okazji doświadczać narodzin i śmierci — a zatem więcej radości i więcej bólu. Nasuwa się więc pytanie, czy w tym życiu można będzie kiedykolwiek uwolnić się od emocjonalnego bólu. Łagodniej ujmując: Czy

---

* T.S. Eliot, *Poezje*, wybór Michał Sprusiński, przeł. Artur Międzyrzecki, Kraków, Wydawnictwo Literackie, 1978, s. 113.
** Lucjusz Anneusz Seneka, *Myśli*, przeł. Stanisław Stabryła, Kraków, Wydawnictwo Literackie, 1987, s. 217.

można ewoluować duchowo do takiego poziomu świadomości, by cierpienie, jakie niesie z sobą życie, przynajmniej zmniejszyć? Odpowiedź brzmi: tak i nie. Odpowiedź dlatego brzmi „tak", ponieważ jeśli zaakceptujemy całkowicie cierpienie, to w pewnym sensie przestanie ono być cierpieniem. Brzmi ona „tak" również dlatego, że nieustanne praktykowanie dyscypliny wiedzie do mistrzostwa i osoba rozwinięta duchowo staje się mistrzem, podobnie jak dorosły jest mistrzem dla dziecka. Sprawy, które są wielkimi problemami dla dziecka i sprawiają mu ból, mogą być najzupełniej błahe i bez następstw dla dorosłego. I wreszcie po raz trzeci „tak", bo osoba rozwinięta duchowo — co dokładnie rozwinę w następnej części książki — jest istotą niesłychanie miłującą, a jej nadzwyczajnej miłości towarzyszy niezwykła radość.

Jednakże odpowiedź jednocześnie brzmi: nie. Dlatego, że świat jest otchłanią niekompetencji, która musi zostać wypełniona. Świat rozpaczliwie potrzebuje ludzi przebudzonych duchowo. Słysząc jego wołania, żadna kompetentna i miłująca osoba nie odmówiłaby pomocy, podobnie jak nie odmówiłaby pożywienia głodnemu niemowlęciu. Ludzie duchowo dojrzali są — dzięki dyscyplinie, opanowaniu i miłości — ludźmi o najwyższej kompetencji, która predestynuje ich do służenia światu; pełni miłości słuchają więc tego wezwania. Są bez wątpienia ludźmi o wielkiej mocy, choć świat postrzega ich jako całkiem zwyczajnych, gdyż zwykle korzystają z niej bardzo subtelnie — wręcz niewidocznie. Mimo to posługują się nią, cierpiąc przy tym katusze. Sprawowanie władzy wymaga podejmowania decyzji, a ich podejmowanie z pełną świadomością jest dużo bardziej bolesne niż decydowanie, gdy świadomość jest ograniczona lub stłumiona. A tak właśnie podejmowana jest większość decyzji i dlatego w ostatecznym rozrachunku okazują się one błędne.

Wyobraźcie sobie dwóch generałów. Każdy z nich musi podjąć decyzję o wprowadzeniu do walki dywizji złożonej z dziesięciu tysięcy ludzi. Dla jednego z nich dywizja to tylko rzecz, jednostka bojowa, instrument strategii i nic ponadto. Dla drugiego — dywizja oznacza to samo, lecz ten dowódca ma również świadomość, że to dziesięć tysięcy ludzkich istnień, nie licząc rodzin każdego z tych żołnierzy. Dla którego z nich podjęcie decyzji będzie łatwiejsze? Na pewno dla generała, który ograniczył swoją świadomość, ponieważ nie mógł znieść bólu podjęcia decyzji w pełni świadomej.

Można pokusić się o stwierdzenie, że „duchowo dojrzały człowiek w ogóle nie zostałby generałem", jednak w takiej samej sytuacji znajdują się prezesi firm, lekarze, nauczyciele i rodzice. Nie da się uniknąć podejmowania decyzji mających wpływ na życie innych. Najlepszymi decydentami są ci, którzy godzą się na największe nawet cierpienie związane z podejmowaniem decyzji.

Jedną z wielu — być może najlepszą — miarą wielkości człowieka jest jego zdolność do cierpienia. Jednak mimo cierpienia ludzie wielcy są również ludźmi szczęśliwymi. Na tym polega paradoks. Buddyści mają skłonność do zapominania o cierpieniu Buddy, chrześcijanie zaś nie pamiętają o radości Chrystusa. Budda i Chrystus w istocie nie różnili się od siebie. Cierpienie ukrzyżowanego Chrystusa oraz radość Buddy szukającego samotności w cieniu drzewa Bo są jednym i tym samym. Jeśli waszym celem jest unikanie bólu i ucieczka od cierpienia, to zdecydowanie odradzam poszukiwanie wyższych poziomów świadomości lub rozwoju duchowego. Po pierwsze, bez cierpienia nie uda się ich osiągnąć. Po drugie, jeśli nawet osiągnięcie ten cel, to zapewne zostaniecie powołani do służby stawiającej wymagania o wiele większe niż potraficie sobie wyobrazić. Może ktoś spytać: To po co się rozwijać? Jeśli zadajecie takie pytanie, to chyba nie do końca wiecie, czym jest radość. Odpowiedź, być może, znajdziecie w kolejnych rozdziałach tej książki. Może się też zdarzyć, że wcale jej nie dostrzeżecie.

Na koniec jeszcze kilka słów o dyscyplinie równowagi i o tym, co w niej najistotniejsze — o wyrzeczeniu. Aby z czegoś zrezygnować, musimy to coś mieć. Nie możemy wyrzec się czegoś, czego jeszcze nie mamy. Jeśli zrezygnujemy ze zwycięstwa, nigdy przedtem nie wygrawszy, to będziemy tym, czym byliśmy na początku: przegranymi. Musisz wykuć swoją tożsamość, nim z niej zrezygnujesz. Musisz rozwinąć swoje ego, nim będziesz mógł się go wyrzec. Wydaje się to truizmem, lecz trzeba o tym powiedzieć, gdyż znam wiele osób, które mają jakąś wizję duchowego rozwoju, lecz brak im woli jej realizacji. Chcą — i są przeświadczeni, że można — przeskoczyć dyscyplinę i znaleźć łatwą drogę na skróty do świętości. Często usiłują osiągnąć ją, naśladując powierzchowne cechy świętych; udają się na pustynię lub imają zawodu cieśli. Są przeświadczeni, że takie naśladownictwo uczyni z nich świętych i proroków, lecz nie są w stanie przyjąć do wiadomości, że postępując w ten sposób, nadal pozostaną dziećmi. Nie chcą zaakceptować tego, że trzeba zacząć od początku i przejść wszystkie etapy pośrednie.

Dyscyplinę zdefiniowałem jako system konstruktywnego radzenia sobie z bólem związanym z rozwiązywaniem problemów — a nie jego unikaniem — w taki sposób, by wszelkie życiowe kwestie zostały rozwiązane. Wyróżniłem i omówiłem cztery podstawowe techniki: odraczanie gratyfikacji, przyjęcie odpowiedzialności, wierność prawdzie, czyli rzeczywistości oraz zachowywanie równowagi. Dyscyplina jest s y s t e m e m technik, ponieważ są one ze sobą ściśle spokrewnione i związane. W jednym działaniu można użyć dwu, trzech lub nawet wszystkich jednocześnie i w taki sposób, że będą od siebie nieodróżnialne. Siły, energii i chęci do posługiwania się tymi technikami dostarcza miłość. Szczegółowo omówię to zagadnienie w następnym rozdziale. Nie sądzę, by podjęta przeze mnie próba analizy dyscypliny była wyczerpująca. Być może pominąłem jakieś mniej istotne techniki. Można by spytać, czy biologiczne sprzężenie zwrotne, medytacja, joga i psychoterapia jako takie są technikami dyscypliny, na co odpowiem, że — według mnie — stanowią raczej pomoce naukowe niż techniki użytkowe. Mogą być niezwykle pomocne, lecz samo korzystanie z nich nie nauczy nas dyscypliny. Natomiast jeśli opisane przeze mnie techniki będą stosowane stale i rzetelnie, w zupełności wystarczą, by przed osobą je praktykującą, czyli „praktykantem", otworzyć drogę do wyższych poziomów rozwoju duchowego.

CZĘŚĆ DRUGA

MIŁOŚĆ

MIŁOŚĆ ZDEFINIOWANA

Jak już powiedziałem, dla duchowej ewolucji nieodzowna jest dyscyplina. W tym rozdziale omówię, co leży u jej podstaw, co nas do niej skłania i daje wolę do jej praktykowania. Uważam, że tą tajemniczą mocą jest miłość. Zdaję sobie sprawę, że jest ona misterium trudnym do badania, lecz mimo to podejmę próbę zgłębienia pewnych aspektów tego, co niezgłębione, i poznania niepoznawalnego. Miłość jest zjawiskiem zbyt wielkim i głębokim, by je w pełni zrozumieć, zmierzyć czy ująć w słowa. Nie podejmowałbym dyskusji o niej, nie będąc przeświadczony, że warto się o to pokusić. Dlatego czynię to, wiedząc, że z pewnością moje rozważania pozostawią pewien niedosyt.

Tajemnicza natura miłości sprawia, że — o ile mi wiadomo — nikomu dotychczas nie udało się jej zdefiniować w sposób zadowalający. Czyniono takie wysiłki, dzięki którym podzielono ją na różne kategorie, nadając im takie nazwy jak: eros, philia, agapa; miłość doskonała, miłość niedoskonała i wiele innych. Ja zaproponuję jednolitą definicję miłości, choć zdaję sobie sprawę, że nie będzie doskonała: miłość jest wolą poszerzania swojej jaźni w celu wspierania własnego lub cudzego rozwoju duchowego.

Nim przejdę do jej rozwinięcia, chciałbym krótko skomentować podaną definicję. Po pierwsze, jak widać, jest to definicja teleologiczna, czyli taka, w której zjawisko definiowane jest przez cel czy przeznaczenie, któremu ma służyć — w tym przypadku jest nim rozwój duchowy. Naukowcy podchodzą podejrzliwie do takich definicji i zapewne tak samo potraktują podaną przeze mnie. Jednak nie doszedłem do niej na podstawie czysto teleologicznego rozumowania. Sformułowałem ją na podstawie skrupulatnych obserwacji (łącznie z samoobserwację) czynionych podczas praktyki psychiatrycznej. Moje spostrzeżenia jednoznacznie wykazują, że trafna definicja miłości jest niezwykle przydatna w przebiegu psychoterapii. A to dlatego, że w kwestii miłości wielu pacjentów myli podstawowe pojęcia. Oto przykład: pewien nieśmiały, młody człowiek tak mówił o swojej mamie: „Kochała mnie tak bardzo, że nie pozwalała mi jeździć szkolnym autobusem aż do klasy maturalnej. A nawet wtedy musiałem ją prosić o pozwolenie. Myślę, że bała się, iż może mi się stać krzywda. Woziła mnie więc codziennie tam i z powrotem, choć było to dla niej dość kłopotliwe. Ona naprawdę mnie kochała".

Lecząc pacjenta z chorobliwej nieśmiałości, musiałem — tak jak w wielu innych przypadkach — przekonać go, że matka być może kierowała się czymś innym niż miłością, to zaś, co może wyglądać na miłość, często nią w rzeczywistości nie jest. Dzięki podobnym doświadczeniom zebrałem wiele przykładów postaw i zachowań dyktowanych miłością oraz takich, które wydają się wynikać z jej braku. Jedną z głównych cech odróżniających jedne postawy i zachowania od drugich jest intencja — świadomie lub nieświadomie — przyjęta przez osobę miłującą lub tę, której działania nie wynikają z miłości.

Po drugie, można zauważyć, że w myśl powyższej definicji miłość jest zjawiskiem autokatalitycznym, czyli takim, które jest napędzane przez swoje skutki. A to dlatego, że proces poszerzania własnej jaźni jest procesem rozwoju, w którym dochodzi do poszerzenia terytorium psychicznego. Zatem akt miłowania przyczynia się do naszego rozwoju nawet wtedy, gdy celem tego aktu jest rozwój innej osoby. Już samo nasze zabieganie o rozwój przyczynia się do naszej ewolucji.

Po trzecie, moja jednolita definicja miłości odnosi się zarówno do miłowania siebie samego, jak i do miłości do bliźnich. Skoro ja jestem człowiekiem i ty jesteś człowiekiem, to miłowanie ludzi oznacza miłowanie siebie samego na równi z innymi. Oddanie się rozwojowi duchowemu jest oddaniem się gatunkowi, do którego należymy, to zaś wymaga przykładania takiej samej uwagi do własnego rozwoju jak do rozwoju naszych bliźnich. Jak już wspomniałem, nie możemy miłować innych, jeśli nie miłujemy samych siebie, tak samo jak nie nauczymy naszych dzieci samodyscypliny, jeśli sami jej nie posiadamy. W rzeczywistości nie sposób zrezygnować z własnego rozwoju duchowego na rzecz rozwoju cudzego. Nie sposób nie wykazywać samodyscypliny i jednocześnie wykazywać dyscyplinę, troszcząc się o innych. Nie możemy być źródłem siły, póki sami jej w sobie nie rozwiniemy. Sądzę, że w trakcie rozważań o naturze miłości stanie się oczywiste, dlaczego miłowanie siebie samego i bliźnich nie tylko idą w parze, lecz są w istocie nierozróżnialne.

Po czwarte, akt wyzbywania się własnych ograniczeń wymaga wysiłku. Nasze ograniczenia uchylamy tylko poprzez ich przekraczanie, a to wymaga trudu. Jeżeli kogoś miłujemy, to nasza miłość wyraża się lub urzeczywistnia tylko w naszym działaniu. To dlatego miłując kogoś, czynimy kolejny krok lub idziemy kilometr dalej. Miłowanie nie jest błogim próżnowaniem, wręcz przeciwnie — jest nieustannym mozołem.

I wreszcie, używając słowa „wola", starałem się poprowadzić linię graniczną między pragnieniem a działaniem. W odróżnieniu od pragnienia jako takiego wola jest pragnieniem tak silnym, że przekłada się na działanie. Różnica między jednym a drugim jest taka sama jak między „próbować" a „zrobić". Oto przykład: nie można p r ó b o w a ć wstać z krzesła; można albo siedzieć, albo wstać, ale próbować wstać — nie da się. W naszej kulturze większość próbuje miłować, lecz w rzeczywistości miłują tylko nieliczni. Dlatego doszedłem do wniosku, że pragnienie miłowania nie jest samo w sobie miłowaniem. Nie ma miłości bez działania. Miłość jest aktem woli, a dokładnie — zarówno zamiarem, jak i działaniem.

Wola wiąże się z możliwością wyboru. Nie musimy miłować. Wybieramy miłowanie. Nieważne, jak dalece nam się wydaje, że miłujemy; jeżeli w rzeczywistości nie miłujemy, to dlatego, że takiego dokonaliśmy wyboru. Natomiast jeśli czynimy wysiłki dla rozwoju duchowego, to dlatego, że taka była nasza decyzja. Dokonaliśmy wyboru na rzecz miłości. Wspomniałem, że pacjenci zgłaszający się na psychoterapię często mylą się wielce co do natury miłości. Wokół jej misterium narosło wiele nieporozumień. Pisząc ten rozdział, nie miałem zamiaru odarcia miłości z aury tajemnicy, lecz jedynie chciałem wyjaśnić pewne aspekty tego zjawiska i przeanalizować narosłe wokół niego nieporozumienia, które są przyczyną niepotrzebnych cierpień wielu ludzi. Można ich uniknąć poprzez przyjęcie adekwatnej definicji miłości. Dlatego zgłębianie natury miłości postanowiłem rozpocząć od ustalenia, czym ona nie jest.

„ZAKOCHANIE SIĘ"

Najpowszechniejszym i najbardziej utrwalonym mylnym przeświadczeniem wiążącym się z miłością jest to, że „zakochanie się" jest miłością lub przynajmniej jej przejawem. Owo przeświadczenie jest bardzo trudne do przezwyciężenia, gdyż zakochanie się jest subiektywnie postrzegane jako uczucie miłości. Zakochując się, czujemy, że „kochamy go (ją)". Natychmiast jednak pojawiają się dwie kwestie. Po pierwsze, uczucie bycia zakochanym ma wyraźny podtekst seksualny. Nie zakochujemy się w naszych dzieciach, nawet jeśli kochamy je bardzo mocno. Nie zakochujemy się w osobach tej samej płci — jeśli nie mamy skłonności homoseksualnych. Zakochujemy się tylko dlatego, że kieruje nami — świadomy lub nieuświadomiony — popęd seksualny. Druga kwestia — owo uczucie jest tymczasowe. Niezależnie od tego, w kim się zakochaliśmy, jeśli związek potrwa wystarczająco długo, to po dłuższym lub krótszym czasie odkochamy się. Nie należy przez to rozumieć, że nieuchronnie przestaniemy kochać osobę, w której się zakochaliśmy. Chcę tylko powiedzieć, że prędzej czy później mijają owe ekstatyczne doznania towarzyszące zakochaniu. Nawet najdłuższy miesiąc miodowy kończy się, a romantyczne uniesienia więdną i usychają jak kwiaty.

Aby zrozumieć naturę zjawiska zwanego zakochiwaniem się i nieuchronność wygasania tego uczucia, należy poruszyć zagadnienie nazywane przez psychiatrów granicami ego. Na podstawie dowodów pośrednich możemy dojść do wniosku, że w pierwszych miesiącach życia noworodek nie odróżnia siebie od reszty wszechświata. Gdy porusza rączkami i nóżkami, porusza się cały świat. Kiedy jest głodny, głodny jest też cały świat. Gdy widzi poruszającą się matkę, to tak, jakby i on się poruszał. Słysząc jej śpiew, dziecko nie wie, że to nie ono wydaje dźwięki. Nie odróżnia siebie od łóżeczka, pokoju i rodziców. Przedmioty ożywione i nieożywione są jednym i tym samym. Nie ma jeszcze różnicy między ja a ty. Dziecko i świat stanowią jedność. Nie ma granic, nie ma odrębności i nie ma tożsamości.

Poznając otoczenie, dziecko zaczyna postrzegać siebie jako jednostkę odrębną od świata. Gdy jest głodne, matka nie zawsze pojawia się na czas, by je nakarmić. Gdy ma ochotę na zabawę, matka nie zawsze chce się z nim bawić. Dziecko uświadamia sobie, że jego życzenie nie zawsze jest dla niej rozkazem. Jego wola i zachowania jego matki nie są jednym i tym samym. Zaczyna rozwijać się u niego poczucie własnego Ja. Stosunki między matką a dzieckiem uważa się za podstawę rozwoju jego poczucia tożsamości. Zaobserwowano, że jeśli stosunki między matką a niemowlęciem są głęboko zaburzone — na przykład wskutek choroby psychicznej matki lub gdy jest ona emocjonalnie niedostępna, a zwłaszcza wtedy, gdy dziecko nie ma matki czy choćby jej adekwatnego substytutu — to niemowlę stanie się dzieckiem, a następnie dorosłym o silnie zaburzonym poczuciu tożsamości.

Doszedłszy do wniosku, że jego wola jest jego własną wolą, a nie całego wszechświata, niemowlę zaczyna dokonywać kolejnych rozgraniczeń. Gdy chce ruchu, może poruszyć swoją rączką, a nie łóżeczkiem czy sufitem. Dziecko uczy się, że istnieje związek między jego wolą a jego ręką, a zatem ręka jest jego; nie należy do czegoś czy kogoś innego. W ciągu pierwszego roku życia kształtują się w nas podstawy tożsamości. Pod koniec pierwszego roku wiemy, że to nasza ręka, stopa, głowa, nasz język i nasze oczy, a nawet nasz punkt widzenia, głos, brzuch, nasza myśl i nasze uczucia. Znamy swoje wymiary i fizyczne ograniczenia. Te ograniczenia są naszymi granicami. Świadomość tych ograniczeń, ukształtowaną w trakcie rozwoju psychicznego, nazywamy granicami ego.

Rozwój granic ego jest procesem trwającym przez całe dzieciństwo, okres młodzieńczy, a nawet dorosłość. Różnica polega na tym, że granice ustanawiane później mają raczej charakter psychiczny niż fizyczny. Między drugim a trzecim rokiem życia dziecko zaczyna poznawać zakres swojej władzy. Choć już wie, że jego życzenia niekoniecznie są dla matki rozkazem, to nadal trwa w przeświadczeniu, że tak być powinno. Z tej przyczyny dwulatki często zachowują się jak tyrani i autokraci, próbując rozkazywać rodzicom, rodzeństwu i zwierzętom domowym niczym rekrutom, a gdy ci wykazują niesubordynację, reagują prawdziwie królewskim gniewem. Zdarza się, że rodzice mówią o dzieciach w tym wieku „straszne dwulatki". Przed trzecim rokiem życia dziecko zwykle staje się bardziej uległe i łagodniejsze, godząc się z faktem swojej względnej bezsilności i bezradności. Jednak fantazja wszechmocy pozostaje słodkim marzeniem, którego trudno wyrzec się nawet po wielu latach bolesnej konfrontacji z własnymi ograniczeniami.

Choć trzyletnie dziecko akceptuje ograniczenia swej władzy, przez kilka kolejnych lat będzie od czasu do czasu uciekać w świat fantazji, w którym istnieje wszechwładza (zwłaszcza jego własna). To świat Supermana i Batmana. Z czasem ci bohaterowie obdarzeni nadludzką mocą popadają w zapomnienie, nastolatki zaś wiedzą już, że są odrębnymi jednostkami, uwięzionymi we własnych ciałach i o ograniczonej władzy, że każdy jest relatywnie słabym i bezradnym organizmem istniejącym tylko dzięki współdziałaniu z podobnymi sobie organizmami, których zbiorowość zwie się społeczeństwem. W tej zbiorowości nic szczególnego go nie wyróżnia — prócz jego indywidualnej tożsamości, z jej zasięgiem i granicami. Zamkniętym w tych granicach, doskwiera samotność. Niektórzy — zwłaszcza ci, u których stawiana jest diagnoza osobowości schizoidalnej — wskutek niemiłych, bolesnych doświadczeń dzieciństwa postrzegają świat zewnętrzny jako niebezpieczny, wrogi, bałamutny i nieprzychylny. Ludzie ci są przeświadczeni, że granice ego chronią ich i zapewniają spokój, toteż w swojej samotności odnajdują poczucie bezpieczeństwa.

Jednak większość z nas odbiera samotność jako cierpienie, marząc o wyrwaniu się poza mur indywidualnej tożsamości i nawiązaniu bliższego kontaktu ze światem zewnętrznym. Doraźną ulgę przynosi doświadczenie „zakochania się". Jego istotą jest gwałtowne załamanie pewnych granic ego, pozwalające połączyć się z tożsamością ukochanej osoby. Nagłe uwolnienie się od ograniczeń — gdy jak po przerwaniu tamy niepohamowany nurt naszych uczuć przelewa się na ukochaną osobę, a załamanie granic ego kładzie kres samotności — większość z nas wprowadza w stan ekstazy. Ja i ukochana osoba stanowimy jedność! Koniec samotności!

Pod wieloma względami (z pewnością jednak nie pod każdym) zakochanie się jest aktem regresji. Doświadczenie zjednoczenia z ukochaną osobą jest echem z czasów, gdy w niemowlęctwie stanowiliśmy jedność z naszą matką. Temu doświadczeniu towarzyszy poczucie wszechmocy, które minęło wraz z dzieciństwem. Znów wszystko wydaje się możliwe! Zjednoczeni z ukochaną osobą czujemy się zdolni pokonać wszelkie przeszkody. Jesteśmy przeświadczeni, że przeciwne nam moce ugną się i znikną. Wszelkie problemy zostaną rozwiązane. Przyszłość rysuje się w jasnych barwach. Brak realizmu postrzegania, omamionego uczuciami towarzyszącymi zakochaniu się przypomina brak realizmu postrzegania dwulatka, który uważa siebie za wszechwładnego króla rodziny i świata.

Tak jak wraz z upływem czasu rodzi się w dwulatku poczucie rzeczywistości, podobnie rzeczywistość wdziera się do iluzorycznej jedności pary zakochanych. Wcześniej czy później problemy dnia codziennego spowodują, że indywidualizm ponownie zacznie dochodzić do głosu. On chce seksu, ona nie. Ona ma ochotę na kino, on nie. On zamierza pieniądze złożyć w banku, ona dopomina się o zmywarkę do naczyń. Ona chciałaby porozmawiać o swojej pracy, on o swojej. Ona nie lubi jego przyjaciół, on zaś nie znosi jej przyjaciółek. Oboje w głębi duszy zaczynają dochodzić do smutnej konkluzji, że nie stanowią jedności z ukochaną osobą, że każde z nich ma własne pragnienia i nie zamierza rezygnować z nich ani ze swoich odmiennych upodobań, uprzedzeń i rozkładu zajęć. Jedna po drugiej — stopniowo lub nagle — granice ego zamykają się z powrotem, a zakochani prędzej czy później „odkochują się". Znów stają się odrębnymi jednostkami. I w tym momencie albo zdecydują się na zerwanie związku, albo mogą podjąć się trudu prawdziwego miłowania.

Używając słowa „prawdziwe", mam na myśli, że gdy zakochujemy się, nasze subiektywne poczucie miłowania nie ma nic wspólnego z rzeczywistością. Miłość rzeczywista zostanie przeze mnie omówiona w dalszych częściach tego rozdziału. Twierdząc, że para, która „odkochała się", może zacząć rzeczywiście miłować się, chcę powiedzieć, że korzenie prawdziwej miłości nie tkwią w uczuciu miłości. Przeciwnie — prawdziwa miłość pojawia się często w sytuacjach, w których nie ma uczucia miłości; gdy działamy powodowani miłością, choć jej nie odczuwamy. Jeśli uznamy prawdziwość definicji miłości, od której zacząłem moje rozważania, to doznawane uczucie zakochania się nie jest miłością autentyczną z kilku powodów, które zaraz podam.

Zakochanie się nie jest aktem woli ani świadomym wyborem. Zdarza się, że choćbyśmy go ze wszystkich sił szukali i pragnęli, może nas ominąć. Może również spaść na nas zupełnie niespodzianie, gdy go nie chcemy, i wpędzić nas w nie lada tarapaty. Możemy zakochać się w kimś zupełnie nieodpowiednim lub w kimś, kto może być dla nas idealnym partnerem. Może się zdarzyć, że obiektu afektacji nie lubimy ani nie szanujemy. I na odwrót — możemy nie potrafić, choćbyśmy nie wiem jak chcieli, zakochać się w osobie, którą niezwykle poważamy i z którą bliższa zażyłość byłaby ze wszech miar pożądana. Nie chcę przez to powiedzieć, że zakochania się nie można poddać dyscyplinie. Zdarza się, że psychiatrzy zakochują się w swoich pacjentach (jak i pacjenci w terapeutach), lecz z poczucia obowiązku i pojmując swoją rolę, zazwyczaj potrafią zapobiec otwarciu się granic ego i powstrzymują się od nawiązywania romansu z pacjentem. Walka, którą muszą z sobą stoczyć, i cierpienia związane z narzuconą sobie dyscypliną mogą być ogromne. Jednak dyscyplina i wola nie wywołują uczuć, mogą je tylko kontrolować. Możemy decydować, jak zareagujemy na zakochanie się, lecz nie mamy większego wpływu na pojawienie się tego uczucia.

Zakochanie się nie pociąga za sobą wyzbycia się własnych ograniczeń czy trwałego poszerzenia psychicznych granic. Jest tylko częściowym i chwilowym załamaniem się muru granicznego. Poszerzenie granic wymaga trudu; zakochanie się przychodzi bez żadnego wysiłku z naszej strony. Osoby leniwe i niezdyscyplinowane zakochują się tak samo jak ludzie energiczni i pełni oddania. Gdy tylko jedyny w swoim rodzaju czas zakochania minie, a granice ego zamkną się, człowiek może czuć rozczarowanie, lecz nie przesunie swoich granic ani trochę dalej niż przed tym doświadczeniem. Jeśli granice ego zostaną przesunięte, to zwykle pozostają w nowym miejscu. Prawdziwa miłość pociąga za sobą trwałe poszerzenie jaźni. Zakochanie się nie ma takich następstw.

Zakochanie się ma niewiele wspólnego z zamierzonym wspieraniem cudzego rozwoju. Jeśli myślimy już o jakimś celu, to jest nim położenie kresu samotności i usankcjonowanie tego stanu małżeństwem. Z pewnością nie myślimy wtedy o rozwoju duchowym. Bez wątpienia w okresie od „zakochania się" do „odkochania" czujemy, że coś osiągnęliśmy, wspięliśmy się na szczyt i nie ma potrzeby ani możliwości piąć się wyżej. Nie czujemy jednak żadnej potrzeby rozwoju; jesteśmy w pełni zadowoleni z tego, co mamy. Naszego ducha ogarnia spokój. Nie postrzegamy też, by ukochana osoba potrzebowała duchowego rozwoju. Uważamy raczej, że on lub ona byli i nadal są doskonali. Jeśli nawet dojrzymy jakieś wady, to zwykle nie przywiązujemy do nich wagi — ot, po prostu kaprysy, drobne dziwactwa dodające jej lub jemu kolorów i uroku.

Skoro zakochanie się nie jest miłością, to czym jest poza chwilowym i częściowym złamaniem muru ego? Nie wiem, lecz seksualny podtekst tego zjawiska każe mi przypuszczać, że chodzi o genetycznie zdeterminowany, instynktowny schemat zachowań mających na celu kojarzenie w pary. Innymi słowy, czasowe załamanie się granic ego nieodłącznie towarzyszące zakochaniu się jest stereotypową reakcją istot ludzkich na system wewnętrznych popędów i zewnętrznych bodźców seksualnych, reakcją zwiększającą prawdopodobieństwo łączenia się w pary i zachowania gatunku. Ujmijmy to inaczej, bardziej dosadnie: zakochanie się jest trickiem, jakim geny posługują się wobec spostrzegawczego skądinąd umysłu, by go zaślepić i skłonić do małżeństwa. Często podstęp ten przynosi niepożądane skutki, gdy na przykład popęd i bodźce mają charakter homoseksualny lub gdy w grę wchodzą inne czynniki — interwencja rodziców, choroba psychiczna, sprzeczność interesów czy dojrzała samodyscyplina — przeszkadzając w zawarciu małżeństwa. Jednak gdyby nie ta pułapka, owa złudna i zawsze tymczasowa (bo gdyby nie była tymczasowa, nie byłaby praktyczna) regresja do niemowlęcej jedności z matką i poczucia wszechmocy, to wielu z nas — dziś szczęśliwych lub nieszczęśliwych małżonków — w popłochu uciekłoby od ołtarza.

MIT ROMANTYCZNEJ MIŁOŚCI

By skutecznie służyć za małżeńską pułapkę, uczucie zakochania się musi zapewne nieść ze sobą — jako jedną z cech charakterystycznych — złudzenie, że będzie trwać wiecznie. Sprzyja mu rozpowszechniony w naszej kulturze mit romantycznej miłości, znajdujący wyraz także w lubianych przez dzieci bajkach często kończących się słowami „i żyli długo i szczęśliwie". Mit ten mówi, że na każdego młodzieńca czeka młoda kobieta, która jest mu „pisana", i odwrotnie. Co więcej — daje do zrozumienia, że istnieje tylko jeden mężczyzna przeznaczony dla danej kobiety i jedna kobieta przeznaczona konkretnemu mężczyźnie, i że to wszystko zostało zapisane w gwiazdach. Osobę nam przeznaczoną, tę zesłaną przez niebiosa, rozpoznaje się po fakcie zakochania się w niej. Ponieważ jesteście do siebie doskonale dopasowani, już zawsze będziecie zaspokajać wzajemnie swoje potrzeby i dążenia i odtąd będziecie żyć w doskonałym, harmonijnym związku. Jeśli okaże się jednak, że nie spełniacie pokładanych w sobie nadziei, gdy pojawią się tarcia i „odkochacie się", to stanie się jasne, że popełniliście straszliwy błąd, źle odczytaliście gwiazdy, nie związaliście się z tą jedną jedyną, doskonałą partnerką czy partnerem, a to, co uważaliście za miłość, nie było prawdziwą miłością. W tej sytuacji nie pozostaje wam nic innego jak trwać w nieudanym związku lub rozstać się.

Uważam, że wielkie mity są dlatego tak rozpowszechnione, że reprezentują i ucieleśniają głębokie uniwersalne prawdy (kilkoma z nich zajmiemy się w dalszych częściach książki). Jednak mit romantycznej miłości jest wielkim kłamstwem. Być może koniecznym dla zachowania gatunku, ponieważ sprzyja i sankcjonuje „zakochanie się", które z kolei usidla nas małżeństwem. Jako psychiatra niemal codziennie ubolewam w głębi serca nad straszliwymi nieporozumieniami i cierpieniami, które ten mit wywołuje.

Miliony ludzi tracą ogromną energię, próbując desperacko i bezowocnie pogodzić realia życia z nierealnością mitu. Na przykład pani A. powodowana poczuciem winy podporządkowuje się we wszystkim mężowi. „Nie kochałam go naprawdę, kiedy braliśmy ślub — mówi. — Udawałam miłość. Wydaje mi się, że podstępem nakłoniłam go do małżeństwa, nie mam więc prawa narzekać i powinnam robić wszystko, czego zażąda". Pan B. ubolewa: „Żałuję, że nie ożeniłem się z panną C., bo prawdopodobnie stanowilibyśmy dobraną parę. Ale nie byłem wówczas w niej bez pamięci zakochany i uznałem, że nie jest dla mnie odpowiednią partnerką". Pani D., od dwóch lat zamężna, popada w depresję bez widocznego powodu i zgłaszając się na terapię, stwierdza: „Nie wiem, co się stało. Mam wszystko, czego mi potrzeba. Moje małżeństwo jest idealne". Dopiero po wielu miesiącach potrafiła uznać fakt, że przestała być zakochana w mężu, a to wcale nie oznacza, iż popełniła straszny błąd.

Pan E. — także żonaty od dwóch lat — zaczął cierpieć na wieczorne migreny i nie mógł uwierzyć, że bóle mają podłoże psychosomatyczne. Mówił: „Mam wspaniały dom. Kocham żonę jak w dzień ślubu. Jest dla mnie wszystkim". Lecz gdy bóle głowy potrwały jeszcze rok, przyznał: „Doprowadza mnie do szału, bo stale żąda, by kupić jej coś nowego, i nie zastanawia się, ile zarabiam". Potem był już w stanie powiedzieć, co myśli o jej ekstrawagancjach. Pan i pani F. wyznali sobie, że przestali się kochać, po czym każde z nich rozpoczęło poszukiwania tej jedynej „prawdziwej miłości", dokuczając sobie wzajemnie niezliczonymi zdradami małżeńskimi. Nie uświadamiali sobie, że akceptacja faktu odkochania się mogłaby być początkiem ich partnerstwa, zamiast stać się jego końcem.

Jeśli nawet małżonkowie stwierdzą, że skończył się miodowy miesiąc, że nie łączy ich już romantyczna miłość, a mimo to są zdecydowani utrzymać swój związek, to wciąż kurczowo trzymają się tego mitu i próbują dopasować doń swe życie. Rozumują tak: „Choć nie jesteśmy już w sobie zakochani, będziemy na siłę zachowywać się tak, jakbyśmy wciąż się kochali. Wtedy, być może, do naszego życia powróci romantyczna miłość".

Pary te cenią sobie bycie razem. Uczestnicząc w grupowej terapii małżeństw (podczas których moja żona, ja i koledzy udzielamy porad w przypadkach najtrudniejszych problemów małżeńskich), siedzą razem, rozmawiają ze sobą, wzajemnie bronią swych błędów i starają się wobec reszty grupy stworzyć wspólny front w przekonaniu, że ta jedność stanowi oznakę relatywnie zdrowego małżeństwa i wstępny warunek jego poprawy. Wcześniej lub później, a zwykle wcześniej, zmuszeni jesteśmy podpowiedzieć im, że są „za bardzo" małżeństwem; są ze sobą zbyt związani i powinni nabrać do siebie pewnego dystansu, nim przystąpią do konstruktywnego rozwiązywania gnębiących ich problemów. Czasem trzeba ich wręcz fizycznie rozdzielać, sadzając osobno podczas zajęć grupowych. Nieustannie trzeba napominać, by jedno nie mówiło za drugie lub nie broniło drugiego w konfrontacji z grupą. Musimy im stale powtarzać: „John, pozwól Mary mówić za siebie", „Mary, John potrafi sam siebie obronić, jest wystarczająco silny". W końcu — jeśli będą kontynuować terapię — wszystkie pary zrozumieją, iż rzeczywista akceptacja indywidualności i odrębności własnej i partnera stanowi jedyną podstawę dojrzałego małżeństwa i prawdziwej miłości*.

---

* Czytelnicy książki O'Neilsów *Open Marriage* zorientują się zapewne, że jest to podstawowa zasada małżeństwa otwartego, którą różni się ono od małżeństwa zamkniętego. O'Neilsowie są orędownikami małżeństwa otwartego. Obserwacje zebrane przeze mnie podczas psychoterapii małżeństw pozwoliły mi sformułować niepodważalny wniosek, że małżeństwo otwarte jest jedynym rodzajem dojrzałego, zdrowego małżeństwa, który nie stanowi poważnego zagrożenia dla zdrowia i rozwoju psychicznego tworzących je partnerów.

WIĘCEJ O GRANICACH EGO

Stwierdziwszy, że doznanie „zakochania się" jest swoistym złudzeniem nie mającym nic wspólnego z prawdziwą miłością, chciałbym teraz nieco przewrotnie dowieść, że w gruncie rzeczy jest ono bardzo bliskie prawdziwej miłości. Mylne przeświadczenie, że zakochanie się to miłość, jest tak silne zapewne dlatego, że zawiera ziarno prawdy. Doświadczenie prawdziwej miłości wiąże się z granicami ego, gdyż pociąga za sobą uchylenie ograniczeń jednostki. Indywidualne ograniczenia są granicami ego. Gdy dzięki miłości otwieramy je, wychodzimy poza te granice, ku ukochanej osobie, której rozwój chcemy wspierać. Byśmy mogli to uczynić, musimy tę osobę pokochać. Mówiąc inaczej, ów obiekt zewnętrzny, poza granicami ego, musi być dla nas wystarczająco atrakcyjny, byśmy pragnęli zainwestować weń swoje uczucia i zaangażować się. Psychiatrzy nazywają ten proces przyciągania, angażowania się i oddania kateksją, i mówią, że dokonujemy kateksji miłowanego obiektu.

W procesie kateksji, czyli angażowania się w obiekt zewnętrzny, a przez to nadawania mu wartości, dokonujemy psychicznego wcielenia wyobrażenia tego obiektu. Rozważmy dla przykładu osobę hobbistycznie zajmującą się ogrodnictwem. Jest to zajęcie dające wiele satysfakcji i wymagające sporo wysiłku. Osoba ta „kocha" ogrodnictwo. Ogród znaczy dla niej bardzo wiele. Dokonała kateksji swojego ogrodu. Ciągnie ją do niego, zaangażowała się weń i oddała mu się tak bardzo, że przez cały tydzień o nim myśli i nie może doczekać się weekendu, by do niego pojechać. Nie wyjedzie na urlop, by się z nim nie rozstawać; dla swojego hobby zaniedbuje rodzinę. Wskutek tej kateksji, by dobrze opiekować się swoimi kwiatami i roślinami, uczy się wielu rzeczy. Zdobywa mnóstwo informacji: o rodzajach gleby, nawozach, sadzeniu i przycinaniu roślin. Dobrze zna swój ogródek — jego historię, rosnące w nim kwiaty i rośliny, jego rozplanowanie, problemy, a nawet przeszłość. Choć ogród jest czymś zewnętrznym, wskutek kateksji zaczął również istnieć w danej osobie. Jej wiedza o ogrodzie i znaczenie, jakie ma on dla niej, stanowią jej część — część jej tożsamości, historii i mądrości. Dzięki „miłowaniu" i kateksji swojego ogrodu w całkiem dosłownym sensie osoba ta dokonała inkorporacji swojego ogrodu. Poprzez to wcielenie jej jaźń poszerzyła się, a granice ego uległy przesunięciu.

W ciągu wielu lat miłowania i redukowania ograniczeń dzięki kateksji następuje stopniowe, lecz nieustanne powiększanie jaźni. Wcielamy w siebie coś, co jest poza nami, dzięki czemu rozwijamy się, gdyż dochodzi do poszerzenia ego. Im intensywniej i dłużej rozwijamy się, im więcej miłujemy, tym bardziej zamazuje się różnica między naszą jaźnią a światem. Utożsamiamy się ze światem. Wraz z zacieraniem się i zanikaniem granic coraz częściej doznajemy uczucia ekstazy, jakie towarzyszy częściowemu załamaniu granic ego, do którego dochodzi podczas zakochania się. Różnica polega na tym, że zamiast chwilowego i nierealistycznego zjednoczenia z umiłowanym obiektem następuje realne i trwałe zjednoczenie z pokaźnym wycinkiem rzeczywistości. W ten sposób może dojść do mistycznego zjednoczenia z całym światem. Ekstaza i szczęście, jakie niesie owo zjednoczenie — choć subtelniejsze i mniej dramatyczne niż doznania związane z zakochaniem się — jest jednak trwalsze, bardziej stabilne i daje większą satysfakcję. Na tym polega różnica między doświadczeniem szczytowym, którego przykładem jest zakochanie się, a tym, co Abraham Maslow określa jako „doświadczenie plateau". Nie osiągamy gwałtownie szczytów, by je równie nagle stracić; osiągamy je na stałe*.

Seks i miłość — choć często pojawiają się równocześnie — są zjawiskami odrębnymi. Akt seksualny nie jest aktem miłości. Niemniej doznania towarzyszące stosunkowi seksual-

---

* *Religions, Values and Peak-Experiences*, New York, Viking, 1970, wstęp.

94

nemu, a zwłaszcza orgazm (nawet osiągnięty w wyniku masturbacji) wiąże się również w jakimś stopniu z załamaniem granic ego i towarzyszącą temu ekstazą. Z powodu załamania tych granic zdarza się, że w momencie uniesienia wołamy „kocham cię" lub „o Boże" nawet wtedy, gdy naszą partnerką jest prostytutka, do której chwilę później — kiedy granice ego ponownie zamkną się — nie żywimy ani krzty uczucia, nie odczuwamy pociągu czy chęci zaangażowania. Nie znaczy to, że ekstaza towarzysząca orgazmowi nie może być spotęgowana poprzez dzielenie jej z kimś, kogo kochamy. Nawet bez udziału ukochanej osoby czy w ogóle partnera seksualnego, towarzyszące orgazmowi załamanie granic jaźni może być pełne, na sekundę możemy zapomnieć całkowicie, kim jesteśmy, stracić poczucie własnego Ja, zagubić się w czasie i przestrzeni, znaleźć się poza swym ego i doświadczyć swoistej egzaltacji. Jednoczymy się z wszechświatem. Ale tylko na chwilę.

Opisując trwałą „jedność z wszechświatem", związaną z rzeczywistą miłością, i porównując ją do chwilowej jedności, jakiej doświadcza się podczas orgazmu, użyłem określenia „mistyczne zjednoczenie". U podstaw mistycyzmu tkwi przeświadczenie, że rzeczywistość to jedność. Mistycy uważają, że powszechne postrzeganie wszechświata jako mnogości odrębnych bytów: gwiazd, planet, drzew, ptaków, domów, nas samych — oddzielonych od siebie granicami, jest postrzeganiem błędnym, czyli złudzeniem. Owo błędne postrzeganie świata złudzeń, który bierzemy za rzeczywistość, hinduiści i buddyści nazywają *maja*. Zarówno oni, jak i inni mistycy utrzymują, że prawdziwą rzeczywistość można poznać jedynie poprzez doświadczanie jedności dzięki wyzbyciu się granic ego.

Nie sposób widzieć jedność wszechświata, jeśli postrzega się siebie jako obiekt osobny, odrębny i różniący się formą od pozostałych. Dlatego hinduiści i buddyści twierdzą, że w odróżnieniu od dorosłych niemowlę zanim rozwinie granice ego, zna rzeczywistość. Niektórzy utrzymują wręcz, że droga do oświecenia, czyli poznania jedności rzeczywistości wymaga regresu, cofnięcia się do psychicznego niemowlęctwa. To kusząca, lecz niebezpieczna doktryna dla części nastolatków i młodych ludzi nie przygotowanych do przyjęcia na siebie odpowiedzialności za swą dojrzałość, która wydaje im się przerażająca, przytłaczająca i zbyt wymagająca. „Nie muszę jej brać na siebie — pomyśli młody człowiek. — Mogę sobie ją darować, uciekając od wymogów dorosłości w świętość". Działanie oparte na takiej przesłance prowadzi nie do świętości, lecz do schizofrenii.

Większość mistyków rozumie prawdę zawartą w naszych rozważaniach na temat dyscypliny; najpierw należy coś posiąść lub zdobyć, by z tego zrezygnować, zachowując nadal kompetencje i zdolności do życia. Niemowlę nie posiadające granic ego być może jest bliżej rzeczywistości niż jego rodzice, nie potrafi jednak bez ich opieki przeżyć ani przekazać im swojej mądrości. Droga w świętość wiedzie poprzez dojrzałość. Nie ma tu łatwych i prostych dróg na skróty. Najpierw należy określić granice ego, by się ich potem wyzbyć. Najpierw trzeba ustalić swoją tożsamość, nim będzie można ją oddać. Wpierw trzeba ukształtować swoją jaźń, nim się jej wyrzeknie. Chwilowe osłabienie granic ego towarzyszące zakochaniu, stosunkowi seksualnemu czy zażywaniu środków psychotropowych może dostarczyć pozorów nirwany. Tezą mojej książki jest jednak stwierdzenie, że nirwanę — trwałe oświecenie czy prawdziwy rozwój duchowy — można osiągnąć jedynie poprzez nieustanne praktykowanie rzeczywistej miłości.

Podsumujmy: czasowa utrata granic ego związana z zakochaniem się i stosunkiem seksualnym nie tylko pomaga nam zaangażować się, nawiązać z ludźmi bliski kontakt mający szansę przeobrazić się w prawdziwą miłość, lecz jednocześnie daje przedsmak (a zatem i bodziec) trwałej ekstazy mistycznej, którą możemy osiągnąć, gdy nasze całe życie poświęcimy prawdziwemu miłowaniu. I dlatego zakochanie się, choć nie jest prawdziwą miłością, ma swoje miejsce w jej wielkim, tajemniczym planie.

UZALEŻNIENIE

Kolejnym powszechnym nieporozumieniem związanym z miłością jest mylenie jej z uzależnieniem. Psychoterapeuci spotykają się z nim na co dzień. Przeświadczenie to może wywołać tragiczne następstwa w postaci prób samobójczych lub prowadzić do depresji spowodowanej odrzuceniem czy separacją z małżonkiem lub kochankiem. Osoba porzucona zwykle mówi: „Nie chcę żyć, nie mogę żyć bez mojego męża (żony, dziewczyny, chłopaka), tak bardzo kocham go (ją)". Gdy odpowiadam: „Mylisz się, wcale nie kochasz męża (żony, dziewczyny, chłopaka)", wówczas nierzadko spotykam się z gniewną reakcją: „O co panu chodzi?! Przecież mówię, że nie mogę żyć bez niego (bez niej)". Staram się wtedy wyjaśnić: „To, o czym mówisz, jest pasożytnictwem, nie miłością. Jeżeli potrzebujesz innej osoby, by przeżyć, to znaczy, że na niej pasożytujesz. W waszych wzajemnych stosunkach nie ma miejsca na wybór, nie ma wolności. Są one kwestią konieczności, a nie miłości. Miłość wiąże się z wolnym wyborem. Dwoje ludzi kocha się naprawdę tylko wtedy, gdy są zdolni żyć bez siebie, lecz — dokonawszy wyboru — postanawiają żyć razem".

Ja sam określam uzależnienie od drugiej osoby jako brak poczucia własnej integralności. Osoba nim dotknięta chce mieć pewność, że ktoś zatroszczy się o zaspokajanie jej potrzeb. Uzależnienie u fizycznie zdrowej, dorosłej osoby jest patologią, chorobą będącą objawem zaburzeń myślenia lub defektem psychiki. Należy jednak rozróżnić uzależnienie od zjawiska zwanego potocznie potrzebą zależności. Wszyscy odczuwamy potrzebę zależności, nawet jeśli udajemy przed sobą lub innymi, że tak nie jest. Każdy z nas chciałby, by opiekowały się nim i dogadzały mu osoby silniejsze, którym nasze dobro leży na sercu. Nieważne, jak bardzo jesteśmy silni, opiekuńczy, odpowiedzialni i dorośli — jeśli wejrzymy w siebie, znajdziemy w swoim sercu pragnienie, by ktoś zatroszczył się o nas. Każdy — bez względu na wiek i swoją dojrzałość — chciałby, by w życiu towarzyszyła mu życzliwa osoba; taka jak matka lub ojciec.

U większości z nas te pragnienia i potrzeby nie rządzą życiem; nie są przewodnim motywem naszej egzystencji. Natomiast jeśli są sposobem na życie i rzutują na jego jakość, to są czymś więcej niż potrzebą zależności — są uzależnieniem. Ściślej mówiąc, osoba, której życie podporządkowane jest potrzebie bycia zależnym, cierpi na zaburzenia psychiczne określane jako „osobowość biernie zależna". Są to bez wątpienia najczęściej spotykane zaburzenia osobowości. Ludzie cierpiący na nie — biernie zależni — są tak bardzo zajęci zabieganiem o to, by byli kochani, że nie mają siły na to, by kochać. Są jak głodujący, którzy wszędzie usiłują zdobyć odrobinę pożywienia, lecz za żadną cenę sami nie poczęstowaliby nikogo, tak jakby była w nich pustka, bezdenna otchłań, której nie da się zapełnić. Nigdy nie mają dość i brak im poczucia własnej zupełności. Stale czują się tak, jakby im czegoś brakowało. Źle znoszą samotność. Nie mając poczucia własnej zupełności, nie mają poczucia tożsamości i określają samych siebie tylko przez pryzmat stosunków z innymi ludźmi. Oto przykład: pewien trzydziestoletni drukarz przyszedł do mnie w stanie skrajnej depresji, która pojawiła się w kilka dni po odejściu żony z dwójką dzieci. Żona trzykrotnie groziła, że odejdzie, zarzucając mu kompletny brak zainteresowania nią i dziećmi. Za każdym razem błagał, by została, i obiecywał poprawę, lecz ponieważ nigdy nie zmienił się na dłużej niż jeden dzień, więc tym razem spełniła swoją groźbę. Nie spał dwie noce, dygotał z rozpaczy, wylewając strumienie łez, i rozważał możliwość samobójstwa.

— Nie mogę żyć bez rodziny — łkał — tak bardzo ich kocham.

— Ciekawe — odparłem. — Mówił pan, że żona ma uzasadnione pretensje, iż nigdy nic pan dla niej nie zrobił, przychodził do domu, kiedy chciał, nie interesowała pana seksualnie ani emocjonalnie, całe miesiące nie rozmawiał pan z dziećmi, nigdy się z nimi nie bawił, ani też nigdzie z nimi nie chodził. Z żadnym członkiem rodziny nie miał pan kontaktu, nie rozumiem więc, dlaczego tak pan rozpacza z powodu utraty związków, które nigdy nie istniały.

— Pan nie rozumie? — spytał. — Jestem teraz niczym. Niczym. Nie mam żony. Nie mam dzieci. Nie wiem, kim jestem. Mogłem się o nich nie troszczyć, lecz z pewnością ich kochałem. Bez nich jestem niczym.

Ponieważ był tak bardzo zdesperowany utratą tożsamości, jaką nadawała mu rodzina, umówiłem go na wizytę za dwa dni. Nie spodziewałem się większej poprawy. A on wpada do mojego gabinetu radośnie uśmiechnięty i oznajmia:

— Już wszystko jest w porządku.

— Znów jest pan z rodziną? — spytałem.

— Ależ skąd — odparł wesoło. — Nie miałem od nich wiadomości od czasu poprzedniej wizyty u pana, lecz w moim barze wczoraj wieczorem poznałem dziewczynę. Powiedziała, że jej się podobam. Jest w separacji, tak jak ja. Umówiliśmy się na dzisiaj. Ach, znów czuję się sobą. Myślę, że nie mam już po co do pana przychodzić.

Ta gwałtowna zmienność jest charakterystyczna dla osobowości biernie zależnych. Tak jakby nie miało znaczenia, od kogo są uzależnieni. Wystarczy, by ktoś taki był. Nieważna jest ich tożsamość, byle tylko ktoś jakąś im nadał. W rezultacie ich związki z ludźmi — pozornie dramatyczne i bardzo silne — są w gruncie rzeczy niezwykle powierzchowne. Wskutek silnego poczucia wewnętrznej pustki i chęci jej zapełnienia ludzie biernie zależni nie umieją znieść zwłoki w zaspokajaniu potrzeby zależności od innej osoby.

Pewna piękna, błyskotliwa i zupełnie zdrowa psychicznie młoda kobieta miała od siedemnastego do dwudziestego pierwszego roku życia kilka romansów z mężczyznami, którzy znacznie ustępowali jej inteligencją i atrakcyjnością. Romanse za każdym razem kończyły się fiaskiem. Jak się okazało, jej problem polegał na tym, że nie potrafiła czekać dostatecznie długo, by znaleźć odpowiedniego mężczyznę lub choćby staranniej dokonać wyboru wśród tych wielu, których spotkała. W ciągu dwudziestu czterech godzin od zerwania znajomości podrywała pierwszego lepszego, który się nawinął w barze, a na następną sesję terapeutyczną przychodziła wciąż z tą samą śpiewką: „Wiem, że jest bezrobotny i dużo pije, ale to naprawdę bardzo zdolny człowiek i troszczy się o mnie. Wiem, że tym razem mi się uda".

Jednak i tym razem się nie udało. Nie tylko dlatego, że nie dokonała przemyślanego wyboru, lecz również dlatego, że od swojego kolejnego wybranka żądała coraz to nowych dowodów uczucia, nie odstępowała go na krok i nie chciała się z nim nawet na chwilę rozstać. „Tak bardzo kocham cię, że nie mogę znieść ani chwili rozłąki" — mówiła każdemu, lecz wcześniej lub później jej partnerzy czuli się tą „miłością" stłamszeni, uwikłani i zniewoleni. Dochodziło do sprzeczek, związek rozpadał się, a następnego dnia wszystko zaczynało się od nowa. Tej kobiecie udało się wyrwać z zaklętego kręgu dopiero po trzech latach terapii, podczas której nauczyła się cenić swoją inteligencję i zdolności, a także odróżniać głód spowodowany wewnętrzną pustką i pragnienie jej wypełnienia od prawdziwej miłości. Zrozumiała, że ten głód skłaniał ją do nawiązywania bezwartościowych związków. Uświadomiła sobie korzyści płynące z poddania tego głodu konsekwentnej dyscyplinie.

W diagnostyce określenie „bierny" używane jest łącznie z określeniem „zależny", ponieważ osoby, do których się ono stosuje, interesują się wyłącznie tym, co inni mogą dla nich uczynić, nie dostrzegając tego, co sami mogliby zrobić dla siebie. Pracując pewnego razu z grupą złożoną z pięciu pacjentów biernie zależnych, poprosiłem, by opowiedzieli o swoich oczekiwaniach i celach, jakie sobie wytyczyli na najbliższe pięć lat. Wszyscy odpowiadali podobnie: „Chcę zawrzeć związek małżeński z kimś, kto naprawdę będzie się o mnie troszczył". Żadna z tych osób nie wspomniała o pracy wymagającej inicjatywy, tworzeniu dzieł sztuki, działalności społecznej, chęci kochania, czy choćby o pragnieniu posiadania dzieci. Pojęcie wysiłku nie mieściło się w ich marzeniach; snuli wizje beztroskiej bierności, skoncentrowane na przyjmowaniu cudzej troski. Powiedziałem im to, co powtarzam zawsze: „Jeśli waszym jedynym celem jest być kochanym, to go nie osiągniecie. Żeby być kochanym, trzeba stać się godnym miłości, co nie będzie możliwe, jeśli celem nadrzędnym jest miłość bierna". Nie znaczy to, że osoby biernie zależne nigdy nic nie robią dla innych, lecz jeśli już coś robią, to kierują się głównie chęcią przywiązania ludzi do siebie, a tym samym zapewnieniem sobie ich troski. Jeśli dojdą do wniosku, że nie mogą na nią liczyć, zrobienie czegoś dla innych sprawia im dużą trudność. Wszystkim członkom wspomnianej grupy trudno było wyprowadzić się od rodziców, znaleźć pracę lub zmienić mało satysfakcjonującą na ciekawszą, czy choćby znaleźć sobie jakieś hobby.

W małżeństwie zazwyczaj występuje podział ról obojga małżonków. Kobieta na ogół gotuje, sprząta, robi zakupy, troszczy się o dzieci; mężczyzna pracuje zawodowo, zajmuje się finansami, strzyże trawniki i dokonuje drobnych napraw. Zdrowe pary małżeńskie od czasu do czasu zamieniają się rolami. Mężczyzna czasami sprząta, od czasu do czasu coś ugotuje, jeden dzień w tygodniu spędzi z dziećmi, zrobi gruntowne porządki, żeby sprawić żonie niespodziankę; kobieta może pracować w niepełnym wymiarze godzin, skosić trawnik na urodziny męża i przejąć na jakiś czas prowadzenie finansów domowych oraz płacenie rachunków. Małżeństwo zamianę ról traktuje często jak rodzaj zabawy, która urozmaica ich życie. Co ważniejsze, nawet jeśli małżonkowie sobie tego nie uświadamiają, chodzi o zmniejszenie wzajemnego uzależnienia; przygotowują się na ewentualność radzenia sobie w pojedynkę. Dla ludzi biernie zależnych utrata partnera bywa tak przerażająca, że nie potrafią zaakceptować takiej możliwości i ani myślą tolerować sytuacje, które pozwoliłyby zminimalizować zależność lub zwiększyć zakres swobody ich partnera. Dlatego cechą charakterystyczną zachowań ludzi biernie zależnych w małżeństwie jest sztywny podział ról. Tacy małżonkowie dążą do zwiększania wzajemnego uzależnienia, co czyni ich związek pułapką, a nie układem partnerskim. W imię tego, co nazywają miłością, a co w istocie jest uzależnieniem, ograniczają swoją wolność i walory osobiste. Zdarza się, że ludzie biernie zależni po wstąpieniu w związek małżeński tracą umiejętności i zdolności, jakie posiadali przed małżeństwem — jest to część procesu uzależnienia. Przykładem może być dość częsty syndrom żony, która „nie może" prowadzić samochodu. Zdarza się, że kobiety nie umieją prowadzić, lecz zdarza się również — zazwyczaj wskutek jakiejś niegroźnej stłuczki — że kobieta zamężna wytwarza w sobie bliżej nie określoną „fobię" i przestaje prowadzić. Rezultatem tej fobii, zwłaszcza w okolicach wiejskich lub podmiejskich, może być niemal całkowita zależność od męża i przykucie go do siebie swoją bezradnością. Teraz on musi robić zakupy dla całej rodziny lub wozić żonę do centrum handlowego. Ponieważ w większości związków takie zachowania zaspokajają potrzebę zależności obojga małżonków, prawie nigdy nie uznaje się ich za chore czy wymagające uzdrowienia. Gdy sugerowałem skądinąd niezwykle inteligentnemu bankierowi, że jego żona, która w wieku czterdziestu sześciu lat nagle przestała prowadzić samochód na skutek fobii, może mieć problem wymagający interwencji psychiatry, powiedział: „Ależ skąd! Lekarz mówi, że to z powodu menopauzy i nic nie można na to poradzić". Jednak prawda była inna. Jego żona czuła się bezpieczniej, wiedząc, że mąż nie będzie miał romansów i nie porzuci jej zajęty po pracy wożeniem jej na zakupy, a dzieci na zajęcia pozalekcyjne. Mąż z kolei miał pewność, że żona nie flirtuje i nie odejdzie, bo unieruchomiona w domu nie może spotykać się z ludźmi, gdy on jest poza domem. Dzięki takiemu postępowaniu małżeństwa biernie uzależnione mogą być trwałe i dawać małżonkom poczucie bezpieczeństwa, lecz ani nie są zdrowe, ani nie można ich uznać za związki oparte na prawdziwej miłości. A to dlatego, że za poczucie bezpieczeństwa płaci się w nich wolnością, co hamuje, a nawet niweczy rozwój partnerów. Raz po raz powtarzamy naszym pacjentom, że „dobre małżeństwo może istnieć tylko między dwojgiem silnych i niezależnych ludzi". Bierne uzależnienie bierze się z braku miłości. Poczucie wewnętrznej pustki doskwierające ludziom biernie zależnym jest wynikiem braku miłości, uwagi i troski ze strony rodziców. Wspomniałem na wstępie, że dzieci kochane i otaczane względnie konsekwentną troską przez cały okres dzieciństwa osiągają dojrzałość w przeświadczeniu, że zasługują na miłość i na szacunek, a zatem będą kochane i otaczane troską dopóty, dopóki pozostaną wierne samym sobie. Natomiast dzieci dojrzewające w atmosferze braku lub niekonsekwentnie okazywanej miłości i troski dojrzewają pozbawione poczucia bezpieczeństwa. Zamiast niego rodzi się w nich poczucie wewnętrznej niepewności. Mają wrażenie, że czegoś im brakuje, że świat jest nieobliczalny i wrogi, one zaś są nic niewarte i nie zasługują na miłość. Nic dziwnego, że wszędzie zabiegają o miłość, troskę i uwagę, a gdy już odnajdą odpowiednią osobę, uczepiają się swej zdobyczy z taką desperacją, że przestają kochać i zaczynają manipulować. Ich makiaweliczne zachowania niszczą związek, którego utrzymaniu miały służyć.

Wspomniałem już, że miłość idzie w parze z dyscypliną. Dlatego rodzicom nie miłującym nie udaje się przekonać swoich dzieci, że są kochane ani wpoić im skłonności do samodyscypliny. Nadmierne uzależnienie osób biernie zależnych jest tylko głównym objawem zaburzeń osobowości. Ludziom tym brak jest wewnętrznej dyscypliny. Nie potrafią odroczyć gratyfikacji swojego głodu uwagi ze strony otoczenia. Rozpaczliwie walczą o stworzenie i utrzymanie więzi, tracąc resztki uczciwości wobec samych siebie. Trwają w związkach, które już dawno powinni zerwać, a co najważniejsze — tracą poczucie odpowiedzialności za samych siebie. Biernie oglądają się na innych, niejednokrotnie na własne dzieci, szukając w nich źródła szczęścia i spełnienia, a gdy go nie znajdują, obwiniają o to innych. Wskutek tego wciąż czują gniew, gdyż inni ich zawodzą, nie mogąc zaspokoić wszystkich ich potrzeb ani „uczynić" ich szczęśliwymi.

Mój znajomy często mówi swoim pacjentom: „Uzależniając się od innej osoby, czynisz sobie wielką krzywdę. Lepiej byłoby, gdybyś uzależnił się od heroiny, bo dopóki cię na nią będzie stać, dopóty cię nie zawiedzie. Jeśli oczekujesz, że inna osoba uczyni cię szczęśliwym, to będziesz stale rozczarowany". Nieprzypadkowo najpowszechniejszymi zaburzeniami u osób biernie zależnych — prócz ich uzależnienia od innych ludzi — są narkomania i alkoholizm. Tacy ludzie mają osobowość nałogowca. Łapczywie przysysają się do innych ludzi, a gdy nie mogą ich znaleźć, sięgają po butelkę, strzykawkę lub pigułki jako namiastkę człowieka.

Uzależnienie może się wydawać miłością, ponieważ sprawia, że ludzie mocno przywiązują się do innych. Jednak w rzeczywistości nie jest miłością, lecz formą antymiłości. Jest skutkiem zaznanego w dzieciństwie braku miłości rodzicielskiej. Ludzie biernie uzależnieni chcą dostawać, ale nie chcą dawać. Ich uzależnienie utwierdza w infantylizmie, zamiast sprzyjać rozwojowi. Działa jak pułapka i narzuca ograniczenia, zamiast wyzwalać. I dlatego niszczy związki, zamiast je tworzyć, i zubaża ludzi, zamiast sprzyjać ich rozwojowi.

KATEKSJA BEZ MIŁOŚCI

Jednym z aspektów uzależnienia jest brak troski o rozwój duchowy. Osoby uzależnione są zainteresowane zaspokojeniem własnych potrzeb i o nic więcej nie dbają. Chcą być szczęśliwe, nie dążą do rozwoju, nie potrafią znosić zgryzot, poczucia osamotnienia oraz cierpień towarzyszących rozwojowi duchowemu. Za nic mają również rozwój duchowy człowieka, od którego są uzależnione. Chcą tylko, by był stale obecny i zaspokajał ich potrzeby. Uzależnienie takie nie jest niczym innym jak kolejnym przejawem zachowań, które błędnie nazywamy miłością, ponieważ brak w nich jakiegokolwiek zainteresowania rozwojem duchowym. Omówię teraz inne formy uzależnień, mając nadzieję dowieść, że kateksja, zaangażowanie i dbałość o cokolwiek, co nie wiąże się z rozwojem duchowym, w żadnym razie nie jest miłością.

Często mówimy, że ktoś kocha obiekt nieożywiony lub jakąś czynność. Używamy wówczas takich zwrotów, jak: „kocha pieniądze", „kocha władzę", „kocha swój ogród" czy „kocha grę w golfa". Oczywiście, że można pracować sześćdziesiąt, siedemdziesiąt czy osiemdziesiąt godzin tygodniowo, gromadzić bogactwo lub zdobywać władzę. Jednak cały ten wysiłek i zaangażowanie mogą nie mieć nic wspólnego z rozwojem duchowym i nie prowadzić do niczego prócz powiększania fortuny lub wpływów. Często zdarza się mówić o potentacie, który samodzielnie doszedł do bogactwa, że to „prymityw i parweniusz". I choć mówimy, że kocha pieniądze i władzę, nie widzimy w nim osoby miłującej. Dlaczego tak jest? Dlatego, że bogactwo i władza stały się dlań celem samym w sobie, a nie sposobem na osiągnięcie wyższego poziomu rozwoju wewnętrznego. Jedynym prawdziwym celem miłości jest rozwój duchowy, czyli ewolucja człowieczeństwa.

Zainteresowania hobbystyczne są formą samokształcenia. Miłując samych siebie — czyli podążając ścieżką rozwoju duchowego — musimy zapewnić sobie nie tylko to, co ma duchowy charakter. By zadbać o ducha, trzeba również dbać o ciało. Potrzebujemy pożywienia i dachu nad głową. Bez względu na stopień naszego zaangażowania w rozwój duchowy potrzebujemy wypoczynku i odprężenia, wysiłku fizycznego i rozrywki. Święci też muszą sypiać, a prorokom też zdarza się zabawić. Hobby jest przejawem miłości własnej. Jeśli jest celem samym w sobie, to staje się namiastką, a nie środkiem rozwoju osobistego. Zainteresowania hobbystyczne są tak powszechne właśnie dlatego, że są namiastką. Weźmy za przykład graczy w golfa. Na polu golfowym można spotkać starszych mężczyzn i kobiety, dla których głównym celem życia jest doskonalenie umiejętności wrzucenia piłki do dołka jak najmniejszą liczbą uderzeń kija. Uporczywe doskonalenie własnych umiejętności daje złudne wrażenie czynienia postępów i pomaga im zapomnieć o tym, że w rzeczywistości przestali czynić postępy w życiu, wyrzekłszy się doskonalenia w sobie człowieczeństwa. Gdyby rzeczywiście miłowali samych siebie, nie oddawaliby się celowi tak płytkiemu jak golfowy dołek i ograniczonym perspektywom.

Jednak władza i pieniądze mogą być środkiem wiodącym do szczytnych celów, na przykład wtedy, gdy ktoś zmusza się do działalności politycznej, chcąc wykorzystać władzę dla rzeczywistego rozwoju społeczeństwa. Niektórzy pragną bogactwa nie dla samych pieniędzy, lecz po to, by wysłać dzieci na dobry uniwersytet lub zapewnić sobie spokój i czas na naukę i refleksję niezbędne dla rozwoju duchowego. Tacy ludzie nie kochają władzy czy pieniędzy, lecz właśnie człowieczeństwo.

Prowadząc moją praktykę, doszedłem do wniosku, że większość ludzi posługuje się słowem „miłość" tak nieprecyzyjnie i niewłaściwie, że nie pojmuje jej sensu. Nie spodziewam się, by nastąpiły w tym względzie jakieś zmiany, lecz dopóki będziemy używać słowa „miłość" na określenie naszych związków ze wszystkim, co jest dla nas ważne, bez względu na charakter tych związków, dopóty będziemy mieć trudności z rozróżnieniem mądrości i głupoty, dobra i zła oraz tego, co szlachetne, i tego, co haniebne. Gdy posłużymy się precyzyjną definicją miłości, okaże się, że miłować możemy jedynie istoty ludzkie, gdyż zgodnie z naszymi koncepcjami tylko ludzie posiadają ducha zdolnego do rozwoju*.

---

* Zdaję sobie sprawę, że powyższa koncepcja może być fałszywa i cała materia — ożywiona i nieożywiona — jednak posiada ducha. Odrębność istot ludzkich od „niższych" zwierząt i roślin oraz od nieożywionych kamieni i ziemi uważana jest przez mistyków buddyzmu za złudzenie (*maja*). Jest wiele poziomów rozumienia; w tej książce omawiam zagadnienie miło-

By dowieść prawdziwości powyższego stwierdzenia, zastanówmy się nad naszym stosunkiem do zwierząt domowych. „Kochamy" psa. Karmimy go, kąpiemy, głaszczemy i tulimy, tresujemy i bawimy się z nim. Gdy zachoruje, rzucamy wszystko i wieziemy go do weterynarza. Kiedy ucieknie lub zdechnie, ogarnia nas smutek. Dla wielu samotnych, bezdzietnych osób zwierzęta są często jedyną motywacją do życia. Jeżeli to nie miłość, to co w takim razie? Spróbujmy jednak zbadać różnice między naszym stosunkiem do zwierząt i do ludzi.

Przede wszystkim zakres możliwości komunikowania się z domowym zwierzęciem jest niezwykle ograniczony w porównaniu z zakresem komunikowania się z innymi ludźmi, jeśli do niego dążymy. Nie wiemy, o czym myślą nasze zwierzaki. Brak tej wiedzy pozwala nam dokonywać projekcji na zwierzęta własnych myśli i uczuć, a tym samym na odczuwanie emocjonalnego związku z nimi, który w rzeczywistości w ogóle nie istnieje. Poza tym tylko wtedy lubimy naszych pupili, gdy zachowują się tak, jak tego oczekujemy. Na tej podstawie z reguły dobieramy sobie zwierzęta, a gdy ich pragnienia są sprzeczne z naszymi, pozbywamy się ich. Nie trzymamy zwierząt w domu, gdy są nieposłuszne lub okazują wobec nas wrogość. Jedyna szkoła, do jakiej je posyłamy, to szkoła tresury. Natomiast w odniesieniu do istot ludzkich naszym dążeniem może być wspieranie rozwoju ich wolnej woli i właśnie to pragnienie jest charakterystyczne dla prawdziwej miłości. W stosunku do zwierząt domowych kierujemy się chęcią dominacji nad nimi i ich uzależniania od nas. Nie chcemy, by dorosły i opuściły dom. Pragniemy, by pozostały z nami i grzały się bezwolnie przy domowym ognisku. Cenimy ich przywiązanie, a nie niezależność.

ści na jednym z nich. Moje zdolności komunikowania są ograniczone, gdyż nie jestem w stanie przekazywać swoich myśli jednocześnie na wielu poziomach. Ponadto mogę komunikować tylko przypadkowe przebłyski myśli z innego poziomu rozumienia niż ten, którym sam obecnie władam.

Kwestia „miłości" do zwierząt jest niezmiernie istotna, gdyż wielu ludzi potrafi kochać tylko zwierzęta, a są niezdolni do prawdziwej miłości do innych osób. Wielu amerykańskich żołnierzy zawarło idylliczne małżeństwa z niemieckimi, włoskimi czy japońskimi „wojennymi narzeczonymi", z którymi nie mogli nawiązać komunikacji werbalnej. Jednak gdy młode małżonki nauczyły się angielskiego, małżeństwa zaczęły się rozpadać. Żołnierze nie mogli już przenosić na żony własnych myśli, uczuć, pragnień i dążeń, mieć wrażenia takiej samej bliskości, jaką odczuwa się w kontaktach z domowymi zwierzętami. Gdy żony nauczyły się angielskiego, mężczyźni jęli sobie uświadamiać, że mają one często odmienne idee, opinie i cele niż oni. Wraz z tą świadomością w niektórych wojennych małżeństwach zrodziła się rzeczywista miłość, lecz większość tych małżeństw przestała istnieć.

Kobieta powinna wystrzegać się mężczyzny, który czule nazywa ją „kotkiem" lub „pieseczkiem". Może on należeć do tych, którzy umieją okazywać uczucia tylko w stosunku do zwierząt domowych i nie są w stanie zaakceptować siły partnerki, jej niezależności i indywidualizmu. Najsmutniejsze przykłady podobnego i dość rozpowszechnionego zjawiska można dostrzec w postępowaniu kobiet, które potrafią „kochać" dzieci tylko w wieku niemowlęcym. Są idealnymi matkami, dopóki dzieci nie przestaną być niemowlętami. Do tego czasu okazują im niezwykłą czułość, cieszą się swoim macierzyństwem, karmią piersią, tulą i bawią się z nimi, są tkliwe, pełne oddania i szczęśliwe. A potem — niemal z dnia na dzień — obraz ulega przemianie. Gdy tylko dziecko zacznie domagać się uznania własnej woli, okazuje nieposłuszeństwo, płacze, nie chce się bawić, ni z tego ni z owego nie pozwala się przytulić, nie chce przebywać z dorosłymi, pragnie na własną rękę poznawać świat — miłość macierzyńska kończy się. Matka traci zainteresowanie dzieckiem, dokonuje jego „dekateksji" i zaczyna traktować jak zawadę. Często odczuwa jednocześnie nieprzepartą chęć ponownego zajścia w ciążę, by znów mieć niemowlę — takie małe zwierzątko. Gdy jej pragnienie się spełni, cykl powtarza się od nowa. Jeśli nie, taka matka często niańczy niemowlęta sąsiadów, zaniedbując własne dzieci.

Dla jej dziecka — owego „strasznego dwulatka" — to nie tylko koniec niemowlęctwa, lecz także koniec doświadczania macierzyńskiej miłości. Wszyscy widzą jego cierpienie i są świadomi deprywacji, która je dotknęła — z wyjątkiem matki zajętej nowym niemowlęciem. Skutki tych negatywnych doświadczeń z dzieciństwa objawiają się w wieku dojrzałym osobowością depresyjną lub biernie zależną.

Narzuca się konkluzja, że miłość do niemowląt i zwierząt domowych, a nawet do uzależnionych i podporządkowanych małżonków jest instynktownym wzorcem zachowań, do którego z powodzeniem można zastosować określenie „instynkt macierzyński" lub, bardziej ogólne, „instynkt rodzicielski". Można go porównać do instynktownych zachowań towarzyszących zakochaniu się. Nie jest to prawdziwa forma miłości, ponieważ nie wymaga wiele wysiłku. Nie jest też w pełni aktem woli czy wyboru. Sprzyja zachowaniu gatunku ludzkiego, lecz nie ma na celu doskonalenia czy rozwoju duchowego. Przypomina miłość tylko pod tym względem, że jest kierowana ku innym ludziom, służąc nawiązywaniu międzyosobowych kontaktów, które z kolei mogą się przerodzić w prawdziwą miłość. Jednak do zbudowania zdrowego, twórczego małżeństwa, do wychowania zdrowego i duchowo rozwijającego się dziecka, czy też wniesienia wkładu w ewolucję ludzkości potrzeba naprawdę znacznie więcej.

Wniosek z tego płynie taki, że wychowanie nie sprowadza się do karmienia, a pobudzanie i wspieranie duchowego rozwoju jest procesem zbyt złożonym, by mógł nim kierować tylko instynkt. Doskonałym przykładem jest matka, o której wspomniałem na początku tego rozdziału, nie pozwalająca synowi jeździć do szkoły autobusem. Wożąc dziecko do szkoły i z powrotem, wciąż je w jakimś sensie niańczyła — choć ono tego nie potrzebowało — ewidentnie opóźniając jego rozwój duchowy, zamiast wspierać. Można przytoczyć wiele podobnych przykładów: matki przekarmiające otyłe dzieci; ojcowie kupujący synom sterty zabawek, a córkom coraz to nowe fatałaszki; rodzice nie stawiający żadnych wymagań i nie odmawiający dzieciom niczego. Miłość nie polega tylko na dawaniu; miłość to rozumne dawanie i rozumne odmawianie. To rozumne chwalenie i rozumna krytyka. Rozumna kłótnia, walka, konfrontacja, rozumne naleganie, popychanie i powstrzymywanie, a także dodawanie ducha. To przewodnictwo. Słowo „rozumne" kojarzy się z osądem, osąd zaś wymaga czegoś więcej niż tylko instynktu; wymaga przemyślanego i niejednokrotnie bolesnego podejmowania trudnych decyzji.

„POŚWIĘCENIE SIĘ"

Motywów nierozsądnego dawania i destruktywnej opieki jest wiele, niemniej tego rodzaju zachowania mają jedną wspólną cechę: pod pozorem miłości „dawca" zaspokaja własne potrzeby, nie zważając na duchowe potrzeby „biorcy". Pewien pastor przyszedł do mnie, aczkolwiek dość niechętnie, ponieważ jego żona cierpiała na chroniczną depresję, a obaj synowie porzucili studia, wrócili do domu i byli poddawani leczeniu psychiatrycznemu. Choć cała rodzina była „chora", nie dostrzegał, by czymś przyczynił się do tej „choroby", czemu dawał wyraz, mówiąc: „Robię wszystko, co w mej mocy, troszczę się o nich i o ich sprawy. Ani na chwilę nie przestaję o nich myśleć". Analiza sytuacji ujawniła, że ów człowiek istotnie urabiał sobie ręce po łokcie, by zaspokoić wymagania żony i dzieci. Synom kupił nowe samochody i opłacił ubezpieczenie, chociaż uważał, że powinni starać się usamodzielnić. Raz w tygodniu woził żonę do opery lub teatru, mimo że nienawidził jeżdżenia do miasta, a opera śmiertelnie go nudziła. Choć był bardzo zapracowany i zmęczony, nawet wolne chwile spędzał na sprzątaniu po żonie i synach, gdyż ci w ogóle nie interesowali się domem.

— Czy nie czuje się pan zmęczony tym nieustannym troszczeniem się o nich? — spytałem.

— Oczywiście — odparł. — Ale co mogę poradzić? Kocham ich. Współczuję im tak bardzo, że nie mógłbym się nimi nie zajmować. Tak bardzo mi na nich zależy, że nie umiałbym siedzieć bezczynnie, wiedząc, że im czegoś potrzeba. Nie jestem ideałem, ale staram się kierować miłością i troską.

Okazało się, że jego ojciec był znakomitym i znanym naukowcem, ale również alkoholikiem i kobieciarzem. Notorycznie zaniedbywał własną rodzinę. Stopniowo udało mi się ustalić, że już jako dziecko pastor poprzysiągł sobie zrobić wszystko, by nie być podobnym do ojca. Postanowił, że dla swojej rodziny będzie czuły i opiekuńczy w takim stopniu, w jakim jego ojciec był niedbały i bezduszny. Po jakimś czasie zrozumiał też, że powodowało nim pragnienie utrzymania wizerunku kochającego i czułego ojca rodziny, a jego wszystkie zachowania i postawy — w tym kariera duchownego — zmierzały do umocnienia tego wizerunku. Pastorowi trudniej było pojąć, że traktuje członków swojej rodziny jak dzieci. Żonę nazywał „kotkiem", a o dorosłych i wyrośniętych synach mówił „moje maleństwa".

— Czy mogę ich traktować inaczej? — pytał. — Może i ma to związek z postępowaniem mojego ojca, ale przecież nie mogę przestać ich kochać i zachowywać się wobec nich jak nieczułe bydlę.

Trzeba mu było wyjaśnić, że okazywanie miłości nie jest rzeczą łatwą ani prostą i wymaga zaangażowania umysłu i serca. Pragnąc być innym niż ojciec, nie wykształcił w sobie elastycznego systemu wyrażania miłości. Musiał się nauczyć, że czasami lepiej jest nie dawać wtedy, gdy trzeba, niż dawać wtedy, gdy nie trzeba, a sprzyjanie niezależności jest bliższe miłości niż opiekowanie się tymi, którzy sami mogą zadbać o siebie. Musiał też się nauczyć, że okazywanie własnych potrzeb, gniewu, uraz i oczekiwań jest tak samo konieczne dla zdrowia psychicznego rodziny jak poświęcanie się dla niej i dlatego, jeśli zajdzie potrzeba, miłość musi być wyrażana zarówno poprzez konfrontację, jak i pełną wdzięcznością akceptację. Gdy zrozumiał swój błąd, stopniowo zaczął zmieniać swoje podejście. Najpierw przestał sprzątać po wszystkich i otwarcie karcił synów za brak troski o dom. Odmówił płacenia ubezpieczenia za ich samochody, oświadczając, że jeśli chcą jeździć, to sami muszą wykupić polisy. Żonie zaproponował, żeby sama jeździła do opery w Nowym Jorku. Wprowadzając te zmiany, ryzykował, że w oczach rodziny zyska miano bezdusznego. Musiał także zrezygnować z odgrywania roli człowieka-orkiestry zdolnego zaspokoić wszystkie potrzeby członków rodziny. Jakkolwiek jego dawne zachowania podyktowane były przede wszystkim potrzebą podtrzymania wizerunku kochającego ojca i męża, żywił do rodziny tyle prawdziwej miłości, by móc przejść duchową przemianę. Początkowo żona i synowie zareagowali na te zmiany gniewem, lecz wkrótce jeden z synów wrócił na studia, drugi znalazł interesującą pracę i wyprowadził się. Żona zaczęła cieszyć się swoją nową niezależnością i na swój sposób wydoroślała. A mój pacjent stwierdził, że lepiej radzi sobie w pracy i życie daje mu teraz dużo więcej satysfakcji.

Mylne pojmowanie miłości przez pastora graniczyło z poważniejszym zaburzeniem osobowości — masochizmem. Laicy skłonni są kojarzyć sadyzm i masochizm wyłącznie ze sferą seksu, sądząc, że oznaczają czerpanie satysfakcji seksualnej z zadawania lub doznawania fizycznego bólu. W rzeczywistości sadomasochizm seksualny jest relatywnie rzadką postacią psychopatologii. Zjawisko to o wiele częściej i w groźniejszej formie występuje w sferze stosunków społecznych, kiedy ludzie nieświadomie pragną ranić lub otrzymywać rany w pozaseksualnej sferze stosunków międzyludzkich. Oto jeden z przykładów: kobieta szuka porady psychiatrycznej, ponieważ cierpi na depresję spowodowaną zaniedbywaniem jej przez męża. Zasypuje terapeutę nie kończącymi się opowieściami o tym, że mąż stale źle ją traktuje i nie poświęca jej uwagi, że ma tuziny kochanek, przegrywa w karty pieniądze na życie, znika na całe dnie, kiedy mu na to przyjdzie ochota, wraca do domu pijany i bije ją, a na koniec — że w samo Boże Narodzenie pozostawił ją samą z dziećmi. Proszę sobie wyobrazić — w Boże Narodzenie!

Niedoświadczony psychoterapeuta skłonny jest współczuć tej „nieszczęśliwej kobiecie", lecz współczucie szybko się ulotni, gdy na jaw wyjdą kolejne fakty. Okazuje się, że to złe traktowanie trwa od dwudziestu lat i choć biedna kobieta rozwodziła się ze swym brutalnym mężem dwa razy, to dwukrotnie brała z nim ponownie ślub, a niezliczone separacje kończyły się równie niezliczonymi pogodzeniami. Po miesiącu lub dwóch miesiącach pracy mającej na celu pomoc w odzyskaniu niezależności — kiedy wszystko pozornie jest na jak najlepszej drodze, a kobieta wygląda na zadowoloną ze spokojnego życia z dala od męża-brutala — terapeuta stwierdza, że cały cykl powtarza się. Pacjentka wpada pewnego dnia do jego gabinetu i uszczęśliwiona oznajmia: „Wie pan, Henry powrócił. Wczoraj wieczorem zadzwonił i powiedział, że chce się ze mną widzieć, no to spotkałam się z nim. Błagał, żebym pozwoliła mu wrócić. Chyba naprawdę się zmienił, więc go zabrałam do domu". Gdy terapeuta zwróci jej uwagę, że to tylko powtórka starego repertuaru, który został przez nią uznany za destrukcyjny, odpowie: „Ależ ja go kocham. Nie mogę wyrzec się miłości". Jeśli mimo to terapeuta spróbuje dokonać psychoanalizy owej „miłości", to pacjentka zapewne przerwie terapię.

O co tutaj chodzi? Starając się zrozumieć całą sytuację, terapeuta przypomina sobie, z jaką rozkoszą niewiasta szczegółowo odtwarzała historię maltretowania i brutalności męża. Nagle świta mu myśl: Może ta kobieta lubi być źle traktowana przez męża, a potem o tym opowiadać? Ale co to za przyjemność? Terapeuta przypomina sobie oburzenie pacjentki. Czy to możliwe, by najważniejszą dla niej sprawą było poczucie moralnej wyższości, a ona — w celu podtrzymania tego poczucia — chce, by ją źle traktowano? Teraz charakter wzorca zachowań pacjentki wydaje się oczywisty. Pozwalając traktować się nikczemnie, może się czuć lepsza. A na koniec czerpie również sadystyczną przyjemność, widząc, jak mąż błaga ją o wspaniałomyślne pozwolenie na powrót do domu. Swoją pokorą przez chwilę potwierdza jej wyższość. Wtedy ona decyduje, czy mu wielkodusznie pozwolić na powrót, czy nie. I w tym momencie bierze na nim odwet.

Gdy bada się dokładnie przeszłość takich pacjentek, zwykle okazuje się, że w dzieciństwie były w jakiś sposób upokarzane. Dlatego szukają potem odwetu, jakim jest dla nich poczucie moralnej wyższości, a ono z kolei wymaga, by ktoś je upokarzał i znęcał się nad nimi. Jeżeli świat traktuje nas dobrze, to nie mamy powodu, by odgrywać się na nim. Gdy szukanie odwetu staje się celem życia, musimy postarać się o to, by świat źle nas traktował, bo to usprawiedliwia ów cel. Masochiści sądzą, że bierne tolerowanie brutalności jest miłością, lecz jest ona im potrzebna tylko do zaspokojenia dyktowanej ich własną nienawiścią żądzy odwetu.

Masochizm ujawnia jeszcze jedno nieporozumienie — że miłość wiąże się z poświęceniem rozumianym jako wyrzeczenie się własnego Ja. Wskutek tego przeświadczenia masochistka, o której mówiłem na początku, może uważać, że tolerowanie przez nią brutalnych zachowań męża jest aktem poświęcenia, czyli miłością i dlatego nie musi uświadamiać sobie swojej nienawiści. Pastor również uważał, że jego oddanie bliskim jest miłością, choć motywacją w tym przypadku wcale nie były potrzeby rodziny, lecz dbanie o własny wizerunek. We wczesnym etapie terapii zwykł na okrągło opowiadać, ile „zrobił" dla żony i dzieci, co miało przekonać innych, że sam nic z tego nie miał. Jednak miał. Kiedykolwiek myślimy, że robimy coś d l a k o g o ś, zawsze w pewien sposób wypieramy się własnej odpowiedzialności. Cokolwiek czynimy, czynimy dlatego, że taki był nasz wybór, którego sami dokonaliśmy, ponieważ uznaliśmy go za najlepszy. Jeśli czynimy coś dla drugiej osoby, to dlatego, że zaspokaja to naszą potrzebę.

114

Rodzice, którzy mówią dziecku: „Powinieneś być wdzięczny za wszystko, co dla ciebie robimy", niewątpliwie nie miłują go należycie. Kto miłuje prawdziwie, ten wie, jaką przyjemność daje miłowanie. Jeśli naprawdę miłujemy, to dlatego, że c h c e m y. Mamy dzieci, bo chcieliśmy je mieć, a jeśli jesteśmy miłującymi rodzicami, to dlatego, że chcemy nimi być.

To prawda, że miłość wywołuje głębokie zmiany własnego Ja, lecz oznaczają one poszerzanie granic ego, a nie robienie z siebie ofiary. Jak zobaczymy później, autentyczna miłość jest aktem samospełnienia. Jaźń ulega poszerzeniu, a nie pomniejszeniu, wypełnia się, a nie zubaża. W całym tego słowa znaczeniu okazuje się równie samolubna jak brak miłości. I tu znowu mamy do czynienia z paradoksem: miłość jest bezinteresownie egoistyczna. To jednak nie egoizm czy bezinteresowność odróżnia miłość od jej braku, lecz cel działania. W prawdziwej miłości celem jest rozwój duchowy. W przypadku braku miłości tym celem jest zawsze coś innego.

MIŁOŚĆ NIE JEST UCZUCIEM

Powiedziałem, że miłość jest czynem i działaniem. Stwierdzenie to zadaje kłam ostatniemu i największemu nieporozumieniu odnośnie do miłości. Miłość nie jest uczuciem. Wielu z nas czując „miłość", działa w sposób nie mający nic wspólnego z prawdziwą miłością lub zgoła destrukcyjny. Natomiast osoba naprawdę miłująca często podejmuje konstruktywne działania wobec osoby, do której nie czuje miłości, której nie lubi, a nawet uznaje ją pod jakimś względem za odrażającą.

Tak zwane uczucie miłości jest emocją towarzyszącą kateksji. Należy pamiętać, że kateksja jest procesem, w którym jakiś obiekt staje się dla nas ważny. Obiekt taki — przedmiot kateksji — bywa powszechnie określany jako „obiekt miłości".

Inwestujemy weń swoją energię, jakby to była część nas samych, związek zaś między nami a tym obiektem nazywany jest kateksją. Można mieć wiele takich związków jednocześnie, mówimy zatem o kateksjach. Proces wycofania energii z ukochanego obiektu, który przestaje być dla nas ważny, nazywamy dekateksją. Nieporozumienie, jakie wynika z przekonania, że miłość jest uczuciem, bierze się stąd, że mylimy kateksję z miłością. To pomieszanie pojęć jest zrozumiałe, gdyż są to zjawiska podobne, lecz istnieją między nimi również zasadnicze różnice. Po pierwsze — jak już wspomniałem — możemy dokonać kateksji dowolnego obiektu: ożywionego lub nieożywionego, obdarzonego duszą lub nie. Ktoś może dokonać kateksji gry na giełdzie, wyrobu jubilerskiego i odczuwać do tych rzeczy „miłość". Po drugie, fakt, że dokonaliśmy kateksji drugiego człowieka, nie musi znaczyć, że choć trochę o niego dbamy. Osoba biernie zależna w rzeczywistości lęka się duchowego rozwoju partnera będącego obiektem jej kateksji. Matka, która uparła się wozić dorastającego syna do szkoły, ewidentnie czyni zeń obiekt swej kateksji; to on się dla niej liczy, a nie jego rozwój duchowy. Po trzecie, moc naszych kateksji często nie ma nic wspólnego z mądrością czy oddaniem. Dwoje obcych ludzi może spotkać się w barze i dokonać tak silnej wzajemnej kateksji, że wszystkie wcześniejsze ustalenia, przyrzeczenia czy obowiązki rodzinne okażą się mniej ważne w porównaniu z perspektywą kontaktu seksualnego. I na koniec, nasze kateksje mogą być ulotne i chwilowe. Bezpośrednio po akcie seksualnym wspomniani partnerzy mogą uznać siebie za nieatrakcyjnych, a utrzymywanie dalszych kontaktów — za niepożądane. Możemy dokonać dekateksji obiektu wkrótce po jego kateksji.

Rzeczywista miłość wiąże się z oddaniem i roztropnym działaniem. Gdy naprawdę leży nam na sercu czyjś rozwój duchowy, zdajemy sobie sprawę, że nasz brak zaangażowania może być szkodliwy, a nasze oddanie tej osobie jest niezbędne, byśmy mogli efektywnie przejawiać swoje zaangażowanie. Dlatego oddanie i zaangażowanie są kamieniem węgielnym związku psychoterapeutycznego. Jest rzeczą niemalże niemożliwą, by pacjent czynił znaczne postępy w rozwoju duchowym, nie będąc z psychoterapeutą w „terapeutycznym aliansie". Inaczej mówiąc, zanim pacjent będzie mógł zaryzykować zasadnicze zmiany, musi poczuć siłę i bezpieczeństwo płynące z przekonania, że terapeuta jest jego stałym i niezawodnym sojusznikiem.

Aby taki sojusz mógł zaistnieć, terapeuta musi przekonać pacjenta — a zazwyczaj trwa to dość długo — że będzie jego wiernym sprzymierzeńcem. Troska o pacjenta bierze się ze zdolności terapeuty do przyjęcia na siebie odpowiedzialności. Nie znaczy to wcale, że terapeuta zawsze m a c h ę ć słuchać pacjenta. Zaangażowanie oznacza, że terapeuta słucha pacjenta bez względu na to, czy tego chce, czy nie. Tak samo jak w zdrowym związku małżeńskim, w którym partnerzy powinni regularnie, rutynowo i w przewidywalny sposób zajmować się sobą nawzajem i pielęgnować swój związek bez względu na chęć czy chwilowy jej brak. Jak już wspomniałem, pary wcześniej czy później „odkochują się" i jeśli wówczas do głosu dochodzi instynkt partnerski, to są szanse stworzenia związku opartego na prawdziwej miłości. Gdy partnerzy przestają mieć ochotę przebywać wciąż w swoim towarzystwie, gdy czasem wolą przebywać z dala od siebie, ich miłość poddawana jest próbie i na jaw wychodzi jej obecność lub brak.

Nie oznacza to, że partnerzy w trwałym i twórczym związku — jakim jest intensywna terapia czy małżeństwo — nie dokonują wobec siebie nawzajem najrozmaitszych kateksji. Wręcz przeciwnie. Chcę powiedzieć, że rzeczywista miłość jest czymś więcej niż kateksją. Gdy taka miłość zaistnieje, brak czy obecność kateksji nie ma znaczenia, tak samo jak nie ma znaczenia, czy odczuwamy miłość, czy nie. Oczywiście, łatwiej i radośniej jest miłować, gdy dokonujemy kateksji osoby i odczuwamy do niej miłość. Można jednak miłować bez kateksji i nie czując miłości, i właśnie ta możliwość odróżnia prawdziwą i transcendentną miłość od prostej kateksji. Kluczowym pojęciem w tym rozróżnieniu jest „wola".

Miłość zdefiniowałem jako wolę poszerzania swojej jaźni w celu wspierania własnego lub cudzego rozwoju duchowego. Rzeczywista miłość jest bardziej wolicjonalna niż emocjonalna. Osoba miłująca miłuje, gdyż postanowiła miłować. Podjęła zobowiązanie miłowania bez względu na to, czy odczuwa miłość, czy nie. Jeśli istnieje uczucie miłości, to tym lepiej, lecz jeśli go brak, to decyzja, by miłować, i wola miłowania pozostaje w mocy i wyraża się. A nawet na odwrót — jest nie tylko możliwe, lecz wręcz konieczne, by osoba miłująca unikała działania pod wpływem uczucia miłości. Oto przykład: spotykam kobietę, która mnie silnie pociąga i którą mógłbym pokochać, ale romans z nią spowodowałby rozbicie mojego małżeństwa, więc myślę: „Mógłbym cię miłować, lecz tego nie uczynię". Podobnie mogę odmówić przyjęcia nowego pacjenta — choćby najbardziej interesującego czy dobrze rokującego — bo mój czas przeznaczyłem już na pomoc innym pacjentom, choć niektórzy z nich są może mniej ciekawi i trudniejsi. Moje uczucie miłości może być bezgraniczne, lecz zdolność miłowania jest ograniczona. Muszę zatem wybrać osobę, na której skupię moją wolę i zdolność miłowania. Prawdziwa miłość nie jest obezwładniającym uczuciem — jest wiążącą i przemyślaną decyzją.

Powszechna skłonność do mylenia miłości z uczuciem miłości pozwala ludziom oszukiwać samych siebie na mnóstwo sposobów. Alkoholik, którego żona i dzieci rozpaczliwie potrzebują jego troski, siedząc w tej samej chwili przy barze i ze łzami w oczach, będzie się zwierzał barmanowi: „Panie, jak ja kocham moją rodzinę!". Ludzie całkowicie zaniedbujący swoje dzieci często uważają siebie za najbardziej kochających rodziców. Taka skłonność pomaga mylić miłość z uczuciem miłości: jakże łatwo i bez wysiłku szuka się dowodów miłości we własnych uczuciach! Znacznie trudniejsze i bolesne może się okazać ich szukanie w swoich poczynaniach. Jednak ponieważ prawdziwa miłość jest aktem woli, który często wykracza poza efemeryczne uczucia miłości czy kateksji, słusznie można powiedzieć: „Miłość jest w czynach". Miłowanie i niemiłowanie, tak jak dobro i zło, są zjawiskami obiektywnymi, a nie subiektywnymi.

TRUD UWAGI

Przypatrzywszy się najbardziej rozpowszechnionym mylnym wyobrażeniom, zastanówmy się teraz nad cechami prawdziwej miłości. Podana przeze mnie definicja zawiera pojęcie trudu. Gdy rozszerzamy granice naszej osobowości, gdy czynimy dodatkowy krok lub idziemy milę dalej, pokonujemy opór lenistwa lub barierę własnego lęku. Przesuwanie granic jaźni, czyli przezwyciężanie inercji lenistwa nazywamy trudem. Działanie mimo odczuwanego lęku nazywamy odwagą. Zatem miłość jest formą trudu lub aktem odwagi, a najczęściej — trudem odwagi wspierania własnego lub cudzego rozwoju duchowego.

Możemy trudzić się lub wykazywać odwagę w celach nie związanych z rozwojem duchowym, dlatego nie każdy trud i nie każda odwaga jest miłością. Jednak ponieważ miłość wiąże się z poszerzaniem własnej jaźni, zawsze łączy się z trudem i odwagą. Jeśli jakiś czyn nie jest trudem lub aktem odwagi, to nie jest również aktem miłości. Tu nie ma wyjątków.

Podstawową formą, jaką przybiera trud miłości, jest troska. Miłując kogoś, poświęcamy mu swoją uwagę; zwracamy ją na rozwój tej osoby. Miłując siebie, zwracamy uwagę na siebie i dbamy o własny rozwój. Poświęcając komuś uwagę, wykazujemy troskę o tę osobę. Akt troski wymaga wysiłku odłożenia na bok obecnego zajęcia (podobnie jak w przypadku „brania w nawias") i aktywnego skierowania uwagi. Uwaga jest aktem woli, trudem pokonywania oporu własnego umysłu. Jak ujął to Rollo May: „Gdy analizujemy

119

wolę wszystkimi narzędziami, jakie daje nam do dyspozycji współczesna psychoanaliza, odkrywamy, że podstawą woli jest uwaga czy intencja. Wysiłek wkładany w wyrażanie woli jest w rzeczywistości wysiłkiem uwagi; napięcie woli jest wysiłkiem utrzymywania niezmąconej świadomości, czyli wysiłkiem skupienia uwagi"*.

Najpowszechniejszą i najważniejszą formą troski jest słuchanie. Poświęcamy na nie dużo czasu, z czego większość marnotrawimy, bo z reguły nie potrafimy słuchać. Pewien specjalista badający psychologiczne aspekty produkcji przemysłowej zwrócił moją uwagę na to, że ilość czasu przeznaczanego na uczenie dzieci szkolnych pewnych umiejętności ma się nijak do częstości ich wykorzystywania w dorosłym życiu. Człowiek biznesu niecałą godzinę dziennie poświęca na czytanie, dwie godziny na rozmowę i osiem — na słuchanie. Tymczasem w szkołach poświęcamy wiele czasu na uczenie dzieci czytania, bardzo mało na uczenie mówienia i zwykle w ogóle nie uczymy ich, jak słuchać. Nie wiem, czy miałoby sens uczenie dzieci danych umiejętności proporcjonalnie do wykorzystywania ich w dorosłym życiu, jednak sądzę, że należałoby dać dzieciom wskazówki, jak słuchać — nie po to, by uczynić proces słuchania łatwiejszym, lecz po to, by zrozumiały, jak trudno jest uważnie słuchać. Słuchanie jest wysiłkiem uwagi, a co za tym idzie — ciężką pracą. Ponieważ większość ludzi nie zdaje sobie z tego sprawy lub nie chce się wysilać, nie umie uważnie słuchać.

Niedawno udałem się na wykład znanego specjalisty poświęcony wybranym aspektom związków religii z psychologią, którymi od dawna się interesuję. Ponieważ dość dobrze orientowałem się w poruszanej tematyce, natychmiast rozpoznałem, że wykładowca jest wybitnym jej znawcą. Czułem również miłość wyrażaną przezeń w ogromnym wysiłku, jaki wkładał w skuteczne komunikowanie swojej wiedzy. Poda-

---

* Rollo May, *Miłość i wola*, przeł. Helena i Paweł Śpiewakowie, Warszawa, PIW, 1978, s. 272.

wał przykłady abstrakcyjnych pojęć, które większości słuchaczy było bardzo trudno zrozumieć. Starałem się więc słuchać go z najwyższą uwagą. Przez półtorej godziny pot spływał mu po twarzy strumieniami, choć sala wykładowa była klimatyzowana. Gdy skończył, głowa pękała mi z bólu, mięśnie karku zesztywniały od wysiłku koncentracji i czułem krańcowe wyczerpanie.

Choć według mnie udało mi się zrozumieć nie więcej niż połowę tego, co prelegent powiedział podczas wykładu, byłem zdumiony, jak wiele genialnych spostrzeżeń udało mu się przekazać. Po wykładzie, którego wysłuchało wielu ludzi o wysokich aspiracjach kulturalnych, spacerowałem wśród nich i słuchałem komentarzy. Słuchacze przeważnie byli rozczarowani. Wiedząc o sławie wykładowcy, spodziewali się czegoś więcej. Uznali, że trudno podążać za tokiem wykładu, który wydawał im się niezrozumiały. Według nich okazał się wcale nie tak kompetentnym mówcą, jakiego mieli nadzieję usłyszeć. Jedna z pań, przy wtórze potakiwań, oświadczyła: „W gruncie rzeczy niczego nowego nie powiedział".

W przeciwieństwie do innych słuchaczy mogłem zrozumieć więcej po prostu dlatego, że zadałem sobie trud słuchania tego, co ów mądry człowiek miał do przekazania. Pragnąłem podjąć ten trud z dwóch powodów: po pierwsze, uznawałem wielkość tego uczonego, a to, co miał do powiedzenia, miało dla mnie ogromną wartość. Po drugie, interesowałem się tą dziedziną i pragnąłem wchłonąć wszystko, co chciał przekazać, gdyż te wiadomości wzbogacały moje pojmowanie zagadnienia i mój rozwój duchowy. Uważne słuchanie było w tym przypadku aktem miłości. Miłowałem go, gdyż postrzegałem tego człowieka jako jednostkę wartościową i zasługującą na uwagę. Miłowałem też siebie, ponieważ podjąłem trud na rzecz swojego rozwoju. Ponieważ on był nauczycielem, a ja uczniem — on dawcą, ja biorcą — moja miłość przede wszystkim była nakierowana na mnie. Motywowana była tym, co ja mógłbym uzyskać z naszego związku, a nie tym, co sam mógłbym mu dać. Niemniej jest możliwe, że wyczuwał moje wielkie skupienie, moją uwagę i moją miłość, przez co jego wysiłek został nagrodzony. Miłość — jak jeszcze nieraz się przekonamy — działa zawsze dwukierunkowo i jest odwzajemniana, przez co jej biorca również daje, a dawca otrzymuje.

Od przykładu słuchania w roli biorcy przejdźmy do słuchania w roli dawcy, którym jest słuchanie dzieci. Sposób słuchania dziecka zależy od jego wieku. Na razie zajmijmy się przykładem sześciolatka. Jeśli mu pozwolić, to taki smyk będzie mówił prawie bez przerwy. Jak rodzice mogą poradzić sobie z tą nie kończącą się paplaniną? Najprościej jest jej zabronić. Wierzcie lub nie, ale są rodziny, w którym dzieciom nie pozwala się mówić i przez dwadzieścia cztery godziny na dobę obowiązuje zasada „dzieci i ryby głosu nie mają". Z dziećmi wychowanymi w takiej atmosferze nie ma żadnego kontaktu. Siedzą zazwyczaj w kącie i cicho przyglądają się dorosłym, jak niemi, bierni świadkowie zdarzeń. Drugim sposobem jest pozwalać dziecku mówić, lecz go nie słuchać. Wtedy nie zachodzi żadna interakcja, dziecko gada w zasadzie do siebie lub do ściany, wytwarzając mniej lub bardziej uciążliwy hałas.

Trzecim sposobem jest udawanie, że się słucha, i jednoczesne zajmowanie się tym, co w danej chwili robimy, i sprawianie wrażenia, że poświęcamy dziecku uwagę, pomrukując od czasu do czasu „aha", „o, ładnie!" itp. w mniej lub bardziej właściwych miejscach monologu. Czwarty sposób to słuchanie selektywne — szczególnie czujna forma udawania, że się słucha, w której rodzice nastawiają uszu, gdy dziecko zdaje się komunikować coś, co ma znaczenie, starając się w ten sposób najmniejszym wysiłkiem oddzielić ziarno od plew. Problemem w tym przypadku jest to, że zdolność ludzkiego umysłu do filtrowania docierających doń informacji nie jest wcale tak duża, w związku z czym sporo plew zostaje, a część ziarna ginie. Piąty i ostatni sposób zakłada słuchanie dziecka, poświęcanie mu pełnej uwagi, ważenie każdego słowa i dążenie do zrozumienia każdego zdania.

Te pięć sposobów reagowania na gadulstwo dzieci wymieniłem w kolejności wkładanego w nie wysiłku, przy czym piąty — rzeczywiste słuchanie — wymaga od rodziców bardzo dużej energii. Czytelnik może się spodziewać, że będę polecał rodzicom stosowanie sposobu piątego, czyli słuchanie wszystkiego, co mówią dzieci. A skądże! Po pierwsze, skłonność sześciolatka do gadulstwa jest tak wielka, że rodzic, który rzeczywiście słuchałby wszystkiego, miałby niewiele czasu na cokolwiek innego. Po drugie, wysiłek, jakiego wymaga prawdziwe słuchanie, jest tak wielki, że rodzic byłby zbyt zmęczony, aby robić cokolwiek innego. Wreszcie, byłoby to niesłychanie nudne, ponieważ paplanina sześciolatka jest z zasady nudna. Z tej przyczyny doradzam zachowanie równowagi między wszystkimi pięcioma sposobami słuchania. Niekiedy trzeba dzieciom nakazać milczenie; na przykład gdy przeszkadzają w sytuacji wymagającej skupienia uwagi, przerywają innym lub chcą zdominować otoczenie. Sześciolatki często gadają dla samej przyjemności mówienia i słuchanie ich niczemu nie służy, ponieważ one tego nie oczekują i są zupełnie szczęśliwe, mogąc mówić same do siebie.

Bywa też tak, że dzieci nie zadowalają się mówieniem do siebie, pragnąc kontaktu z rodzicami i wówczas łatwo można zaspokoić tę potrzebę, udając, że się słucha. W takich przypadkach dzieci chcą raczej poczucia bliskości niż komunikowania czegokolwiek, udawanie zaś, że się ich słucha, daje im poczucie „bycia z rodzicem", o co im właśnie chodzi. Co więcej, dzieci same często lubią przechodzić od komunikowania do mówienia dla mówienia i akceptują wybiórcze słuchanie przez rodziców ze względu na mieszany charakter ich wypowiedzi. Traktują to jako swego rodzaju grę. Tylko przez relatywnie niewielką część swego monologu potrzebują, a nawet pragną reakcji w postaci prawdziwego i wytężonego słuchania. Jednym z wielu niezwykle złożonych zadań rodzicielskich jest umiejętność znalezienia niemal idealnej równowagi między rozmaitymi sposobami słuchania, czyli reagowania we właściwy sposób na zróżnicowane potrzeby dziecka.

Równowagi tej często nie udaje się osiągnąć, ponieważ wielu rodziców nie chce lub nie potrafi zmusić się do uważnego słuchania, nawet jeśli ten wysiłek byłby stosunkowo krótkotrwały. Dotyczy to zapewne większości rodziców. Wydaje im się, że słuchają uważnie, a tymczasem udają tylko, że słuchają lub w najlepszym wypadku słuchają wybiórczo. W ten sposób oszukują samych siebie, aby ukryć własne lenistwo. Prawdziwe słuchanie, choćby nie wiem jak krótkie, wymaga ogromnego wysiłku, a przede wszystkim całkowitego skupienia uwagi. Nie można prawdziwie słuchać kogokolwiek, robiąc jednocześnie coś innego. Jeśli rodzic rzeczywiście chce wysłuchać dziecko, to musi odłożyć na bok wszystko inne. Czas słuchania trzeba poświęcić wyłącznie dziecku; to ma być jego czas. Jeśli nie chcecie odłożyć wszystkiego na bok — łącznie z własnymi zmartwieniami i zajęciami w danym momencie — to znaczy, że nie potraficie uważnie słuchać. Wysiłek niezbędny do pełnego skupienia się na słowach sześciolatka jest o wiele większy od wkładanego w wysłuchanie ważnego wykładu. Wypowiedź dziecka cechuje się zmiennym rytmem; po chwilowym potoku słów następują pauzy i powtórzenia, co sprawia, że skupienie uwagi jest wyjątkowo trudne. Dziecko zwykle mówi o sprawach, które niezbyt pasjonują dorosłych, natomiast słuchacze wybitnego wykładowcy są zainteresowani tematem wykładu. Innymi słowy, słuchanie sześciolatka jest nużące i dlatego skupienie uwagi staje się w dwójnasób trudne. Tak więc uważne słuchanie dziecka w tym wieku jest prawdziwym trudem miłości. Bez miłości motywującej rodzica do tego wysiłku nie byłoby ono możliwe.

Ale czy jest się czym przejmować? Po co cały ten wysiłek koncentrowania się na męczącej paplaninie sześciolatka? Po pierwsze, wasza chęć słuchania to najlepszy dowód szacunku, jaki możecie dać swojemu dziecku. Jeśli darzycie je takim samym szacunkiem, jakim darzylibyście wielkiego uczonego, to dziecko pozna, że je cenicie i będzie się czuło wartościowym człowiekiem. Nie ma lepszego, a w rzeczy samej żadnego innego sposobu nauczenia dzieci, że są ludźmi wartościowymi, niż okazanie im, że je cenicie. Po drugie, im bardziej dzieci czują się wartościowe, tym częściej będą mówiły rzeczy wartościowe. Postarają się sprostać waszym oczekiwaniom. Po trzecie, im więcej słuchacie dziecka, tym bardziej będziecie przeświadczeni, że wśród pauz, zająknięć i pozornie niewinnej gadaniny wasze dziecko ma naprawdę cenne rzeczy do przekazania. Powiedzenie: „Ustami dzieci przemawia wielka mądrość" jest uznawane za prawdziwe przez wszystkich, którzy uważnie słuchają dzieci. Wsłuchajcie się w to, co mówi wasze dziecko, a stwierdzicie, że jest niezwykłą indywidualnością. A im bardziej zdacie sobie sprawę, jak jest niezwykłe, tym chętniej będziecie je słuchać. I tym więcej nauczycie się. Po czwarte, im lepiej poznacie swoje dzieci, tym więcej zdołacie je nauczyć. Jeśli wasza wiedza o dziecku jest niewielka, to będziecie uczyć je tego, czego nie jest jeszcze w stanie pojąć, lub tego, co ono już wie i rozumie zapewne lepiej niż wy. Wreszcie, im bardziej dzieci będą przekonane, że je cenicie, że uważacie je za ludzi niezwykłych, tym chętniej będą was słuchać i będą wam okazywać taki sam szacunek.

Im bardziej przemyślane będą wasze nauki, oparte na znajomości waszych dzieci, tym gorliwiej będą się one od was uczyć. A im więcej się nauczą, tym bardziej będą się stawać niezwykłe. Im jaśniej czytelnik uzmysławia sobie cykliczną zależność tego procesu, tym bliższy jest docenienia prawdy o dwukierunkowym działaniu miłości. Nie jest to błędne koło, ciągnące obie strony w dół, lecz cykl twórczo wiodący w górę; cykl ewolucji i rozwoju. Wartość tworzy wartość. Miłość rodzi miłość. Rodzice i ich dzieci coraz szybciej wirują w tym niezwykłym *pas de deux* miłości.

Dotychczas snuliśmy rozważania na temat sześciolatków. W przypadku dzieci młodszych i starszych zachowanie właściwej równowagi między słuchaniem i niesłuchaniem wygląda inaczej, choć sam proces jest w zasadzie taki sam. W przypadku dzieci młodszych komunikacja jest w większym stopniu niewerbalna, lecz również wymaga okresów pełnego skupienia. Nie można bawić się dobrze w „łapki", jeśli jest się myślami gdzie indziej. Jeśli bawisz się z dzieckiem bez przekonania, to ryzykujesz, że i ono przestanie wkładać serce w to, co robi. Dorastające dzieci wymagają od rodziców mniej czasu przeznaczonego na słuchanie niż sześciolatki, za to więcej czasu słuchania uważnego. W ich wypowiedziach jest mniej bezcelowej paplaniny i gdy już coś mówią, chcą, żeby rodzice poświęcili im całkowitą uwagę.

Nigdy nie wyrastamy z potrzeby bycia wysłuchanym przez rodziców. Trzydziestoletni utalentowany fachowiec, który poddał się leczeniu lęków na tle poczucia małej wartości, potrafił wyliczyć wiele przykładów, gdy rodzice — także wysokiej klasy fachowcy — nie chcieli słuchać tego, co miał im do powiedzenia, uznając to za mało istotne i bezwartościowe. Ze wszystkich wspomnień najbardziej żywe i bolesne było wspomnienie tego, co zdarzyło się, gdy miał dwadzieścia dwa lata. Napisał obszerną, prowokującą i wysoko ocenioną dysertację, dzięki której uzyskał magisterium z wyróżnieniem. Ponieważ rodzice wiązali z nim ogromne nadzieje, byli zachwyceni wyróżnieniem syna. I choć dostali jeden egzemplarz pracy, a syn zachęcał ich, by się z nią zapoznali, ojciec i matka nawet do niej nie zajrzeli. „Nie wątpię, że przeczytaliby ją — powiedział pod koniec terapii — a być może nawet pogratulowali, gdybym powiedział im wprost: »Słuchajcie, czy bylibyście uprzejmi przeczytać moją pracę? Chciałbym, abyście poznali i ocenili to, co w niej zawarłem«. Jednak to byłoby dopraszaniem się o poświęcenie mi uwagi i nie chciałem tego robić, mają dwadzieścia dwa lata. To wcale nie zwiększyłoby mojego poczucia wartości".

Uważne słuchanie, czyli całkowite skupienie się na innej osobie, jest zawsze dowodem miłości. Istotnym elementem jest tu dyscyplina „brania w nawias", czasowa rezygnacja lub odłożenie na bok własnych uprzedzeń, systemów wartości i dążeń, by możliwie jak najgłębiej wczuć się w wewnętrzny świat mówiącego i postawić się w jego sytuacji. Takie zjednoczenie mówiącego i słuchającego jest rzeczywistym poszerzaniem naszego obszaru psychicznego prowadzącym do przyswojenia sobie nowej wiedzy. Co więcej, skoro uważne słuchanie zawiera w sobie „branie w nawias", odłożenie na bok własnego Ja, to stanowi również czasową i pełną akceptację drugiej osoby. Wyczuwając tę akceptację, mówca będzie stawał się coraz mniej nieufny, będzie się coraz bardziej otwierał i zacznie odkrywać przed słuchającym swoje najbardziej skryte przemyślenia. Gdy to następuje, mówca i słuchacz coraz bardziej się nawzajem doceniają i zaczyna się ich miłosny taniec. Motywacja niezbędna do tej dyscypliny jest tak wielka, że jej źródłem może być tylko miłość i wola poszerzenia swojej jaźni w celu obopólnego rozwoju. Zazwyczaj brakuje nam takiej motywacji. Nawet jeśli w codziennych kontaktach zawodowych i towarzyskich wydaje się nam, że słuchamy bardzo uważnie, w rzeczywistości jest to zazwyczaj słuchanie selektywne, podczas którego jesteśmy nastawieni na uzyskanie z góry ustalonych odpowiedzi i jak najszybszego skierowania rozmowy na pożądane przez nas tory.

Ponieważ uważne słuchanie jest aktem miłości, więc nigdzie nie jest bardziej potrzebne niż w małżeństwie. Tymczasem większość małżonków nigdy siebie wzajemnie naprawdę nie słucha. Gdy zgłaszają się do nas po poradę lub na terapię, naszym głównym zadaniem jest nauczenie ich, jak słuchać. Nie zawsze to się nam udaje, gdyż często nie mają wystarczającej motywacji i dyscypliny. Często są zaskoczeni, a nawet przerażeni, gdy sugerujemy im, że jedną z rzeczy, które powinni robić, to wyznaczać sobie czas na rozmowy. Wydaje im się to sztywne, nieromantyczne i pozbawione spontaniczności. Tymczasem słuchać uważnie można tylko wtedy, gdy przeznaczy się na to czas i stworzy po temu sprzyjające warunki. Nie jest to możliwe podczas jazdy samochodem, gotowania, kiedy jesteśmy zmęczeni lub senni, gdy coś może przeszkodzić lub gdy się śpieszymy. „Miłość romantyczna" nie wymaga trudu, więc małżonkowie niechętnie podejmują wysiłek i dyscyplinę prawdziwej miłości i słuchania. Gdy wreszcie to uczynią, trud okazuje się wysoce opłacalny. W naszej pracy często zdarza się nam słyszeć małżonków — kiedy już proces ich wzajemnego, uważnego słuchania zacznie się naprawdę — mówiących do siebie z radością: „Jesteśmy małżeństwem od dwudziestu dziewięciu lat, a o tym słyszę od ciebie po raz pierwszy". Wówczas wiemy, że ich małżeństwo zaczęło rzeczywiście się rozwijać.

Wprawdzie zdolność uważnego słuchania może wraz z praktyką stopniowo się doskonalić, ale nigdy nie odbywa się to bez wysiłku. Z pewnością podstawowym atrybutem dobrego psychiatry jest zdolność uważnego słuchania. Jednak podczas przeciętnej sesji, trwającej około godziny, zdarzają mi się chwile, podczas których nie słucham uważnie pacjenta. Czasem całkowicie tracę wątek. Mówię wówczas: „Przepraszam, zgubiłem się. Czy mógłby pan powtórzyć kilka ostatnich zdań?". Co ciekawe, pacjenci zwykle nie mają z tego powodu pretensji. Wręcz przeciwnie — zdają się intuicyjnie rozumieć, że istotnym elementem umiejętności prawdziwego słuchania jest zważanie na chwile dekoncentracji, a przyznanie się, że moja uwaga na moment uległa rozproszeniu, utwierdza ich tylko w przekonaniu, że przez większość czasu słuchałem ich uważnie.

Świadomość, że jest się uważnie słuchanym, często sama w sobie działa terapeutycznie. W około jednej czwartej przypadków — zarówno pacjentów dorosłych, jak i dzieci — następuje niemała, a czasem wręcz znaczna poprawa w pierwszych kilku miesiącach terapii, jeszcze zanim dotrzemy do samych korzeni problemów lub zdołamy dokonać jakiejś znaczącej ich interpretacji. Istnieje kilka przyczyn tego zjawiska, lecz najważniejszą, jak sądzę, jest poczucie pacjenta, że jest naprawdę słuchany, często po raz pierwszy od wielu lat, a być może pierwszy raz w życiu.

Choć słuchanie jest niewątpliwie najważniejszą formą poświęcania uwagi, inne formy są równie ważne w związkach opartych na miłości, a zwłaszcza w kontaktach z dziećmi. Istnieje wiele form poświęcania uwagi. Jedną z nich są gry i zabawy. Z małym dzieckiem bawimy się w „łapki" i w chowanego; z sześciolatkiem można się bawić w magiczne sztuczki, w chowanego, pójść na ryby; z dwunastolatkami będzie to gra w badmintona, w Czarnego Piotrusia i wiele innych zabaw. Czytanie małym dzieciom jest również formą wykazywania troski, podobnie jak pomaganie starszym w lekcjach. Ważną funkcję spełniają przedsięwzięcia podejmowane przez całą rodzinę: pójście do kina, wyjazd na działkę, wspólne wycieczki, zabawy, wyprawy do lasu i inne. Niektóre formy poświęcania uwagi służą tylko dzieciom: na przykład siedzenie na plaży i opiekowanie się czterolatkiem czy podwożenie nastolatków na zabawy szkolne, do kolegów czy koleżanek. Jednak wszystkie formy poświęcania uwagi mają wspólny mianownik, tak samo jak prawdziwe słuchanie. Jest nim czas spędzony z dzieckiem.

Poświęcanie komuś uwagi to spędzanie z nim czasu, jej jakość zaś jest proporcjonalna do koncentracji w tym czasie. Czas spędzany z dziećmi daje rodzicom niezliczone okazje do ich obserwowania i lepszego poznania. Dowiadują się, czy łatwo godzą się z przegraną, jak odrabiają lekcje, jak się uczą, co je interesuje, kiedy i w jakim działaniu wykazują odwagę, a czego się lękają. Są to dla rodziców bardzo ważne informacje. Czas spędzony z dziećmi na wspólnych zajęciach dostarcza także rodzicom niezliczonych okazji do wpajania im różnych umiejętności i zasad dyscypliny. Wspólne zajęcia i czynione podczas nich obserwacje oraz wpajane w ich trakcie umiejętności są podstawową zasadą terapii zajęciowej. Zaangażowani terapeuci dziecięcy uzyskują mnóstwo informacji, wykorzystując czas spędzany ze swoimi pacjentami na czynienie istotnych obserwacji i na ich podstawie mogą podejmować skuteczne interwencje terapeutyczne.

Pilnowanie czterolatka na plaży, skupienie się na nie kończącej się i nieskładnej paplaninie sześciolatka, uczenie nastolatka prowadzenia samochodu, uważne słuchanie opowieści współmałżonka o dniu spędzonym w biurze lub w pralni, wysiłki zrozumienia jego problemów i „branie w nawias" to czynności często nudne, niejednokrotnie uciążliwe i zawsze pochłaniające energię. Są trudem. Gdybyśmy byli bardziej leniwi, w ogóle nie podejmowalibyśmy się tego trudu. Gdybyśmy byli mniej leniwi, podejmowalibyśmy go częściej i z lepszym skutkiem. Skoro miłość jest trudem, to istotą jej braku jest lenistwo. Lenistwo jest zagadnieniem o bardzo dużym znaczeniu dla rozwoju duchowego; przewijało się między wierszami pierwszej części tej książki, w której była mowa o dyscyplinie, oraz tej części, poświęconej miłości. Do jego szczegółowego omówienia wrócimy w ostatniej części, gdy będziemy już dysponować dokładniejszym obrazem całości zagadnienia.

RYZYKO STRATY

Zgodnie z tym, co powiedziałem, miłowanie — poszerzanie własnej jaźni — wymaga przezwyciężenia własnego lenistwa, czyli trudu, i pokonania swoich obaw, czyli odwagi. Zajmijmy się teraz tym drugim — odwagą, której wymaga miłowanie. Poszerzając swoją jaźń, wkraczamy na nowe i nieznane terytorium. Nasza jaźń staje się nową, inną jaźnią. Zmieniają się nasze postawy, zachowania i działania. Nowe doświadczenia budzą lęk. Zawsze tak było i będzie. Ludzie rozmaicie radzą sobie z lękiem, lecz jeśli chcą się zmienić, muszą stawić mu czoło. Odwaga nie jest nieobecnością lęku. Odwaga przejawia się w podejmowaniu działań bez względu na wiążący się z nimi lęk — lęk przed nieznaną przyszłością. Na pewnym poziomie rozwój duchowy, a więc i miłość, zawsze wymaga od nas odwagi i wiąże się z ryzykiem. Dlatego przejdę teraz do omówienia tego właśnie ryzyka.

Jeśli chodzicie regularnie do kościoła, to być może zauważyliście kobietę około pięćdziesiątki, która każdej niedzieli dokładnie pięć minut przed rozpoczęciem mszy chyłkiem zajmuje boczne miejsce w ostatniej ławce. Tuż po mszy cicho i szybko udaje się do wyjścia i znika, nim ktokolwiek z parafian podniesie się z miejsca. Gdyby udało się wam zagadnąć ją — co jest raczej mało prawdopodobne — lub zaprosić po nabożeństwie na kawę, uprzejmie odmówiłaby. Nerwowo odwracając wzrok, powiedziałaby, że ma właśnie bardzo ważne spotkanie, po czym szybkim krokiem oddaliłaby się. Gdybyście poszli za nią na owo ważne spotkanie, stwierdzilibyście, że udaje się prosto do domu, do małego mieszkanka z zawsze zasuniętymi zasłonami, otwiera drzwi, wchodzi i natychmiast je za sobą zamyka. Tej niedzieli nikt już jej nie zobaczy. Śledząc ją dalej, stwierdzilibyście, że pracuje jako maszynistka w dużym biurze, w którym z milczeniem przyjmuje zlecone jej prace, bezbłędnie je wykonuje i gotowe oddaje bez komentarza. Drugie śniadanie je, siedząc sama przy biurku. Nie ma przyjaciół. Do domu wraca pieszo, wchodząc po drodze zawsze do tego samego supermarketu, by kupić kilka niezbędnych produktów, po czym znika za drzwiami swojego mieszkania. I tak wygląda jej każdy dzień — bez jakichkolwiek zmian od trzydziestu lat.

W sobotnie popołudnia idzie samotnie do pobliskiego kina, gdzie co tydzień zmieniają repertuar. Ma telewizor. Ma telefon. Prawie nigdy nie dostaje listów. Jeśli jakimś cudem udałoby się wam nawiązać z nią kontakt i spytać, dlaczego wiedzie takie samotne życie, odparłaby, że bardzo lubi swoją samotność. Jeśli ją spytacie, czy ma jakieś domowe zwierzę, odpowie, że miała kiedyś psa, którego bardzo kochała, ale zdechł osiem lat temu i żaden inny nie mógł zająć jego miejsca.

Kim jest ta kobieta? Nie znamy sekretów jej serca. Wiemy tylko, że jej całe życie sprowadza się do unikania ryzyka, przez co zamiast poszerzać swoją jaźń, zawęziła ją do minimum. Nie dokonuje żadnych kateksji. Mówiliśmy już, że sama kateksja nie jest jeszcze miłością. Jednak prawdą jest również to, że przynajmniej na początku miłość potrzebuje kateksji. Możemy miłować tylko to, co w ten czy inny sposób jest dla nas ważne. A wtedy zawsze istnieje ryzyko utraty lub odrzucenia.

Tworząc związek z innym człowiekiem, zawsze ryzykujemy, że on od nas odejdzie i zostawi w samotności, cierpiących jeszcze bardziej niż przed jego spotkaniem. Kochając wszystko, co żyje — człowieka, psa, roślinę — musimy pamiętać, że to prędzej czy później umrze. Ktoś, komu zaufaliśmy, może nas zawieść. Ktoś, od kogo jesteśmy uzależnieni, może nas skrzywdzić. Ceną kateksji jest cierpienie. Ale jeśli postanowimy unikać cierpienia, będziemy wiedli ubogie życie: bez partnerstwa, towarzystwa, przyjaźni, zaangażowania, dzieci, seksu, nadziei, ambicji — tego wszystkiego, co nadaje życiu sens. Natomiast gdy udamy się w wędrówkę, której celem jest rozwój duchowy, naszą nagrodą będzie cierpienie, ale również radość. Życie pełne jest życiem pełnym cierpienia. Możemy też nie żyć pełnią życia, czyli nie żyć w ogóle.

Drożdżami życia są zmiany, pod ich wpływem następuje wzrost, ale także rozkład. Wybierając życie i rozwój, decydujemy się na zmiany i ewentualną śmierć. Przyczyną samotniczego i ograniczonego życia kobiety, o której wspomniałem, było prawdopodobnie doświadczenie lub seria doświadczeń związanych ze śmiercią, doświadczeń tak bolesnych, że postanowiła już nigdy nie narażać się na cierpienie będące ceną pełnego życia. Ale unikając doświadczania śmierci bliskich sobie istot, pozbawiła się szans rozwoju i zmian. Wybrała życie jednostajne, wolne od nowości i niespodzianek — śmierć za życia, by uniknąć ryzyka i wyzwań.

Powiedziałem już, że próby unikania uzasadnionego cierpienia są podłożem wszystkich zaburzeń emocjonalnych. Nic więc dziwnego, że większość decydujących się na psychoterapię (a prawdopodobnie również tych, którzy się na nią nie decydują, jako że nerwica jest raczej normą niż wyjątkiem) ma kłopoty — bez względu na wiek — ze stanięciem twarzą w twarz ze śmiercią. Zastanawiający jest fakt, że psychiatria dopiero zaczyna zwracać uwagę na ten problem. Gdybyśmy potrafili żyć ze świadomością, że śmierć jest naszym towarzyszem, który podróżuje wraz z nami krok w krok, wówczas może stałaby się — jak mówił Don Juan — naszym „sprzymierzeńcem, który — choć budzi lęk — udziela również mądrych rad"*. Dzięki jej radom i stałemu uzmysławianiu sobie, że czas dany nam na życie i miłowanie jest ograniczony, czynilibyśmy z tego czasu jak najlepszy użytek i żyli życiem tak pełnym, jak tylko jest to możliwe. Jeśli jednak nie chcemy uświadomić sobie przerażającej obecności śmierci, to sami pozbawiamy się jej rad i nie udaje się nam pogodnie żyć i miłować. Uciekając przed śmiercią i zmienną naturą rzeczy, nieuchronnie uciekamy przed życiem.

RYZYKO NIEZALEŻNOŚCI

A zatem życie niesie z sobą ryzyko — tym większe, im bardziej miłujemy. Z tysięcy, a może nawet milionów ryzykownych posunięć, na jakie decydujemy się w ciągu życia, największym jest przejście z dzieciństwa w dorosłość. W rzeczywistości jest ono raczej budzącym przestrach skokiem niż krokiem i wielu ludzi przez całe życie tak naprawdę nie odważyło się go zrobić. Choć wyglądają na dorosłych, a niektórzy z nich odnoszą duże sukcesy, większość aż do śmierci pozostaje pod względem psychologicznym dziećmi, które nigdy nie oddzieliły się od rodziców i nie wyzwoliły się spod ich władzy. Ponieważ sam kiedyś boleśnie odczułem ten problem, najlepiej chyba przedstawię istotę dorastania i niewyobrażalne ryzyko z nim związane, opisując milowy krok w dorosłość, jaki sam uczyniłem w wieku lat piętnastu, czyli

---

* Zob. Carlos Castaneda, *Nauki Don Juana*, *Odrębna rzeczywistość*, *Podróż do Ixtlan* oraz *Opowieści o mocy*. Książki te traktują przede wszystkim o procesie rozwoju duchowego.

bardzo wcześnie. Choć krok ten był świadomą decyzją, chciałbym na wstępie zaznaczyć, że wówczas nie miałem najmniejszego pojęcia, iż to, co czynię, jest dorastaniem. Wiedziałem tylko, że robię skok w nieznane.

Mając trzynaście lat, wyjechałem do Phillips Exeter Academy — ekskluzywnej szkoły dla chłopców, w której wcześniej uczył się mój brat. Wiedziałem, że powinienem uznawać się za szczęśliwca, ponieważ nauka w Exeter otwierała przede mną drogę do najlepszych uniwersytetów, a później do elity społecznej i politycznej. Byłem nieprawdopodobnie szczęśliwy, że przyszedłem na świat w zamożnej rodzinie, która mogła mi zapewnić „najlepsze wykształcenie, jakie można mieć za pieniądze", i cieszyłem się bezpieczeństwem, jakie daje poczucie przynależności do awangardy społeczeństwa amerykańskiego. Jednak prawie od samego początku nauki i pobytu w Exeter odczuwałem dziwny dyskomfort. Nie miałem i wciąż nie mam pojęcia, co było jego przyczyną. Czułem, że to nie moje miejsce. Nie pasowałem do uczelni, studentów, architektury, życia towarzyskiego — jednym słowem do całego tego otoczenia. Wydawało mi się, że nie mogę na to nic poradzić, prócz dokładania wszelkich starań, by pokonać własną słabość i odnaleźć swoje miejsce w tym najlepszym z najlepszych ośrodków. Starałem się przez dwa i pół roku. Z każdym dniem życie wydawało się mieć coraz mniej sensu, a ja czułem się coraz bardziej nieszczęśliwy. Prawie cały ostatni rok przespałem, bo tylko sen przynosił mi ulgę.

Patrząc wstecz, sądzę, że we śnie przygotowywałem się i nabierałem sił do nieodległego już skoku w dojrzałość. Uczyniłem go, gdy na wiosenne ferie po trzecim roku nauki przyjechałem do domu i oznajmiłem, że nie wracam do szkoły. Ojciec powiedział wówczas:

— Nie możesz przerwać nauki. To najlepsza i najdroższa szkoła. Czy zdajesz sobie sprawę, co odrzucasz?

— Wiem, że to dobra szkoła — odparłem — ale i tak tam nie wrócę.

— Dlaczego nie chcesz się dostosować i spróbować jeszcze raz? — pytał ojciec.

— Nie mam pojęcia — odrzekłem, czując swoją nieadekwatność. — Nawet nie wiem, czemu jej tak nienawidzę. Ale tak jest i dlatego do niej nie wrócę.

— Co zamierzasz robić? Skoro tak niefrasobliwie traktujesz swoją przyszłość, to co zamierzasz robić dalej?

Znowu moją odpowiedzią było żałosne stwierdzenie:

— Nie wiem. Wiem tylko, że już tam nie wrócę.

Rodzice poczuli się zaniepokojeni, więc zaprowadzili mnie do psychiatry, który stwierdził, że cierpię na depresję, i zalecił miesięczny pobyt w szpitalu, dając jeden dzień na podjęcie decyzji, czy mi to odpowiada. Tej nocy pierwszy i jedyny raz myślałem o samobójstwie. Pójście do szpitala wydawało mi się dość sensowne. Byłem — według psychiatry — w depresji. Mój brat jakoś dawał sobie radę w Exeter; więc dlaczego mnie się to nie udawało? Byłem przekonany, że to moja wina. Czułem, że jestem nieadekwatny, niekompetentny i niewiele wart. Co gorsza, nabrałem przekonania, że prawdopodobnie jestem niepoczytalny. Czyż ojciec nie mówił: „Chyba zwariowałeś, że odrzucasz taką dobrą szkołę". Wracając do Exeter, powróciłbym do wszystkiego, co bezpieczne, pewne, słuszne, właściwe, konstruktywne, sprawdzone i znane, lecz co rozmijało się z moimi oczekiwaniami

Moja jaźń wiedziała, że nauka w Exeter nie jest moją drogą. Co więc nią było? Jeśli nie wrócę do szkoły, stanę w obliczu tego, co nieznane, nieokreślone, niebezpieczne, niepewne i nieprzewidywalne. Każdy, kto podjąłby taką decyzję, zasłużyłby na miano szalonego. Byłem przerażony. W chwili największej rozpaczy przemówiła do mnie moja nieświadomość, słowami przypominającymi dziwną przepowiednię: „Prawdziwą pewność daje niepewność". Nawet gdyby oznaczało to szaleństwo i niedopasowanie się do wszystkiego, co uznawano za święte, postanowiłem być sobą. Uspokoiłem się. Rano udałem się do psychiatry i oświadczyłem, że nie wrócę do Exeter, ale jestem gotów pójść do szpitala. Wykonałem skok w nieznane, biorąc los we własne ręce.

Proces dorastania przebiega zwykle stopniowo, poprzez małe skoki w nieznane, jak w przypadku ośmiolatka podejmującego ryzyko samodzielnej jazdy rowerem do wiejskiego sklepiku lub piętnastolatka idącego na pierwszą randkę. Jeśli nie jesteście przekonani, czy powyższe przykłady naprawdę wiążą się z ryzykiem, to oznacza, że nie pamiętacie, ile wiąże się z tym obaw. Obserwując nawet najzdrowsze dzieci, zobaczycie nie tylko gotowość do zaryzykowania nowych, nieznanych zachowań, lecz także wahanie, wycofywanie się, powroty do tego, co bezpieczne i dobrze znane, i regresję do zależności i dzieciństwa. Co więcej, podobna ambiwalencja daje się zaobserwować również u wszystkich dorosłych. Skłonność do kurczowego trzymania się tego, co stare i dobrze znane, nasila się wraz z wiekiem.

Mając czterdzieści lat, prawie codziennie staję w obliczu mniej lub bardziej ryzykownych wyborów stwarzających możliwość rozwoju. Wciąż się rozwijam, choć może nie tak szybko, jak mógłbym. Wśród skoków rozwojowych zdarzają się małe i ogromne, jak wtedy, gdy rzucając szkołę, porzuciłem jednocześnie cały model życia i system wartości, w jakim mnie wychowano. Wielu ludzi nigdy nie czyni owych ogromnych skoków, wskutek czego nigdy nie dorasta. Mimo zewnętrznych pozorów dorosłości w sferze psychiki pozostają dziećmi swoich rodziców, żyjąc według norm zdefiniowanych przez ich aprobatę lub dezaprobatę (nawet wtedy, gdy rodzice od dawna już nie żyją!). Postępują tak, gdyż nigdy nie ośmielili się wziąć swojego losu we własne ręce.

Choć tak ogromne skoki wykonujemy przede wszystkim w okresie dorastania, można je czynić w każdym wieku. Trzydziestopięcioletnia matka trojga dzieci, zdominowana przez apodyktycznego, niezdolnego do jakichkolwiek kompromisów męża-seksistę, stopniowo i boleśnie uświadamia sobie, że jej uzależnienie od niego i chory związek małżeński jest równoznaczny ze śmiercią za życia. Mąż torpeduje wszelkie czynione przez nią próby zmian charakteru ich związku. Owa kobieta podejmuje odważną decyzję o rozwodzie, wytrzymuje ciężar obwiniania jej przez męża i krytykę otoczenia. Decyduje się na ryzykowną przyszłość samotnej matki, lecz po raz pierwszy w życiu jest wolna i może być sobą.

Pogrążony w depresji po ataku serca pięćdziesięcioletni biznesmen — spoglądając wstecz na życie pełne szalonych ambicji, ciągłego pomnażania fortuny i wspinania się po stopniach kariery — stwierdza, że to wszystko nie miało sensu. Dochodzi do wniosku, że kierował się potrzebą aprobaty ze strony dominującej i bardzo krytycznej matki; zaharowywał się niemalże na śmierć, byle tylko zdobyć jej uznanie. Pierwszy raz w życiu nie boi się narazić na jej dezaprobatę. Nie zważa również na oburzenie przyzwyczajonych do wygody żony i dzieci. Przenosi się na prowincję i otwiera niewielki warsztat renowacji antyków. Tak wielkie zmiany — takie skoki w niezależność i determinacja — są niezwykle bolesne w każdym wieku i wymagają najwyższej odwagi. Nierzadko możliwe są tylko dzięki psychoterapii. I w istocie — zważywszy na duże ryzyko — by zakończyły się powodzeniem, często jej wymagają. Psychoterapia nie zmniejszy ryzyka, lecz wesprze pacjenta i doda mu odwagi.

Jak jednak proces dojrzewania ma się do miłości, wyjąwszy fakt, że wiążące się z miłością poszerzanie jaźni oznacza wkroczenie na nie znane dotychczas obszary? Przede wszystkim, podane przeze mnie jako przykłady i wszystkie inne tego typu zasadnicze zmiany są przejawem miłości własnej. Właśnie dlatego, że miłuję siebie samego, postanowiłem nie cierpieć dłużej w szkole i społeczności, która nie odpowiadała moim potrzebom. Właśnie dlatego, że żona i gospodyni domowa miłowała siebie samą, nie chciała dłużej godzić się na związek, który całkowicie ograniczał jej wolność i tłamsił jej osobowość. Właśnie dlatego, że biznesmen miłował siebie, nie chciał dłużej pracować ponad siły po to, by zdobyć uznanie apodyktycznej matki.

To właśnie miłość własna daje motywację do takich wielkich zmian. Ona daje też odwagę niezbędną do podjęcia związanego z nimi ryzyka. Tylko dlatego, że moi rodzice miłowali mnie i cenili, gdy byłem małym dzieckiem, czułem się wystarczająco pewnie, by przeciwstawić się ich oczekiwaniom i zdecydowanie odciąć od narzuconego przez nich modelu życia. I choć czyniąc to, czułem, że jestem nieadekwatny, niewiele wart, a być może szalony, mogłem znieść te rozterki tylko dlatego, że na głębszym poziomie czułem, iż mimo swojej inności jestem dobrym człowiekiem. Odważając się być sobą, nawet za cenę opinii szaleńca, odpowiadałem na wcześniejsze przesłanie miłości rodziców, tysiące tych przesłań mówiących: „Jesteś cudowną istotą i zasługujesz na miłość. Dobrze, że jesteś, jaki jesteś. Będziemy cię kochać bez względu na to, co uczynisz, jeśli pozostaniesz wierny samemu sobie". Gdybym nie był pewien miłości moich rodziców do mnie, która nauczyła mnie miłować siebie samego, wybrałbym wędrówkę utartymi szlakami, wytyczonymi przez rodziców, płacąc za to najwyższą cenę: własnej niepowtarzalności. Tylko dzięki temu, że wykonamy skok w nieznane — w psychiczną niezależność i niepowtarzalną indywidualność — możemy podążać coraz wyższymi ścieżkami rozwoju duchowego i przejawiać miłość w jej najgłębszych wymiarach.

Jeśli ktoś żeni się, robi karierę czy ma dzieci tylko po to, by zaspokoić oczekiwania swoich rodziców, innej osoby lub nawet społeczeństwa jako takiego, to tworzone przezeń związki będą powierzchowne. Jeśli kochamy swoje dzieci przede wszystkim dlatego, że świat od nas tego oczekuje, to jako rodzice będziemy niewrażliwi na najsubtelniejsze potrzeby naszych dzieci i niezdolni do wyrażania miłości w wysublimowanej — choć częstokroć o wiele ważniejszej — formie. Najwyższe formy miłości wiążą się immanentnie z wolnym wyborem, a nie z konformizmem.

RYZYKO ZOBOWIĄZANIA

Podstawą każdego związku opartego na rzeczywistej miłości jest zobowiązanie. Nie gwarantuje ono pomyślności związku, lecz bardziej niż cokolwiek innego przyczynia się do jego powodzenia. Początkowo płytkie zobowiązanie może się z czasem pogłębić. Jeśli tak się nie stanie, to związek prawdopodobnie ulegnie zerwaniu lub będzie wątły i chory. Większość z nas nie uzmysławia sobie ryzyka, jakie niesie podejmowanie głębokich zobowiązań. Mówiłem już, że jedną z funkcji instynktownego zjawiska zakochiwania się jest omamienie partnerów złudzeniem wszechmocy, które sprawia, iż nie widzą ryzyka, jakie podejmują, zawierając związek małżeński. Ja sam byłem dość spokojny do chwili, gdy stanąłem wraz z moją przyszłą żoną przed ołtarzem. Wtedy zacząłem drżeć na całym ciele. Ogarnęło mnie takie przerażenie, że prawie nie pamiętam ani ceremonii, ani przyjęcia weselnego. W każdym razie owo poczucie zobowiązania, jakie podejmuje się, zawierając związek małżeński, sprawia, że możliwe staje się przejście od zakochania się do rzeczywistego miłowania. Również dzięki podjęciu zobowiązania po poczęciu nowego życia przemieniamy się z rodziców biologicznych w psychologicznych*.

Zobowiązanie jest nieodłącznym elementem każdego związku opartego na miłości. Każdy, kto prawdziwie troszczy się o rozwój duchowy drugiej osoby, mniej lub bardziej jest świadomy faktu, że może znacząco przyczynić się do jej rozwoju tylko wtedy, gdy związek jest stały. Dzieci nie osiągną psychicznej dojrzałości w atmosferze niepewności, straszone perspektywą porzucenia. Małżonkowie nie znajdą trafnych rozwiązań powszechnych problemów małżeńskich —

---

* Ważność odróżniania rodzicielstwa biologicznego od psychicznego została dogłębnie omówiona prze Goldsteina, Freuda i Solnita, w książce *Beyond the Best Interest of the Child* (Macmillan, 1973).

takich jak równowaga między zależnością i niezależnością, dominacją i podporządkowaniem, wolnością i wiernością — jeśli nie mają pewności i przeświadczenia, że omawianie tych zagadnień nie zniszczy ich związku.

Problemy w sferze zobowiązań stanowią sedno wielu zaburzeń psychicznych i dlatego ich rozwiązywanie należy do rutynowych zadań psychoterapii. Na przykład charakteropaci mają skłonność do zawierania płytkich zobowiązań. Jeśli charakteropatia ma charakter głębszy, to nie są oni w stanie podejmować jakichkolwiek zobowiązań. Nie tyle boją się związanego z nimi ryzyka, ile po prostu nie mogą zrozumieć, co jest istotą zobowiązania. Ponieważ ich rodzicom nie udało się podjąć zobowiązania wtedy, gdy byli dziećmi, dojrzewali, nie doświadczając skutków rodzicielskiego zobowiązania. Pojęcie to stanowi dla nich abstrakcję, zjawisko, którego nie są w stanie pojąć.

Natomiast nerwicowcy pojmują istotę zobowiązań, lecz często paraliżuje ich strach przed ich podejmowaniem. We wczesnym dzieciństwie zazwyczaj doświadczali rodzicielskiego zobowiązania przynajmniej w takim zakresie, by zrozumieć, na czym ono polega. Jednak w późniejszym dzieciństwie brak miłości rodzicielskiej, spowodowany ich śmiercią, porzuceniem lub chronicznym odrzucaniem, sprawił, że nie zaspokojona potrzeba otrzymywania rodzicielskich zobowiązań stała się dla dziecka doświadczeniem niezwykle bolesnym. Dlatego każde nowe zobowiązanie rodzi w nerwicowcu lęk. Taki uraz emocjonalny można uleczyć tylko wtedy, gdy osoba, która go doznała, będzie miała możliwość doświadczenia satysfakcjonującego zobowiązania. Dlatego między innymi zobowiązanie jest kamieniem węgielnym związku psychoterapeutycznego. Zdarza się, że czuję ciarki na myśl o zobowiązaniu, jakie podejmuję, przyjmując nowego pacjenta na długotrwałą terapię. Aby można było mówić o jakimkolwiek uzdrowieniu, psychoterapeuta musi wnieść w związek ze swoim nowym pacjentem takie samo zobowiązanie, jakie przejawiają prawdziwie miłujący rodzice wobec swoich dzieci. Zobowiązanie terapeuty i stałość troski o pacjenta będą bezustannie wystawiane na próbę podczas wielu miesięcy, czy nawet lat terapii.

Rachel, dwudziestosiedmioletnia, chłodna i nienagannie poprawna kobieta, złożyła mi wizytę po rozpadzie swojego krótkotrwałego małżeństwa. Mark — jej mąż — odszedł od niej, twierdząc, że jest oziębła.

— Wiem, że jestem zimna — przyznała. — Myślałam, że przy nim wreszcie odtaję, ale tak się nie stało. Nie sądzę, by to była jego wina. Seks nigdy mnie nie bawił. Będę szczera: mógłby dla mnie w ogóle nie istnieć. Jakaś część mnie chce seksu, bo chciałabym kiedyś mieć udane małżeństwo, chcę być normalna, a normalni ludzie zdają się czerpać z seksu radość. Ale jakaś inna część mnie jest całkiem zadowolona z tego, jaka jestem. Mark zwykł mówić: „Odpręż się i wyluzuj". A może ja nie chcę się odprężyć i wyluzować, nawet gdybym mogła?

Po trzech miesiącach sesji zwróciłem Rachel uwagę, że zawsze, gdy przychodzi na sesję, przynajmniej dwa razy mówi mi „dziękuję", zanim w ogóle weźmiemy się do pracy: pierwszy raz, gdy witam ją w poczekalni, i drugi, gdy wchodzi do mojego gabinetu.

— Czy to źle, że jestem uprzejma? — spytała.

— To nic złego — odparłem. — Jednak w tym przypadku wydaje się to zbędne, gdyż zachowujesz się tak, jakbyś tu była gościem, który nie jest pewien, czy jest mile widziany.

— Wszak jestem tu gościem. To twój dom.

— To prawda — odrzekłem. — Ale prawdą jest również to, że płacisz czterdzieści dolarów za godzinę, którą w nim spędzasz. Kupiłaś ten czas i przestrzeń tego gabinetu, a ponieważ je kupiłaś, masz do nich prawo. Nie jesteś gościem. Masz prawo do tego gabinetu, tej poczekalni i czasu spędzonego ze mną. Zapłaciłaś za to prawo, więc dlaczego dziękujesz za coś, co do ciebie należy?

— Nie wierzę, że tak naprawdę myślisz — powiedziała.

— Więc musisz również uważać, że mogę cię stąd wyrzucić, kiedy mi się spodoba — odparłem. — Musisz mieć poczucie, że możliwe jest, iż pewnego dnia, gdy przyjdziesz na terapię, powiem ci: „Rachel, praca z tobą zaczyna mnie nudzić. Postanowiłem więcej się tobą nie zajmować. A zatem, proszę stąd wyjść".

— Właśnie takie mam wrażenie — przyznała. — Nigdy przedtem nie sądziłam, że mam do czegoś prawo, a zwłaszcza, że mam prawo do kogokolwiek. Czy rzeczywiście uważasz, że nie mógłbyś mnie stąd wyrzucić?

— Myślę, że mógłbym, ale tego bym nie zrobił. Nie chciałbym. Między innymi dlatego, że byłoby to sprzeczne z etyką. Gdy przyjmuję pacjenta na długotrwałą terapię, podejmuję wobec niego zobowiązanie. I takie zobowiązanie podjąłem również wobec ciebie. Będę z tobą pracował, dopóki będzie trzeba, bez względu na to, czy potrwa to rok, pięć, dziesięć czy nawet więcej lat. Tylko ty możesz przedwcześnie zrezygnować z terapii i zerwać nasz związek psychoterapeutyczny. Będę ci służył, dopóki będę żył, lub dopóki będziesz chciała korzystać z moich usług.

Zrozumienie problemów Rachel nie sprawiło mi trudności. Na samym początku terapii jej były mąż, Mark, powiedział: „Sądzę, że jej matka ma z tym wiele wspólnego. To kobieta wyjątkowa. Była doskonałym prezesem General Motors, ale wydaje mi się, że nie była dobrą matką". I właśnie tak było. Rachel chowano, a raczej „zarządzano nią" jak kadrami w przedsiębiorstwie jej matki. Dorastała w przeświadczeniu, że w każdej chwili może być „wyrzucona z pracy", jeśli nie sprosta stawianym wymaganiom. Zamiast dać Rachel poczucie, że jej miejsce w domu jest niezagrożone — poczucie, które mogą dać tylko zobowiązani rodzice — matka komunikowała jej stale coś wręcz przeciwnego, traktując ją jak najemnego pracownika, który może być pewny swojej posady, dopóki spełnia wymagania pracodawcy. Skoro Rachel dorastała, nie mając poczucia bezpieczeństwa, to czy mogła mieć pewność, że jej miejsce u mnie na terapii jest niezagrożone?

Urazów emocjonalnych spowodowanych niezdolnością rodziców do wywiązywania się ze zobowiązań wobec swoich dzieci nie da się uzdrowić za pomocą kilku słów czy powierzchownych zapewnień. Trzeba je przełamywać, stopniowo docierając do sedna problemu. W przypadku Rachel pierwszy przełom nastąpił po ponad roku. Rozmawialiśmy o tym, że Rachel nigdy w mojej obecności nie płakała, co było jeszcze jednym dowodem na to, że nie umiała „wyluzować się". Pewnego dnia, gdy mówiła o straszliwym osamotnieniu spowodowanym koniecznością stałego pilnowania się, wyczułem, że jest bliska płaczu i że z mojej strony potrzebny byłby lekki impuls. Zrobiłem więc coś, czego zwykle nie czynię: przysunąłem się do kozetki, na której leżała, i delikatnie pogłaskałem ją po głowie, mówiąc cicho: „Biedna, biedna Rachel". Moja próba spełzła na niczym. Rachel natychmiast zesztywniała i podniosła się. Z jej oczu nie popłynęła ani jedna łza.

— Nie mogę — powiedziała. — Nie potrafię się wyluzować.

Nasze spotkanie na tym się zakończyło. Podczas następnej sesji Rachel weszła i siadła na kozetce, zamiast się na niej położyć.

— No, to teraz twoja kolej — oznajmiła.

— Co chcesz przez to powiedzieć? — spytałem.

— Powiedz, że jestem nie taka, jak powinnam.

Nie miałem pojęcia, o co jej chodzi.

— Wciąż nie rozumiem, co masz na myśli, Rachel.

— To nasza ostatnia sesja. Podsumuj, proszę, swoje dotychczasowe ustalenia co do charakteru moich zaburzeń i podaj powody, dla których nie możesz mnie dalej leczyć.

— Nie mam najmniejszego pojęcia, o co ci chodzi — powiedziałem.

Tym razem Rachel wyglądała na zaskoczoną.

— Chodzi o to, że na poprzedniej sesji chciałeś, bym się rozpłakała. Żebym się wyluzowała i wypłakała. Na poprzedniej sesji zrobiłeś wszystko, by mi pomóc, a mimo to ja się

143

nie rozpłakałam. Więc zapewne nie masz zamiaru mnie dalej leczyć. Ponieważ nie mogę zrobić tego, czego ode mnie wymagasz, jest to zapewne nasza ostatnia sesja.

— Sądzisz, że zamierzam cię zwolnić, prawda?

— Każdy by to zrobił.

— Nie, Rachel, nie każdy. Być może twoja mama zrobiłaby to. Ale ja nią nie jestem. Nie wszyscy są tacy jak twoja mama. Nie jesteś moim pracownikiem. Nie jesteś u mnie po to, by robić to, czego ja sobie życzę. Mogę cię do czegoś co najwyżej nakłaniać, lecz nie jestem twoim panem i władcą. Nigdy cię „nie zwolnię z pracy". To ty decydujesz o tym, jak długo będziesz chciała tu przychodzić.

Jednym z problemów, jakie często pojawiają się w dorosłych związkach, jest to, że osoby je tworzące nie mogły liczyć na zobowiązanie ze strony swoich rodziców. Objawia on się postawą „porzuć, zanim ciebie porzucą", która manifestuje się wieloraki. Przejawem takiego nastawienia była oziębłość Rachel. Aczkolwiek sobie tego nie uświadamiała, swoją oziębłością wobec męża i byłych chłopaków mówiła im: „Nie dam ci siebie, bo dobrze wiem, że pewnego dnia pozbędziesz się mnie". Dla Rachel „wyluzowanie się" — seksualne czy inne — było formą zobowiązania, a ona nie chciała go podejmować, gdyż mapa jej doświadczeń utwierdzała ją w przeświadczeniu, że nie może oczekiwać wzajemności.

Postawa „porzuć, zanim ciebie porzucą" dochodzi do głosu coraz bardziej wraz z zacieśnianiem związku z drugą osobą. Po rocznej terapii obejmującej dwie sesje tygodniowo Rachel oznajmiła, że nie stać jej na moje cotygodniowe honorarium w wysokości osiemdziesięciu dolarów. Od rozwodu — mówiła — trudno jej związać koniec z końcem. Więc albo w ogóle zaprzestanie terapii, albo zmniejszy liczbę wizyt do jednej w tygodniu. Tak być nie mogło. Wiedziałem, że Rachel odziedziczyła pięćdziesiąt tysięcy dolarów i ma nieźle płatną pracę, a w społeczności, w której mieszkała, było wiadomo, że pochodzi ze starego i zamożnego rodu. Zazwyczaj w takich przypadkach bezlitośnie konfrontuję pacjentów z rzeczywistością, wykazując, że stać ich na terapię, a rzekome trudności finansowe służą za wymówkę. Jednak tym razem wiedziałem, że dla Rachel spadek oznaczał dużo więcej niż pieniądze; był czymś jej własnym, czymś, co nigdy jej nie porzuci, bastionem bezpieczeństwa w nieobliczalnym świecie. Choć mogłem jej poradzić, by sięgnęła do swoich zasobów i zapłaciła honorarium, wyczuwałem, że może nie być gotowa do podjęcia tego ryzyka i jeśli przyprę ją do muru, w ogóle przestanie przychodzić na terapię. Powiedziała, że sądzi, iż stać ją na opłacenie jednej sesji tygodniowo. Wobec tego odparłem, że obniżę honorarium o połowę i nadal będę ją przyjmował dwa razy w tygodniu. Popatrzyła na mnie z mieszaniną lęku, niedowierzania i rozbawienia.

— Czy naprawdę zrobiłbyś to? — spytała.

Potwierdziłem. Nastała długa cisza. Wreszcie — bliska płaczu bardziej niż kiedykolwiek przedtem — Rachel powiedziała:

— Ponieważ pochodzę z bogatej rodziny, więc kupcy w mieście zawsze dawali mi najwyższe ceny. Natomiast ty proponujesz mi upust. Nikt dotąd nie zaoferował mi zniżki.

W kolejnym roku Rachel kilkakrotnie przerywała terapię z powodu rozterek, czy powinna dopuścić, by nasze zobowiązania rosły. Za każdym razem — telefonicznie lub listownie — udawało mi się po tygodniu lub dwóch nakłonić ją do powrotu. Wreszcie, pod koniec drugiego roku terapii mogliśmy bardziej wnikliwie zająć się jej problemami. Dowiedziałem się, że Rachel pisze wiersze, i poprosiłem, by mi jakiś pokazała. W pierwszej chwili odmówiła. Potem zgodziła się, lecz co tydzień „zapominała" mi go przynieść. Powiedziałem jej, że ukrywanie przede mną jej twórczości jest tym samym co powstrzymywanie się przed zobowiązaniami wobec byłego męża i innych mężczyzn. Pytałem ją, dlaczego uważa, że pokazanie mi wierszy jest formą oddania się? Dlaczego sądzi, że seks jest takim samym oddaniem i zobowiązaniem? Gdyby jej poezja nie wywarła na mnie wrażenia, czy byłoby to równoznaczne z odrzuceniem jej samej? Czy zerwałbym nasz związek terapeutyczny dlatego, że nie jest wielką poetką? Gdyby opowiedziała mi o swojej twórczości, być może pogłębiłoby to nasz związek? Dlaczego lęka się takiego zacieśnienia stosunków? Takich i podobnych pytań zadałem jej dużo więcej.

Uświadomiwszy sobie fakt, że podjąłem wobec niej zobowiązanie, w trzecim roku terapii Rachel zaczęła „wyluzowywać się". Przełamała się i wreszcie pokazała mi swoje wiersze. Po pewnym czasie była w stanie płakać, kiedy było jej smutno, a także śmiać się i przekomarzać ze mną. Nasz związek, dawniej sztywny i oficjalny, stał się ciepły, spontaniczny, czasem niefrasobliwy i pełen wesołości.

— Nie wiedziałam, co to znaczy odprężyć się w obecności drugiej osoby — mówiła. — Twój gabinet jest na razie jedynym miejscem, gdzie czuję się bezpiecznie.

Szybko nauczyła się — z bezpiecznej przystani, jaką stał się dla niej mój gabinet i wspólnie spędzany czas — dokonywać eksploracji innych związków. Zdała sobie sprawę, że seks nie jest kwestią zobowiązania, lecz jedną z form ekspresji, gry, odkrywania, nauki i radosnego zapomnienia. Wiedząc, że gdy zostanie zraniona, zawsze może zwrócić się do mnie jak do dobrej matki, której nigdy nie miała, mogła pozwolić sobie na nawiązanie zażyłych związków. Jej oziębłość stopniała. Po czterech latach zakończyła terapię. Rachel stała się osobą pełną życia, otwartą i szczerą, radośnie i skwapliwie nawiązującą związki z innymi wartościowymi ludźmi.

W przypadku Rachel udało mi się ofiarować moje zobowiązanie i oddanie, dzięki którym mogła pokonać chorobowe następstwa braku zobowiązania, jakiego doświadczyła w dzieciństwie. Jednak moje wysiłki nie zawsze kończą się sukcesem.

Jedną z moich porażek był ów przypadek technika komputerowego, o którym wspomniałem, omawiając zagadnienie przeniesienia. Jego oczekiwanie zobowiązania z mojej strony było tak bezwzględne, że nie mogłem lub nie chciałem go zaspokoić. Gdy zobowiązanie terapeuty nie wystarcza do podtrzymania słabego związku z pacjentem, nie dojdzie do uzdrowienia. Natomiast jeśli zobowiązanie terapeuty okaże się wystarczające, to zazwyczaj pacjent, wcześniej czy później, odpowie coraz głębszym zobowiązaniem wobec terapeuty lub samej terapii. Moment, w którym pacjent zaczyna podejmować takie zobowiązanie, stanowi przełom w terapii. W przypadku Rachel takim przełomem była decyzja o pokazaniu mi wierszy. Zastanawia fakt, że niektórzy pacjenci mogą całymi latami regularnie uczestniczyć w terapii po dwie lub trzy godziny w tygodniu i nie udaje się im osiągnąć tego etapu. Inni zaś osiągają go po kilku miesiącach. Jeśli jednak ma być mowa o jakimkolwiek uzdrowieniu, to muszą go osiągnąć. Dla terapeuty taki przełom jest cudownym momentem ulgi i radości, bo wtedy wie, że pacjent podjął ryzyko zobowiązania i terapia się powiedzie.

Owo ryzyko zobowiązania wobec terapii nie jest jedynie ryzykiem zobowiązania jako takiego, lecz również ryzykiem konfrontacji z samym sobą i ryzykiem wprowadzenia zmian. Dyskutując na temat dyscypliny i wierności prawdzie, rozwinąłem temat trudności wiążących się ze zmienianiem mapy rzeczywistości i poglądów na życie. Opisałem również trud związany z rewizją mapy rzeczywistości, poglądów na świat i zjawiska przeniesienia. Tego trudu trzeba się podjąć, jeśli mamy podążać drogą miłości, co wiąże się z poszerzeniem jaźni o sfery nowych zobowiązań. Na drodze duchowego rozwoju jest wiele punktów zwrotnych — bez względu na to, czy odbywa się ją samotnie, czy z psychoterapeutą jako przewodnikiem — w których wędrowiec musi podejmować nowe i nieznane działania, zgodne z jego nowym widzeniem świata. Podjęcie takich nowych działań — zachowań innych od przejawianych w przeszłości — może się wiązać z ogromnym ryzykiem. Oto przykłady: młody mężczyzna o biernych skłonnościach homoseksualnych może zaryzykować randkę z dziewczyną; ktoś, kto nigdy dotąd nikomu nie ufał, kładzie się na kozetce i podejmuje ryzyko otwarcia się przed ukrytym dla jego wzroku psychoterapeutą; żona całkowicie uzależniona od dominującego męża oznajmia, że bez względu na to, co on o tym myśli, idzie do pracy, aby się odeń uniezależnić; pięćdziesięcioletni maminsynek mówi matce, by przestała zwracać się do niego dziecinnym zdrobnieniem jego imienia; emocjonalnie oziębły, pozornie samowystarczalny „silny" mężczyzna po raz pierwszy w życiu płacze przy ludziach; „wyluzowana" Rachel, która zdobyła się na płacz w moim gabinecie. Te i wiele innych zachowań wiąże się z wielkim ryzykiem, a ponieważ są podejmowane przez samego pacjenta, budzą lęk nie mniejszy niż lęk u żołnierza idącego na bój. Jednak żołnierz nie ma dokąd uciec, bo zarówno z przodu, jak i z tyłu wycelowana jest w niego broń. Natomiast osoba ryzykująca rozwój duchowy zawsze może dokonać regresji do dobrze jej znanego z przeszłości ograniczonego zakresu zobowiązań.

Stwierdziłem, że dobry psychoterapeuta musi wnieść w związek psychoterapeutyczny z pacjentem taką samą odwagę i zobowiązanie jak sam pacjent. Terapeuta musi również ryzykować zmiany. Wśród wszystkich dobrych i pożytecznych reguł psychoterapii, jakich mnie nauczono, niewiele jest takich, których bym od czasu do czasu nie łamał, i to nie z powodu lenistwa czy braku dyscypliny, lecz raczej obawy i niepewności, ponieważ terapia mojego pacjenta zdaje się tak czy inaczej wymagać, bym wyszedł z bezpiecznej roli psychoanalityka i zaryzykował niekonwencjonalne podejście.

Gdy spoglądam wstecz na każdy przypadek zakończony sukcesem, widzę, że zawsze w jakimś momencie czy momentach musiałem balansować na krawędzi znanego i nieznanego. Zdolność terapeuty do cierpienia w takich momentach jest chyba esencją terapii, a gdy zauważy ją pacjent — a zazwyczaj zauważa — zawsze wykazuje działanie terapeutyczne. Dzięki tej woli poszerzania swojej jaźni i cierpienia wraz z pacjentami psychoterapeuci również się rozwijają i zmieniają. Doszedłem do takich spostrzeżeń, gdyż każdy skuteczny przypadek prowadzonej przeze mnie psychoterapii znacząco, a czasem wręcz gruntownie zmienił moją postawę i widzenie świata. I tak być musi. Nie można naprawdę zrozumieć drugiego człowieka, jeśli nie zrobi się dlań miejsca w samym sobie. To robienie w sobie miejsca dla drugiej osoby jest aktem dyscypliny „brania w nawias" i wymaga poszerzenia, czyli rozwoju jaźni.

Z dobrym rodzicielstwem jest tak samo jak z dobrą psychoterapią. Takiego samego „brania w nawias" i poszerzania jaźni wymaga słuchanie dzieci. By odpowiadać na ich zdrowe potrzeby, sami musimy się zmieniać. Tylko wtedy, gdy jesteśmy gotowi znieść cierpienie takiej zmiany, możemy stać się rodzicami, jakich potrzebują nasze dzieci. A ponieważ dzieci stale się rozwijają i ich potrzeby nieustannie się zmieniają, jesteśmy zobowiązani rozwijać się i zmieniać wraz z nimi. Każdy z nas zna rodziców, którzy doskonale radzą sobie z dziećmi do chwili, gdy te zaczynają dorastać, a potem są zupełnie bezradni i nieskuteczni, ponieważ nie są zdolni do zmiany i dostosowania swoich postaw do zmieniających się potrzeb starszych dzieci. I tu także, podobnie jak w innych sytuacjach, w których kierujemy się prawdziwą miłością, nie powinno się cierpienia i zmian wymaganych przez dobre rodzicielstwo uważać za swego rodzaju męczeństwo czy poświęcenie. Wręcz przeciwnie — rodzice mogą dzięki temu zyskać więcej niż ich dzieci. Jeśli nie są gotowi do podjęcia ryzyka cierpienia związanego ze zmianami, rozwojem i uczeniem się od swoich własnych dzieci, to wybierają — mniej lub bardziej świadomie — ścieżkę ku zgrzybiałości, a ich dzieci i świat pozostawią ich daleko w tyle. Dla większości z nas uczenie się od własnych dzieci jest najlepszą okazją do zapewnienia sobie sensownej starości. Smutkiem napawa fakt, że tak niewielu ludzi potrafi skorzystać z tej szansy.

RYZYKO KONFRONTACJI

Ostatnim i chyba największym ryzykiem związanym z miłowaniem jest ryzyko arogancji w sprawowaniu władzy. Najlepszym tego przykładem jest krytyka miłowanej osoby. Sprowadza się ona do przekazania jej następującego komunikatu: „Mylisz się. Ja mam rację". Rodzic krytykujący dziecko, mówiąc: „Jesteś skryty", przekazuje mu treść następującą: „Twoja skrytość jest zła. Mam prawo cię za nią krytykować, bo ja taki nie jestem i moja postawa jest słuszna". Gdy mąż zarzuca żonie oziębłość, mówi do niej: „Jesteś oziębła, bo nie zaspokajasz moich seksualnych potrzeb, a tak być nie powinno. Staram się, robię, co mogę i nic to nie daje. To nie ja, lecz ty masz problem z seksem". Wyrzucając mężowi, że poświęca zbyt mało czasu rodzinie i dzieciom, żona zwykle mówi: „Wciąż pracujesz i nie masz dla nas czasu. Tak być nie powinno. Choć nie znam się na twojej pracy, jestem pewna, że mógłbyś lepiej planować swój czas". Wielu ludziom krytykowanie kogoś przychodzi bez trudu. Najczęściej wyrażają je następująco: „Ależ co ty mówisz! Mylisz się. Powinno być tak i tak". Rodzice, małżonkowie i ludzie pełniący takie czy inne funkcje pochopnie i bez namysłu smagają biczem krytyki na prawo i lewo. Większość krytycznych uwag i zarzutów jest wypowiadana impulsywnie, w gniewie lub ze zniecierpliwieniem, co raczej problemy pogłębia niż sprzyja ich rozwiązywaniu.

Człowiekowi prawdziwie miłującemu krytyka czy konfrontacja nie przychodzi łatwo. Uświadamia on sobie, że krytyka może być wyrazem arogancji. Krytykowanie kogoś, kogo miłujemy, oznacza, że uznaliśmy swoją moralną lub intelektualną wyższość nad tą osobą — przynajmniej w kwestii, której dotyczy nasza krytyka. Tymczasem prawdziwa miłość uznaje i respektuje indywidualizm i niepowtarzalną tożsamość drugiego człowieka. Tej cesze miłości poświęcę więcej miejsca w jednym z następnych rozdziałów. Człowiek prawdziwie miłujący, ceniący wyjątkowość i odmienność ukochanej czy ukochanego, bardzo niechętnie wyraża pogląd: „Ja mam rację, ty się mylisz. Wiem lepiej niż ty, co jest dla ciebie dobre". Czasem bywa tak, że jeden człowiek wie lepiej, co dobre dla drugiego, i rzeczywiście w określonej sprawie posiada gruntowniejszą wiedzę i lepszą orientację. W takich okolicznościach osoba bardziej kompetentna, kierując się troską o rozwój duchowy drugiej osoby, ma obowiązek skonfrontować ją z problemem. Tym samym staje przed dylematem: respektować prawo miłowanej osoby do podążania własną drogą czy wziąć na siebie odpowiedzialność za motywowane miłością przywództwo, którego bliski jej człowiek zdaje się potrzebować.

Dylemat ten można rozwiązać, tylko dokonując starannego wglądu w siebie, surowo badając własną mądrość i motywację kryjącą się za wolą przejęcia przywództwa. Czy rzeczywiście wiem lepiej, czy też działam na podstawie bezpodstawnych przypuszczeń? Czy naprawdę rozumiem, o co chodzi miłowanej osobie? Dlaczego jestem pewien, że droga, którą wybiera, jest niesłuszna? A może jej kwestionowanie wynika z mojej ignorancji? Czy uważając, że potrzebuje reorientacji, nie kieruję się tylko własnym partykularnym interesem? Takie pytania muszą sobie nieustannie zadawać ludzie prawdziwie miłujący. Tak skrupulatna analiza własnych przesłanek motywujących konfrontację, prowadzona uczciwie, obiektywnie i dogłębnie, stanowi sedno postawy, którą nazywamy pokorą (nie mylić z upokorzeniem!). Pokora immanentnie wiąże się z łagodnością. Anonimowy brytyjski mnich z XIV wieku napisał: „Łagodność sama w sobie nie jest niczym innym jak prawdziwym poznaniem i czuciem ludzkiej jaźni taką, jaka jest. Każdy, kto prawdziwie widzi i czuje siebie takim, jaki jest, z pewnością łagodnym będzie"*.

---

* The Cloud of Unknowing, przeł. Ira Progoff, New York, Julian Press, 1969, s. 92.

Możemy więc wyróżnić dwa sposoby konfrontacji lub krytyki drugiego człowieka: z instynktowną i spontaniczną pewnością, że ma się rację, lub z przeświadczeniem, że prawdopodobnie ma się rację, do którego doszliśmy po skrupulatnym przeanalizowaniu własnych motywacji i zbadaniu swojej jaźni. Pierwszy z nich jest arogancją. Sposób ten jest powszechnie i na co dzień stosowany przez rodziców, małżonków, nauczycieli — w zasadzie przez wszystkich. Jest nieskuteczny i stanowi źródło uraz i żalu. Korzystanie zeń nie sprzyja rozwojowi i wywołuje różne nie zamierzone skutki. Drugi sposób konfrontacji wyraża pokorę. Jest on stosowany dość rzadko, gdyż wymaga autentycznego poszerzenia własnej jaźni. Sposób ten jest skuteczniejszy i — jak wynika z moich doświadczeń — nigdy nie działa destrukcyjnie.

Wielu ludzi z różnych przyczyn powstrzymuje się od aroganckiego, spontanicznego krytykowania lub konfrontacji, lecz na tym poprzestaje i — szukając bezpieczeństwa w łagodności — nie ośmiela się przejąć władzy. Przykładem może być postawa pastora — ojca mojej pacjentki w średnim wieku, cierpiącej przez całe życie na nerwicę depresyjną. Jej matka była gniewną i skorą do przemocy kobietą terroryzującą całą rodzinę napadami złego humoru, manipulującą domownikami i stosującą przemoc fizyczną wobec męża w obecności córki. Pastor nigdy nie sprzeciwiał się żonie i radził córce, by nadstawiała matce drugi policzek w imię nauki Kościoła, okazując całkowite posłuszeństwo i szacunek.

Zaczynając terapię, moja pacjentka bardzo szanowała ojca za łagodność i „miłość". Wkrótce jednak zaczęła zdawać sobie sprawę, że jego łagodność wobec żony jest słabością. Jego bierność pozbawiła ją właściwej opieki rodzicielskiej w takim samym stopniu, w jakim matka krzywdziła ją swoim egocentryzmem. Zrozumiała, że ojciec nie robił nic, by chronić ją przed złem, jakie spotykało ją ze strony matki, nie pozostawiając jej żadnego wyboru poza przyjęciem za wzór postępowania manipulacji, do jakich uciekała się matka, lub pseudopokory, którą on okazywał. Unikanie konfrontacji wówczas, gdy jest ona niezbędna dla rozwoju duchowego, jest takim samym przejawem braku miłości jak bezmyślny krytycyzm, potępianie czy jakakolwiek inna forma aktywnego braku troski. Gdy trzeba, rodzice prawdziwie miłujący powinni krytykować i konfrontować swoje dzieci. Jednak muszą się także poddawać ich krytyce i konfrontacji.

Małżonkowie powinni także czasem dokonywać konfrontacji swoich postaw, jeśli ich związek ma służyć wspieraniu ich rozwoju duchowego. Małżeństwo nie jest udane, jeśli mąż i żona nie są swoimi najlepszymi krytykami. To samo dotyczy prawdziwych przyjaźni. Tradycyjnie uważa się, że dobra przyjaźń powinna być związkiem bezkonfliktowym w myśl zasady „jesteśmy dla siebie mili", polegającym wyłącznie na wzajemnej wymianie uprzejmości i pochlebstw zgodnie z zasadami bon tonu. Takie związki są powierzchowne, pozbawione zażyłości i nie zasługują na miano przyjaźni, które tak powszechnie im się nadaje. Na szczęście zauważa się oznaki, że nasze pojmowanie przyjaźni zaczyna ewoluować. Wzajemna, miłująca konfrontacja jest ważną częścią zażyłych i istotnych stosunków międzyludzkich. Bez niej są one martwe lub płytkie.

Konfrontacja lub krytyka jest formą sprawowania przywództwa czy władzy. Sprawowanie władzy nie jest niczym innym jak wpływaniem na los innych ludzi lub bieg rzeczy za pomocą własnych świadomych albo nieświadomych działań, podejmowanych według z góry ustalonego planu. Konfrontując lub krytykując kogoś, chcemy zmienić jego życie. Oczywiście, istnieje wiele lepszych sposobów wpływania na ludzkie zachowania niż konfrontacja i krytyka. Z ważniejszych można wymienić dawanie przykładu, sugerowanie, przytaczanie przypowieści, nagradzanie i karanie, zadawanie pytań, zakazywanie lub pozwalanie, stwarzanie sytuacji, z których można wynieść określone doświadczenia, czy choćby zrzeszanie się we wspólnoty czy organizacje. Na temat sztuki sprawowania władzy można by napisać całe tomy. Tutaj wystarczy powiedzieć, że osoby miłujące muszą dbać o rozwijanie swoich umiejętności w tym zakresie, gdyż ten, kto pragnie wspierać rozwój duchowy innych, powinien interesować się najskuteczniejszymi sposobami realizacji tego celu. Na przykład miłujący rodzice powinni wpierw skrupulatnie przyjrzeć się samym sobie i wyznawanym przez siebie wartościom, zanim dojdą do wniosku, że wiedzą, co jest najlepsze dla ich dzieci. Ustaliwszy to, powinni następnie zastanowić się nad charakterem dziecka i jego zdolnościami, a dopiero potem zdecydować, na jaką formę sprawowania władzy rodzicielskiej będzie najlepiej reagowało: na krytykę, pochwałę, zwracanie baczniejszej uwagi, opowiadanie baśni czy przypowieści, a może na całkiem inną. Konfrontowanie kogoś z czymś, z czym nie może on sobie poradzić, w najlepszym razie będzie stratą czasu, a najprawdopodobniej wywrze nań negatywny skutek. Jeśli chcemy, by nas słyszano, musimy mówić językiem zrozumiałym dla słuchacza, dostosowanym do jego zdolności pojmowania. Jeśli chcemy miłować, to musimy poszerzyć własną jaźń, by dostosować nasze komunikowanie się do zdolności miłowanej osoby.

Zrozumiałe jest, że sprawowanie miłującej władzy wymaga ogromnej pracy. A jakie wiąże się z tym ryzyko? Problem polega na tym, że im bardziej ktoś miłuje, tym większą przejawia pokorę, a im bardziej jest pokorny, tym bardziej lęka się ryzyka arogancji związanej ze sprawowaniem władzy. Taka osoba bezustannie zadaje sobie pytania: Kto dał mi prawo do decydowania o cudzym życiu? Dlaczego śmiem twierdzić, że wiem, co jest najlepsze dla mojego dziecka, małżonka, mojego kraju czy ludzkości? Jakim prawem osądzam innych na podstawie własnego rozumienia i wymuszam na nich stosowanie się do mojej woli? Dlaczego ośmielam się „robić za Pana Boga" w życiu innych ludzi? Chodzi o to właśnie ryzyko, bo kiedykolwiek sprawujemy władzę, usiłujemy wpływać na bieg rzeczy, na los innych ludzi, a tym samym gramy rolę Boga.

Większość rodziców, nauczycieli, przywódców — czyli ludzi sprawujących władzę — nie uświadamia sobie tego faktu. W arogancji sprawowania władzy bez wymaganej przez miłość ogólnej samoświadomości jesteśmy błogo, a zarazem destrukcyjnie nieświadomi tego, że bawimy się w Boga. Ludzie miłujący prawdziwie, czyli działający w imieniu mądrości wymaganej przez miłość, wiedzą, że takie działanie jest odgrywaniem roli Boga. Wiedzą też, że nie ma innej alternatywy — poza niedziałaniem i niemocą. Miłość zmusza nas do odgrywania roli Boga z pełną świadomością wagi faktu, że to właśnie czynimy. Z taką świadomością miłujący człowiek przyjmuje odpowiedzialność za to, że usiłuje być Bogiem tylko dlatego, by bezbłędnie wypełnić Jego wolę, a nie beztrosko Go udawać. Doszliśmy więc do kolejnego paradoksu: tylko za sprawą pokory miłości ludzie ośmielają się grać rolę Boga.

MIŁOŚĆ JEST ZDYSCYPLINOWANIEM

Jak wykazałem, motywacją samodyscypliny jest miłość, którą zdefiniowałem jako formę woli. Z tego wynika nie tylko, że samodyscyplina jest przejawem działania miłości, lecz również to, że prawdziwie miłujący człowiek zachowuje samodyscyplinę i każdy związek oparty na prawdziwej miłości jest związkiem zdyscyplinowanym. Jeśli kogoś miłuję prawdziwie, to wyraża się to w moim postępowaniu, które podporządkowane jest wspieraniu rozwoju duchowego drugiego człowieka.

Młoda, inteligentna para ze środowiska artystycznej bohemy, której usiłowałem kiedyś pomóc, miała za sobą czteroletnie małżeństwo pełne codziennych wrzasków, rzucania talerzami i awantur kończących się rękoczynami. Po takich kłótniach małżonkowie przez pewien czas zazwyczaj pozostawali w separacji, podczas której dopuszczali się aktów niewierności. Krótko po podjęciu terapii oboje doszli do słusznego wniosku, że pomoże im ona zwiększyć samodyscyplinę i wprowadzi więcej ładu w ich związek. Jednak wkrótce zmienili zdanie: „Twoje sugestie są dla nas nie do przyjęcia. Zdaje się, że wymagasz, byśmy z naszego związku wyeliminowali namiętność — mówili. — W twojej definicji miłości i małżeństwa nie ma miejsca na namiętność". Prawie natychmiast zaprzestali leczenia, a po kilku latach doszły mnie słuchy, że mimo podjęcia kilku prób terapii u innych terapeutów nadal kłócą się codziennie, a ich związkiem rządzi chaos przekładający się na nieskuteczność zawodową.

Bez wątpienia ich związek był barwny. Jednak te barwy przypominały obrazki malowane przez dzieci, w których dominują czyste kolory, co z pewnością ma pewien urok, lecz jest równie monotonne jak dziecięca twórczość. W stłumionych, zdyscyplinowanych barwach obrazów Rembrandta także są kolory, tyle że nieskończenie bogatsze, niepowtarzalne i znaczące. Namiętność jest uczuciem niezwykle głębokim. Fakt, że jakieś uczucie nie jest kontrolowane, wcale nie oznacza, że mamy do czynienia z czymś głębszym od uczucia poddanego dyscyplinie. Wręcz przeciwnie: psychiatrzy uznają słuszność starego przysłowia: „Płytkie strumyki nieznośnie hałasują, lecz wody głębokie cicho swoje nurty toczą". Nie można założyć, że osoba kontrolująca i panująca nad własnymi emocjami nie jest namiętna.

Choć nie powinno się być niewolnikiem swoich uczuć, nie oznacza to, że samodyscyplina wymaga ich całkowitego tłumienia czy unicestwiania. Często mówię pacjentom, że uczucia są ich niewolnikami, sztuka samodyscypliny zaś przypomina sztukę sprawowania nad nimi władzy. Przede wszystkim uczucia dają nam energię; to nasze konie mechaniczne, kilowaty, czy właśnie niewolnicy niezbędni do realizacji życiowych zadań. A skoro dla nas pracują, musimy ich traktować z respektem. Właściciele niewolników zwykle popełniają dwa typowe błędy, uciekając się do dwóch krańcowo różnych form zarządzania. Jednym z nich jest nienarzucanie żadnej dyscypliny, nieudzielanie wskazówek i niedawanie wyraźnie do zrozumienia, kto tu rządzi. Po jakimś czasie niewolnicy ulegają demoralizacji, rzucają pracę, zdobywają dom swojego pana, pustoszą jego barek z trunkami, niszczą meble, a właściciel konstatuje, że sam stał się niewolnikiem swoich niewolników. Jego życie będzie wtedy równie chaotyczne jak wspomnianej pary z artystycznej bohemy cierpiącej na zaburzenia charakteru.

Przeciwstawny model przywództwa, z jakiego często korzystają nerwicowcy pod dyktando swojego poczucia winy, jest równie destruktywny. W tym przypadku właściciel tak obsesyjnie lęka się, że jego niewolnicy (uczucia) mogą wymknąć się spod kontroli, i tak usilnie stara się, by nie sprawiali mu kłopotów, że trzyma ich żelazną ręką i surowo karze za każdy przejaw niesubordynacji. Przy takim stylu rządzenia niewolnicy stają się coraz mniej produktywni, ponieważ ich wolę paraliżuje brutalność traktowania. Ich wola może się też wyrazić w otwartej rebelii. Jeśli taki proces potrwa wystarczająco długo, to pewnej nocy najgorsze obawy ich właściciela się sprawdzą; niewolnicy zwrócą się przeciw niemu i spalą jego dom wraz z nim. Właśnie w ten sposób rodzą się niektóre psychozy i ciężkie nerwice.

Właściwie zarządzanie swoimi uczuciami polega na trudnym i wymagającym nie lada wysiłku znajdowaniu złotego środka. Wymaga ono stałego czuwania, osądu i zachowania dynamicznej równowagi. Roztropny właściciel traktuje swoje uczucia (niewolników) z respektem; zapewnia im dobre pożywienie, schronienie i opiekę medyczną; słucha i reaguje na to, co mówią; motywuje ich, interesuje się ich zdrowiem, lecz równocześnie zarządza nimi, wytycza im granice, rozstrzyga spory, koryguje ich działania i uczy, nie pozostawiając cienia wątpliwości, kto tu rządzi. Tak właśnie wygląda zdrowa samodyscyplina.

Do uczuć, które trzeba brać w karby, należy również tak zwane uczucie miłości. Jak już wykazałem, nie jest ono samo w sobie prawdziwą miłością, lecz uczuciem towarzyszącym kateksji. Należy mu się niezwykły respekt i dbałość, gdyż obdarza nas ogromną energią twórczą. Jeśli jednak pozwoli mu się na niepohamowane swawole, to rezultatem będzie nie prawdziwa miłość, lecz zagubienie i nieskuteczność życiowa. Ponieważ prawdziwa miłość wiąże się z poszerzaniem własnej jaźni, wymaga ogromnej energii. A my dysponujemy jej ograniczonymi zasobami, tak jak dzień ma określoną liczbę godzin. Po prostu nie jesteśmy w stanie miłować wszystkich. Możemy żywić uczucie miłości do całego rodzaju ludzkiego i czerpać z tego moc do przejawiania prawdziwej miłości wobec kilku wybranych osób, jednak nie jesteśmy w stanie miłować wszystkich jednakowo.

Gdy przekraczamy swój limit energii, próbujemy dać więcej, niż mamy, i dlatego każdy z nas ma własne granice, których nie powinien przekraczać. Poza nimi nasze usiłowania można porównać do wystawiania czeku bez pokrycia, co szkodzi tym, których pragnęlibyśmy wspierać. Z tego wynika, że jeśli należymy do grona tych szczęśliwców, o których uwagę zabiega wielu, musimy wybrać tylko tych, których rzeczywiście możemy miłować. Ten wybór nie jest łatwy i może być niezwykle bolesny, tak jak przyjęcie niemalże boskiej mocy. Jednak należy go dokonać. Dokonując go, trzeba uwzględnić wiele czynników, przede wszystkim zdolność przyszłego biorcy naszej miłości do odpowiadania na nią własnym rozwojem duchowym. Ludzie różnią się między sobą tą zdolnością — powrócę do tego zagadnienia później. Niektórzy są tak nieprzystępni, że nawet największe wysiłki wsparcia ich rozwoju skazane są na niechybną porażkę. Próby miłowania kogoś, kto nie potrafi korzystać z naszej miłości, są stratą energii; taką samą jak rzucanie pereł przed wieprze. Prawdziwa miłość jest drogocenną perłą, a ludzie do niej zdolni wiedzą, że ich miłowanie musi być poddane samodyscyplinie, by czynić z niej jak najlepszy użytek.

Należy również zwrócić uwagę na problem miłowania zbyt wielu ludzi. Niektórzy są w stanie miłować więcej niż jedną osobę i utrzymywać jednocześnie wiele prawdziwie miłujących związków. Jednak wiążą się z tym pewne problemy. Jednym z nich jest mit romantycznej miłości, zgodnie z którym ludzie „są dla siebie przeznaczeni". Ekstrapolując ten mit, można stwierdzić, że nie są przeznaczeni dla kogoś innego. Ów mit postuluje wyłączność, zwłaszcza seksualną. Tym samym prawdopodobnie przyczynia się do trwałości i produktywności ludzkich związków, ponieważ znakomita większość ludzi zmuszona jest ograniczać swoją zdolność poszerzania jaźni do rozwijania prawdziwie miłujących związków z własnymi małżonkami i dziećmi. Można zaryzykować twierdzenie, że jeżeli komuś udało się zbudować prawdziwie miłujące związki ze swoim małżonkiem i swoimi dziećmi, to udało mu się dokonać więcej niż wielu innym ludziom przez całe życie. Jest coś patetycznego w usiłowaniach osób, którym nie udało się stworzyć miłującej rodziny, lecz nie ustają w próbach stworzenia miłujących związków poza nią. Pierwszym obowiązkiem osoby prawdziwie miłującej zawsze będzie jej związek małżeński i rodzicielski. Spotkać można również ludzi, których zdolność miłowania jest tak wielka, że pozwala stworzyć miłujące związki w rodzinie i pozostawia jeszcze dość energii na wspieranie rozwoju osób, które do niej nie należą. Dla nich mit wyłączności jest nie tylko oczywistym fałszem, lecz stanowi także niepotrzebne ograniczenie narzucone na ich zdolność miłowania ludzi spoza rodziny. Ograniczenie to można przezwyciężyć, ale wymaga to ogromnej samodyscypliny poszerzania swojej jaźni, by nie „rozsmarować się zbyt cienko".

Do tego bardzo złożonego zagadnienia, które w moich rozważaniach jedynie sygnalizuję, odniósł się Joseph Fletcher — teolog anglikański i autor *The New Morality*, mówiąc do mojego przyjaciela: „Ideałem byłaby wolna miłość. Niestety, jest to ideał, do którego tylko nieliczni z nas są zdolni". Mówiąc to, miał na myśli, że tylko nieliczni ludzie mają wystarczająco wielką samodyscyplinę, by utrzymywać konstruktywne, prawdziwie miłujące związki zarówno w obrębie

159

swojej rodziny, jak i poza nią. Wolność i dyscyplina pełnią wobec miłości funkcję służebną; wolność bez dyscypliny prawdziwej miłości zawsze jest destrukcyjna.

Być może niektórzy z czytelników mają już w tym momencie przesyt mówienia o dyscyplinie i dochodzą do wniosku, że jestem orędownikiem posępnego, kalwińskiego stylu życia. Nieustanna samodyscyplina! Ciągłe badanie własnej jaźni! Obowiązek! Odpowiedzialność! Można powiedzieć — neopurytanizm. Nazywajcie to, jak chcecie, lecz prawdziwa miłość z całą dyscypliną, jakiej wymaga, jest jedyną ścieżką, na której można odnaleźć prawdziwą radość. Gdy będziecie podążać inną ścieżką, być może przeżyjecie rzadkie chwile ekstatycznej radości, lecz będą one ulotne i coraz bardziej ułudne. Gdy miłuję prawdziwą miłością, poszerzam swoją jaźń, a gdy poszerzam swoją jaźń, rozwijam się. Im bardziej miłuję, im dłużej miłuję, tym moja jaźń staje się pełniejsza. Prawdziwa miłość jest jaźni spełnieniem. Im bardziej jestem oddany wspieraniu rozwoju duchowego innych ludzi, tym więcej otrzymuję od nich wsparcia dla własnego rozwoju. Jestem całkowicie samolubnym człowiekiem. Nigdy nie czynię dla kogoś innego czegoś, czego nie uczyniłbym dla siebie. I gdy miłością wzrastam, rośnie moja radość, coraz bardziej wyczuwalna i coraz bardziej stała. Być może jestem purytaninem. Ale jestem również wybrykiem radości. Jak śpiewa John Denver:

> Miłość wszędzie jest i ja mogę widzieć ją
> Jesteś we wszystkim, a więc dalej wszędzie bądź.
> Życie przednią jest zabawą i ja wierzę w to
> Zatem włącz się w tę zabawę i miłością bądź*.

---

* John Denver, Joe Henry, Steve Weisberg, John Martin Sommers, *Love Is Everywhere*, © 1975 Cherry Lane. Cytowane za zgodą.

MIŁOŚĆ JEST ODRĘBNOŚCIĄ

Choć wspieranie cudzego rozwoju duchowego wspiera również rozwój własny, jedną z głównych cech rzeczywistej miłości jest uszanowanie odrębności osób tworzących miłujący związek. Człowiek miłujący zawsze postrzega osobę miłowaną jako kogoś o odrębnej tożsamości; szanuje, a nawet wspiera jej odrębność i niepowtarzalną indywidualność. Jednak niezdolność do postrzegania i respektowania tej odrębności jest nadzwyczaj powszechna i przyczynia się do wielu chorób psychicznych oraz zbędnych cierpień. Skrajna forma niezdolności postrzegania odrębności innych ludzi nazywana jest narcyzmem. Na poziomie emocjonalnym osoby cierpiące na to zaburzenie mogą być również niezdolne do postrzegania odrębności swoich dzieci, małżonków czy przyjaciół.

Po raz pierwszy miałem okazję się przekonać, czym jest głęboki narcyzm, podczas rozmowy z rodzicami pewnej pacjentki cierpiącej na schizofrenię. Będę ją nazywał Susan X. Miała wówczas trzydzieści jeden lat. Od osiemnastego roku życia wielokrotnie podejmowała próby samobójcze, a przez ostatnie trzynaście lat musiała przebywać w szpitalach i sanatoriach. Po wielu latach terapii prowadzonej przez doskonałych psychiatrów jej stan zaczął się wreszcie poprawiać. Po kilku miesiącach naszej współpracy zaczęła stopniowo przejawiać coraz większą zdolność do darzenia zaufaniem ludzi na to zasługujących i odróżniania ich od tych, którzy nie są tego godni. Zaczęła godzić się z faktem, że cierpi na schizofrenię i do końca życia będzie musiała wykazywać niezwykłą samodyscyplinę, aby radzić sobie z tą chorobą, że będzie musiała nauczyć się szacunku dla siebie samej i uczynić to, co konieczne, by móc dbać o siebie i nie być zdaną na opiekę osób trzecich.

Ze względu na jej ogromne postępy uznałem, że Susan wkrótce będzie mogła opuścić szpital i wieść samodzielne życie. Zaprosiłem jej rodziców na spotkanie — atrakcyjną, zamożną parą po pięćdziesiątce. Z nieukrywaną radością wyjaśniałem im postępy poczynione przez Susan i powody mojego optymizmu. Jednak słuchając tych wyjaśnień, ku mojemu zdumieniu matka Susan zaczęła cichutko płakać. Kontynuowałem swoją radosną relację. Z początku myślałem, że to łzy radości, lecz jej twarz pełna była niekłamanego smutku. Wreszcie nie wytrzymałem i spytałem:

— Przyznam, że jestem zaskoczony. Przedstawiłem państwu wspaniałe rokowania, lecz pani zdaje się czymś smucić?

— Oczywiście, że jestem bardzo smutna — odparła. — Nie mogę się powstrzymać od płaczu na myśl, przez co ta biedna Susan musiała przejść.

Jąłem więc szczegółowo wyjaśniać, że co prawda Susan rzeczywiście wiele wycierpiała podczas choroby, lecz również wiele nauczyła się dzięki swojemu cierpieniu, że ma to już za sobą i że — według mnie — jest nieprawdopodobne, by w przyszłości cierpiała bardziej niż inni ludzie. W zasadzie można mieć pewność, że będzie cierpieć dużo mniej niż ktokolwiek z obecnych w moim gabinecie, ponieważ dzięki swojej walce ze schizofrenią posiadła znaczną wiedzę.

Mimo tych wyjaśnień pani X. nadal popłakiwała.

— Doprawdy, pani X., jestem zaskoczony pani reakcją — powiedziałem. — W ciągu ostatnich trzynastu lat odbyła pani kilkanaście podobnych konsultacji z psychiatrami Susan i z tego, co mi wiadomo, żadna nie była tak optymistyczna jak ta. Czy w związku z tym nie czuje pani nic prócz smutku?

— Mogę myśleć tylko o tym, jak trudne życie czeka Susan — odparła pani X. z płaczem.

— Niech mnie pani uważnie wysłucha, pani X. Czy jest coś takiego, co mógłbym pani powiedzieć o Susan, by dodać pani otuchy i radości? — spytałem.

— Życie biednej Susan jest tak przepełnione cierpieniem — nadal zawodziła pani X.

Nagle zdałem sobie sprawę, że pani X. nie płacze nad Susan, lecz nad sobą! Płakała nad swoim własnym bólem i cierpieniem. Choć rozmowa dotyczyła Susan, a nie pani X., ta płakała niejako za córkę. Zastanawiałem się, co jest tego przyczyną. I wtedy olśniło mnie, że pani X. nie odróżnia siebie od Susan. Pani X. była przeświadczona, że to, co ona czuła, musiała czuć także Susan. Używała córki jako środka wyrażania własnych emocji. Nie czyniła tego rozmyślnie czy złośliwie; na poziomie emocjonalnym najprawdopodobniej nie postrzegała Susan jako osoby o odrębnej tożsamości. W jej emocjach nie było miejsca dla jej córki ani prawdopodobnie dla nikogo, kto byłby odrębną istotą, żyjącą swoim własnym życiem. Na poziomie intelektualnym pani X. uznawała, że istnieją odrębni od niej ludzie, lecz na głębszym poziomie nie istniał dla niej nikt. Pani X. była całym światem.

W trakcie mojej wieloletniej praktyki często spotykałem się z przypadkami głębokiego narcyzmu wśród matek dzieci chorych na schizofrenię — takimi jak przypadek pani X. Nie chcę przez to powiedzieć, że matki takich dzieci zawsze są narcystyczne lub że narcystyczne matki nie mogą wychować dzieci zdrowych. Schizofrenia jest niezwykle złożonym zaburzeniem psychicznym determinowanym zarówno genetycznie, jak i przez wpływy środowiska. Jednak można sobie wyobrazić stan splątania, w jaki popadła w dzieciństwie Susan wskutek narcyzmu jej matki. Łatwo dostrzec przyczyny tego splątania, obserwując postępowanie narcystycznych matek wobec swoich dzieci.

Wyobraźmy sobie taką sytuację: Susan wraca ze szkoły do domu i z radością mówi matce, że dostała piątkę z rysunków, a nauczyciel pochwalił ją za postępy w tym przedmiocie. Radosna relacja córki przerwała pani X. rozmyślania nad własną niedolą, więc mówi córce: „Idź i prześpij się. Nie powinnaś się tak przepracowywać. Program nauczania jest do kitu. W szkole uczą nie tego, co trzeba". Innym razem to pani X. jest w doskonałym humorze, lecz Susan wraca do domu zapłakana, bo w szkolnym autobusie dokuczali jej chłopcy. Na to pani X. mówi: „Prawda, że wasz kierowca, pan Jones jest wspaniałym człowiekiem? Jest dla was taki miły i cierpliwy. Uważam, że na Gwiazdkę powinnam mu dać jakiś prezent". Ponieważ osoby z zaburzeniami narcystycznymi nie postrzegają odrębności innych ludzi i traktują ich tylko jako przedłużenie samych siebie, brakuje im zdolności odczuwania tego, co czują inni. Pozbawieni empatii narcystyczni rodzice zazwyczaj niewłaściwie komunikują się ze swoimi dziećmi na poziomie emocjonalnym, gdyż nie udaje im się rozpoznawać ani reagować na ich uczucia. Nie powinno więc dziwić, że gdy ich dzieci dorosną, mają duże trudności z rozpoznaniem, zaakceptowaniem — a co za tym idzie — z panowaniem nad własnymi emocjami.

Choć zazwyczaj rodzice nie są aż tak narcystyczni jak pani X., większość ma problemy z docenieniem indywidualizmu czy „inności" swoich dzieci. Przykłady można mnożyć. Rodzice mówią o dziecku: „To wykapany ojciec" lub do dziecka: „Jesteś taki sam jak wujek Jim", tak jakby dzieci stanowiły genetyczną kopię ich samych lub innych członków rodziny. Tymczasem mechanizm rekombinacji genetycznej sprawia, że dzieci pod wieloma względami niesłychanie różnią się od rodziców i wszystkich swoich przodków. Kochający sport ojcowie popełniają błąd, zmuszając swoje dzieci, które wolą czytanie książek od kopania piłki. Natomiast bibliofile popełniają podobny błąd, nakłaniając dzieci, które wolą sport, do czytania książek. W obu przypadkach wywołuje to u dzieci poczucie winy i niepotrzebne splątanie. Żona pewnego generała tak narzekała na siedemnastoletnią córkę: „Gdy jest w domu, wciąż przesiaduje w swoim pokoju i wypisuje jakieś smutne wierszydła. To jakaś choroba, panie doktorze. I na dodatek w ogóle nie chce chodzić na prywatki. Boję się, czy nie jest poważnie chora". Po rozmowie z Sally — czarującą i żywotną, młodą kobietą, której imię wpisano do honorowej księgi szkoły i która ma wielu przyjaciół — powiedziałem jej rodzicom, że córka cieszy się doskonałym zdrowiem, i zasugerowałem, że nie powinni usiłować zmienić jej za wszelką cenę po to, by uczynić z niej kalkę samych siebie. Ponieważ moje sugestie wydały się im nie do przyjęcia, udali się do innego psychiatry w nadziei, że być może ten stwierdzi u ich córki odchylenia od normy.

Nastolatki często się skarżą, że narzuca się im dyscyplinę nie na podstawie szczerej troski, lecz ze strachu, że zepsują swoim rodzicom opinię. „Moi rodzice stale każą mi obcinać włosy — mówił mi kilka lat temu pewien dorastający chłopak. — Nie potrafią mi wytłumaczyć, dlaczego długie włosy są złe. Po prostu nie chcą, by inni widzieli, że ich syn nosi długie włosy. Gówno ich obchodzę. Troszczą się tylko o to, co powiedzą inni". Takie żale dzieci do rodziców są często uzasadnione. Rodzicom na ogół nie udaje się docenić wyjątkowej indywidualności swoich dzieci i traktują je jak przedłużenie samych siebie. Podobnie jak eleganckie ubranie, schludnie wystrzyżony trawnik czy wypucowany samochód, które pokazują światu ich status społeczny. O subtelniejszych, lecz nie mniej destruktywnych i powszechnie spotykanych u wszystkich bez mała rodziców formach narcyzmu pisał Khalil Gibran, zawierając istotę problemów związanych z wychowywaniem dzieci w tych pięknych słowach:

Wasze dzieci waszymi dziećmi nie są.
Są synami i córami Życia siebie łaknącego.
Przychodzą przez was, lecz nie z was są.
I choć są z wami, to do was nie należą.

Możecie im dać swoją miłość, lecz nie myśli wasze,
Jako że swoje własne myśli posiadają.
Możecie gościć ich ciała, lecz nie dusze,
Gdyż ich dusze w raju trwają,
do którego choćby w snach waszych wejść nie zdołacie.
Możecie starać się być takimi jak one,
lecz nie próbujcie czynić ich do was podobnymi.
Bo życie wstecz nie płynie ni na wczoraj nie czeka.

Jesteście łukami, z których dzieci wasze
niczym żywe strzały są w przyszłość wypuszczane.
Łucznik widzi cel na ścieżce nieskończoności
i napina was swoją mocą,
by Jego strzały szybowały chyżo a daleko.

Radujcie się waszym miejscem w dłoniach Łucznika;
Gdyż tak jak strzałę szybującą miłuje,
tako łuk, który jest trwały.

Trudności, które ma wielu ludzi z docenianiem odrębności osób im bliskich, przeszkadzają nie tylko w rodziciel-
stwie, lecz również we wszystkich zażyłych związkach,
a zatem także w związku małżeńskim. Dość niedawno, podczas prowadzonej przeze mnie i moją żonę grupowej terapii małżeństw jeden z jej uczestników stwierdził, że „celem
i funkcją" jego żony jest sprzątanie domu i gotowanie
smacznych posiłków. Osłupiałem, słysząc ten rażący przykład męskiego szowinizmu. Pomyślałem, że uda mi się go
przekonać o błędności jego punktu widzenia, prosząc innych uczestników terapii o określenie roli ich współmałżonków. Ku mojemu przerażeniu sześć innych osób — mężczyzn i kobiet — powiedziało prawie to samo. Wszyscy
definiowali zadanie mężów lub żon w odniesieniu do siebie; nie udawało im się dostrzec, że ich partnerzy lub partnerki mogą wieść życie nie mające wiele wspólnego z ich
własnym lub oprócz obowiązków małżeńskich realizować
również inne cele. „O zgrozo! — zawołałem. — Nic dziwnego, że wszyscy macie kłopoty z ustaleniem właściwych
relacji w waszych związkach. I będziecie je mieć, dopóki
nie zrozumiecie, że każde z was ma swoje odrębne zadanie
do wypełnienia". Uczestnicy zajęć poczuli się nie tylko
skarceni, ale bardzo zawstydzeni moją wypowiedzią. Trochę zaczepnie poprosili o definicję celu i funkcji mojej
żony. Odparłem: „Celem i funkcją Lily jest rozwijać się do
granic swoich możliwości; nie dla mojego, lecz dla jej do-

bra i dla chwały Bożej". Usłyszawszy moją definicję, przez długi czas nie byli w stanie jej zaakceptować.

Problem odrębności w związkach zażyłych pozostaje na dobrą sprawę do dziś nie rozwiązany. Przez stulecia poświęcano mu jednak więcej uwagi z politycznego niż z małżeńskiego punktu widzenia. Czysty komunizm wyznawał filozofię podobną do punktu widzenia par uczestniczących w prowadzonej przeze mnie terapii grupowej: celem i funkcją jednostki jest służyć związkowi, grupie, kolektywowi, społeczeństwu. Liczy się tylko interes społeczny; los jednostki jest bez znaczenia. Natomiast czysty kapitalizm przedkłada pomyślność jednostki, nawet wówczas, gdy osiągana jest kosztem związku, grupy, kolektywu czy społeczeństwa. Wdowy i sieroty mogą głodować, lecz nie powinno to uniemożliwiać przedsiębiorczej jednostce konsumowania owoców własnej inicjatywy. Po dogłębnej analizie obu modeli okaże się, że żadne z tych „czystych" rozwiązań problemu odrębności w stosunkach międzyludzkich nie jest dobre.

Zdrowie jednostki zależy od zdrowia społeczeństwa; zdrowie społeczeństwa zależy od zdrowia jednostek. Zajmując się tym problemem podczas grupowej terapii małżeństw, ja i moja żona porównujemy małżeństwo do wyprawy alpinistycznej. Aby taka wyprawa się powiodła, trzeba zakładać coraz wyżej położone obozowiska — tak zwane bazy. Jeśli ktoś planuje wspinaczkę, to musi pomyśleć o miejscu, w którym znajdzie schronienie i zaopatrzenie, gdzie zregeneruje siły i odpocznie przed kolejną wyprawą w góry. Wytrawni alpiniści wiedzą, że powinni poświęcić przynajmniej tyle samo czasu — jeśli nie więcej — na przygotowanie bazy, ile potrwa sama wspinaczka, ich przeżycie zależy bowiem od tego, jak starannie założą i zaopatrzą obóz. Nagminny i tradycyjnie męski problem w małżeństwie stwarza małżonek, który, gdy tylko się ożeni, całą energię poświęca wspinaczce, a nie trosce o małżeństwo, czyli o swoją bazę, za utrzymanie której nie czuje się odpowiedzialny, oczekując jednocześnie, że będzie ona zawsze doskonale zorganizowana, ilekroć przyjdzie mu ochota na wypoczynek i relaks. Wcześniej czy później to „kapitalistyczne" podejście do problemu zawiedzie, a on sam pewnego dnia stwierdzi, że zaniedbywana baza popadła w ruinę, zaniedbywana żona znalazła się w szpitalu z powodu załamania nerwowego albo uciekła z innym alpinistą, czy też w inny sposób zrzekła się funkcji oboźnej.

Równie powszechny i tradycyjnie kobiecy problem w małżeństwie stwarza żona, która po wyjściu za mąż uważa, że cel jej życia został osiągnięty. Dla niej baza jest szczytem. Nie potrafi zrozumieć, że mąż potrzebuje osiągnięć pozamałżeńskich, i reaguje na te potrzeby zazdrością i stałymi żądaniami, by ten poświęcał domowemu ognisku więcej czasu i energii. Podobnie jak inne „komunistyczne" rozwiązania problemu, i to owocuje związkiem, który dusi i dławi, i z którego mąż — czując się uwikłanym i ograniczanym — najprawdopodobniej ucieknie wraz z nadejściem „kryzysu wieku średniego".

Ruch wyzwolenia kobiet wielce się przyczynił do wskazania rozwiązania, które byłoby niewątpliwie idealne: małżeństwa jako instytucji opartej na współdziałaniu wymagającym od obu partnerów wielkiego, wspólnego wkładu i troski, czasu i energii, lecz istniejącej przede wszystkim dla wspierania wszystkich jej członków w ich wyprawach na indywidualne szczyty rozwoju duchowego. Mężczyzna i kobieta muszą wspólnie dbać o domowe ognisko i wspólnie podejmować działania mające na celu rozwój obojga małżonków.

Gdy byłem nastolatkiem, bardzo wzruszały mnie słowa miłości wypowiedziane przez amerykańską poetkę Ann Bradstreet do swojego męża: „Jeśli kiedykolwiek dwoje było jednym, to my"*. Jednak gdy dojrzałem, zdałem sobie sprawę,

---

* *To My Dear and Loving Husband*, 1678, w: Walter Blair i in. (red.), *The Literature of the United States*, Glenview, IL, Scott, Foresman, 1953, s. 159.

że to właśnie odrębność partnerów wzbogaca związek. Dobre małżeństwa nie mogą być stworzone przez jednostki, które przeraża osamotnienie — jak to często bywa — i w małżeństwie szukają jedynie ucieczki od samotności. Prawdziwa miłość nie tylko respektuje indywidualność drugiej osoby, lecz stara się jej sprzyjać — nawet jeśli wiąże się to z ryzykiem odejścia lub utraty partnera. Ostatecznym celem życia zawsze jest duchowy rozwój jednostki — samotna wyprawa na szczyt, na który we dwójkę wspiąć się nie sposób. Takie wyprawy nie mogą się powieść bez wsparcia dawanego przez dobre małżeństwo lub dojrzałe społeczeństwo.

Małżeństwo i społeczeństwo istnieją tylko po to, by wspierać indywidualne wyprawy. I tak jak zawsze w związkach rzeczywiście miłujących, „poświęcenie" na rzecz czyjegoś rozwoju owocuje takim samym lub nawet większym rozwojem własnym. Powrót jednostki do wspierającego ją małżeństwa lub społeczeństwa ze szczytu, na który wspięła się samotnie, podnosi owo małżeństwo lub społeczeństwo na nie znane mu dotąd wyżyny. W ten sposób rozwój indywidualny i rozwój społeczny są wzajemnie zależne, lecz zawsze i nieuchronnie odbywają się dzięki samotnemu zdobywaniu grani. Właśnie z osamotnienia w swojej mądrości prorok Khalil Gibran tymi słowy mówi do nas o małżeństwie:

Zauważcie jednak, by w owym byciu razem
rozpostarły się również przestrzenie niczyje,
tak aby między wami wiatry niebios tańczyć mogły.

Kochajcie się nawzajem,
lecz nie czyńcie z miłości kajdan:
Niech będzie ona raczej morzem,
falującym między brzegami dusz waszych.

Napełniajcie sobie nawzajem kielichy,
lecz z jednego nie pijcie.
Częstujcie jedno drugie chlebem,

lecz nie jedzcie z tego samego bochenka.
Śpiewajcie, tańczcie i weselcie się pospołu,
lecz pozwólcie sobie na samotność.

Podobnie struny lutni:
chociaż każda osobno,
dźwięczą tą samą muzyką.
Ofiarujcie sobie serca,
lecz nie w jasyr żadnego z was.
Jako że tylko ręka Życia
może serca wasze posiąść.

I stójcie razem, lecz nie za blisko siebie:
Gdyż kolumny świątyni stoją osobno,
A dąb i cyprys nie wzrastają w swoim cieniu*.

MIŁOŚĆ I PSYCHOTERAPIA

Trudno mi teraz dokładnie odtworzyć motywy i rozumowanie, które spowodowały, że piętnaście lat temu postanowiłem praktykować psychiatrię. Z pewnością chciałem „pomagać" ludziom. Jednak specjalizacje medyczne wymagające stosowania środków technicznych wydawały mi się mało pociągające i mnie nie interesowały. Doszedłem do wniosku, że rozmowa z ludźmi daje więcej radości niż ich opukiwanie i nakłuwanie, a wybryki ludzkiego umysłu wydawały mi się o wiele ciekawsze niż dolegliwości ludzkiego ciała czy wyczyny atakujących je bakterii. Nie miałem pojęcia, w jaki sposób psychiatrzy pomagają ludziom. Fantazjowałem, że najprawdopodobniej znają jakieś magiczne słowa i sposoby od-

---

* Khalil Gibran, *Prorok*, przeł. Barbara Sitarz, Świdnica, Wydawnictwo Pluton, 1991, s. 23-24.

działywania na pacjentów, którymi w czarodziejski sposób rozplątują supły psyche. Być może chciałem być takim czarnoksiężnikiem. Niewiele wiedziałem o związku tej pracy z rozwojem duchowym pacjentów i nawet nie przypuszczałem, że przyczyni się ona do mojego rozwoju duchowego. W pierwszych miesiącach praktyki pracowałem z pacjentami cierpiącymi na poważne zaburzenia, którym więcej ulgi zdawały się przynosić pigułki, elektrowstrząsy i opieka dobrej pielęgniarki niż sesje ze mną. Poznałem jednak tradycyjnie stosowane „zaklęcia" i techniki terapeutyczne. Niedługo potem zacząłem prowadzić w przychodni moją pierwszą długotrwałą terapię pacjentki chorej na nerwicę. Nazwę ją Marcia. Przychodziła na sesje trzy razy w tygodniu. Jej terapia nastręczała wiele trudności. Marcia nie mówiła o tym, o co ją pytałem, bądź nie w taki sposób, jakiego ja sobie życzyłem, a niekiedy w ogóle nic nie mówiła. Pod wieloma względami nasze punkty widzenia całkowicie się różniły. W trakcie naszych utarczek raz ona trochę ustępowała, a raz ja. Ta batalia trwała dość długo. Wyczerpałem cały zapas magicznych słów, technik i póz, lecz nie dostrzegłem u Marcii żadnych symptomów poprawy.

Krótko po pierwszych kilku sesjach zaczęła prowadzić skandalizujący tryb życia, nawiązując liczne romanse z żonatymi mężczyznami. Całymi miesiącami chwaliła mi się swoimi „upadkami". Po roku prowadzenia tej gry znienacka spytała mnie:

— Uważasz mnie za szmatę, prawda?

— Wydaje mi się, że chcesz, bym powiedział, co o tobie myślę? — odparłem błyskotliwie, usiłując zyskać na czasie.

Wyjaśniła, że o to jej właśnie chodzi. I co teraz? Jakie magiczne słowa, techniki czy gesty mogły mi pomóc? Mogłem spytać: „A dlaczego pytasz?" lub: „A jak sądzisz, co myślę o tobie?", czy też: „Nieważne, co ja myślę o tobie; ważne, co ty sama myślisz o sobie". Jednak miałem nieodparte wrażenie, że takie gambity byłyby z mojej strony unikiem i że po roku przychodzenia do mnie trzy razy w tygodniu

Marcia zasługiwała przynajmniej na szczerość z mojej strony. Nie byłem do tego przygotowany; mówienie komuś wprost, co się o nim myśli, nie należało do zestawu magicznych słów i technik, których uczono mnie na studiach. Taka interakcja z pacjentem nie była wskazana. Sam fakt, że o niej nie mówiono, wskazywał na to, że taka metoda nie mieściła się w arsenale uznanych sposobów terapii. Znalazłem się więc w sytuacji, do jakiej nie dopuściłby żaden doświadczony psychiatra. Co począć? Z sercem bijącym jak młot, uchwyciłem się czegoś, co wydawało się ostatnią szansą:

— Marcia — powiedziałem. — Przychodzisz do mnie od ponad roku. Nie jest nam łatwo. Przeważnie walczymy i ta walka jest dla nas nudna, szarpie nasze nerwy, a niejednokrotnie budzi w nas gniew. Mimo to nadal do mnie przychodzisz, choć wymaga to od ciebie sporo wysiłku i sprawia ci nie lada kłopot: sesja po sesji, tydzień po tygodniu, miesiąc po miesiącu. Nie robiłabyś tego, gdybyś nie była osobą zdecydowaną rozwijać się i chętną do ciężkiej pracy nad sobą. Nie sądzę, by taka osoba jak ty zasługiwała na miano szmaty. A zatem odpowiedź brzmi: nie, nie uważam cię za szmatę. Czuję do ciebie wielki szacunek.

Po tej rozmowie Marcia natychmiast wybrała jednego spośród tuzina swoich kochanków i stworzyła z nim dobry związek, który po pewnym czasie przekształcił się w bardzo udane małżeństwo. Nigdy więcej nie nawiązywała stosunków pozamałżeńskich. Zaczęła mówić o tym, co w niej dobre. Bezsensowna walka między nami natychmiast ustała, a dalsza praca toczyła się gładko i sprawiała nam wiele radości dzięki niezwykle szybkim postępom. Co zaskakuje, moje dojście do krawędzi, którym było ujawnienie moich pozytywnych uczuć do Marcii, zamiast jej zaszkodzić, najwidoczniej przyniosło terapeutyczne korzyści i bez wątpienia stało się punktem zwrotnym w jej terapii.

Jakie to ma znaczenie? Czy to oznacza, że aby odnosić sukcesy w psychoterapii, powinniśmy mówić pacjentom, że mamy o nich dobre zdanie? Raczej nie. Przede wszystkim trzeba być uczciwym. Szczerze podziwiałem i lubiłem Marcię. Mój podziw i sympatia miały dla niej znaczenie ze względu na długi okres naszej znajomości i głębię naszych wspólnych doświadczeń poczynionych podczas terapii. Punkt zwrotny został osiągnięty nie dzięki mojemu lubieniu jej czy podziwianiu, lecz był efektem charakteru naszego związku.

Podobnie dramatyczny zwrot nastąpił podczas terapii innej młodej kobiety, którą nazwę Helen. Przychodziła do mnie dwa razy w tygodniu przez dziewięć miesięcy, jednak jej stan się nie poprawiał. Nie żywiłem do niej jakichś szczególnie pozytywnych uczuć. Nie wiedziałem nawet, kim była. Nigdy przedtem nie zdarzyło mi się pracować z pacjentem tak długo i nie wyrobić sobie zdania na temat jego osobowości i natury jego problemów. Byłem kompletnie zagubiony i kilka nocy spędziłem na bezskutecznych próbach uporządkowania tego przypadku. Przede wszystkim wiedziałem, że Helen mi nie ufa. Głośno wyrzucała mi, że w ogóle się o nią nie troszczę i chodzi mi wyłącznie o jej pieniądze.

Podczas pewnej wizyty, dziewięć miesięcy po rozpoczęciu terapii, powiedziała:

— Nie wyobraża pan sobie, doktorze Peck, jak frustrujące są dla mnie próby komunikowania się z panem, ponieważ pan w ogóle nie interesuje się mną i nie dba o moje uczucia.

— Helen — odparłem. — Ta sytuacja jest frustrująca dla nas obojga. Nie wiem, jak to zrozumiesz, ale muszę powiedzieć, że jesteś najbardziej frustrującym przypadkiem w mojej dziesięcioletniej pracy psychoterapeutycznej. Nie miałem jeszcze pacjenta, który po tak długiej terapii zrobiłby tak niewielkie postępy. Być może masz rację, mówiąc, że nie jestem odpowiednią osobą do pracy z tobą. Sam nie wiem. Nie chcę się poddać, ale stanowisz dla mnie bardzo trudną zagadkę i chyba nie uda mi się ustalić, dlaczego nasza współpraca jest bezowocna.

Twarz Helen rozpromienił uśmiech.

— A jednak zależy panu na mnie — powiedziała.

— Jak mam to rozumieć?

— Gdyby panu na mnie nie zależało, nie czułby pan takiej frustracji — odparła, jakby to było całkiem oczywiste. Już podczas następnej wizyty Helen zaczęła mówić o sprawach, które przedtem skrywała lub na temat których fantazjowała. Po tygodniu udało mi się zdiagnozować, na czym polega jej główny problem i w ogólnych zarysach zaplanować terapię. Moja reakcja na słowa Helen była właściwa i wywołała pozytywny skutek właśnie ze względu na moje głębokie zaangażowanie i zażartość walki, jaką toczyliśmy przez dziewięć miesięcy.

Myślę, że w tym momencie możemy się pokusić o wyciągnięcie pewnych wniosków co do przesłanek skutecznej terapii. Nie chodzi w niej o „bezwarunkowo pozytywne nastawienie", magiczne słowa, techniki czy gesty. Przede wszystkim potrzebne jest zaangażowanie stron, które niekiedy może przybrać nawet pozory walki. Potrzebna jest wola psychoterapeuty, by poszerzać swoją jaźń, aby wesprzeć rozwój pacjenta, wola balansowania na krawędzi, wola prawdziwego zaangażowania się na poziomie emocjonalnym w związek psychoterapeutyczny i wola prawdziwej walki z pacjentem i z sobą. Reasumując, możemy stwierdzić, że podstawą skutecznej psychoterapii jest miłość.

Zastanawiać może niepojęty skądinąd fakt, że w obszernej literaturze Zachodu na temat zagadnień psychoterapii ignoruje się kwestię jej związku z miłością. Hinduscy guru nie kryją, że źródłem ich siły jest miłość*. Natomiast zachodnia literatura fachowa tylko napomyka o tym zagadnieniu i zajmuje się głównie próbami analizowania różnic między psychoterapią skuteczną i nieskuteczną, a fachowe artykuły zazwyczaj kończą się konkluzją, że skuteczny psychoterapeuta charakteryzuje się „ciepłem" i „empatią". Posługiwanie się

---

* Zob. Peter Brent, *The God Men of India*, New York, Quadrangle Books, 1972.

174

tymi eufemizmami sprawia wrażenie, jakby miłość wprawiała nas w zakłopotanie.

Istnieje kilka przyczyn tego stanu rzeczy. Jedną z nich jest mylenie prawdziwej miłości z miłością romantyczną, tak rozpowszechnione w naszym kręgu kulturowym. Mylone są również inne zagadnienia, które zostały omówione w tej części książki. Winą za taki stan rzeczy obarczałabym nasz racjonalizm i skłonność do uznawania tylko tego, co materialne, namacalne, mierzalne i uznawane przez „medycynę materialistyczną", z której wyewoluowała psychoterapia. Ponieważ miłość jest niematerialna, niemierzalna i nieracjonalna, nie poddaje się analizie naukowej.

Kolejną przyczyną jest obowiązująca w psychiatrii tradycja psychoanalityczna, która nakazuje psychoanalitykowi zachowywać powściągliwość i dystans wobec pacjenta, za co w większym stopniu ponoszą winę następcy Freuda niż on sam. Z tego powodu każdą miłość, jaką pacjent może żywić do terapeuty, określa się mianem przeniesienia, a miłość terapeuty do pacjenta nazywa się przeciwprzeniesieniem. Takie stosunki uznawane są za nienormalne — za część problemu, a nie jego rozwiązanie, dlatego należy ich unikać. To zupełny absurd. Przeniesienie, omówione przeze mnie w poprzedniej części, odnosi się do n i e w ł a ś c i-w y c h uczuć, n i e w ł a ś c i w e g o postrzegania i n i e-w ł a ś c i w y c h reakcji. Nie ma nic niewłaściwego w tym, że pacjenci zaczynają kochać terapeutę, który całymi godzinami słucha ich i nie osądza, który prawdziwie akceptuje ich tak, jak przez nikogo przedtem nie byli akceptowani, który powstrzymuje się od wykorzystywania ich i który niesie im ulgę w cierpieniu. Faktem jest, że istota przeniesienia w wielu przypadkach przeszkadza pacjentowi zawrzeć z psychoterapeutą miłujący związek, kuracja zaś obejmuje takie rozwiązanie problemu przeniesienia, by pacjent mógł doświadczyć skutecznego działania związku miłującego — często po raz pierwszy w życiu. Tak samo nie ma nic niewłaściwego w żywieniu przez terapeutę miłości do pacjenta, który poddaje się dyscyplinie psychoterapii, współpracuje, chce się uczyć od terapeuty i zaczyna się rozwijać dzięki temu związkowi. Intensywna psychoterapia pod wieloma względami przypomina zastępcze lub raczej „ponowne rodzicielstwo". Odczuwanie przez psychoterapeutę miłości do swojego pacjenta nie jest bardziej niewłaściwe niż odczuwanie przez dobrych rodziców miłości do swojego dziecka. Wręcz przeciwnie — dla powodzenia terapii jest bardzo istotne, by terapeuta odczuwał miłość do pacjenta, a jeżeli terapia zaczyna odnosić skutek, to ów terapeutyczny związek przekształca się we wzajemną miłość. Terapeuta musi doświadczyć uczucia miłości, jakie towarzyszy rzeczywistej miłości przejawianej wobec pacjenta.

W większości przypadków choroby psychiczne są spowodowane brakiem lub defektem miłości rodzicielskiej, której dziecko potrzebuje, by prawidłowo się rozwijać i dojrzeć. Jest więc oczywiste, że aby uzdrowić osobę, która dojrzewała w atmosferze braku miłości, terapeuta musi dać jej przynajmniej część miłości, której została pozbawiona. Jeśli psychoterapeuta nie potrafi prawdziwie miłować pacjenta, to próby jego uzdrowienia spełzną na niczym. I nieważne, jakimi dyplomami lub praktyką będzie się legitymował. Jeśli nie chce poszerzać własnej jaźni poprzez miłość do swoich pacjentów, to prowadzona przezeń terapia będzie zwykle nieskuteczna. I odwrotnie, nie mający żadnych dyplomów, w minimalnym stopniu wyszkolony terapeuta, lecz wyrażający wielką wolę miłowania osiągnie wyniki porównywalne z wynikami pracy najlepszych psychiatrów.

Ponieważ miłość często ma podtekst erotyczny, warto krótko omówić zagadnienie stosunków seksualnych psychoterapeutów z pacjentami, któremu prasa niekiedy poświęca wiele uwagi. Związki psychoterapeutyczne są z natury miłujące i oparte na zażyłości, toteż między pacjentami i psychoterapeutami często pojawia się silny, obopólny pociąg seksualny. Pragnienie jego zaspokojenia może niekiedy być ogromne. Podejrzewam, że niektórzy koledzy po fachu, którzy publicznie ganią terapeutów utrzymujących stosunki seksualne z pacjentkami, najprawdopodobniej nie są miłującymi terapeutami i dlatego nie rozumieją ciężaru presji, jaka może wytworzyć się w związku terapeutycznym. Gdybym kiedykolwiek znalazł się w sytuacji psychoterapeutycznej, w której po starannym i rozumnym rozważeniu wszystkich za i przeciw doszedłbym do wniosku, że duchowy rozwój pacjentki wymaga odbywania z nią stosunków płciowych, odbywałbym je. Co prawda w ciągu piętnastu lat praktyki nie miałem ani jednego takiego przypadku i trudno mi wyobrazić sobie, by taka sytuacja kiedykolwiek zaistniała z przyczyn, o których za chwilę powiem.

Rola dobrego terapeuty jest podobna do roli dobrego rodzica, a dobrzy rodzice nie odbywają stosunków seksualnych ze swoimi dziećmi z kilku bardzo ważnych powodów. Rolą rodziców jest wspieranie swoich dzieci, a nie ich wykorzystywanie. Zadanie terapeuty również polega na wspieraniu pacjenta, a nie na wykorzystywaniu go dla zaspokojenia własnych potrzeb. Zadaniem rodziców jest dodawać otuchy dzieciom w ich drodze do niezależności i dokładnie takie samo zadanie stoi przed terapeutą w odniesieniu do jego pacjentów. Trudno sobie wyobrazić, by terapeuta utrzymujący stosunki seksualne z pacjentem nie wykorzystywał go w pewnym stopniu do zaspokajania własnych potrzeb. Jak więc miałoby to dodawać pacjentowi otuchy w jego dążeniu do niezależności?

Wielu pacjentów, zwłaszcza tych najbardziej podatnych na uwiedzenie, odczuwa pociąg seksualny do rodziców, co ewidentnie krępuje ich wolność i rozwój. Zarówno teoria, jak i nieliczne dowody bezpośrednie wyraźnie wskazują na to, że stosunek seksualny terapeuty z takim pacjentem wzmacnia więzi niedojrzałości pacjenta, zamiast je rozluźniać. Nawet jeśli do stosunku jako takiego nie dojdzie, to „zakochanie się" terapeuty w pacjencie może przynieść tylko szkodę, gdyż — jak już stwierdziliśmy — „zakochanie się" jest związane z załamaniem granic ego i zmniejszeniem poczucia odrębności między osobami. Z tej przyczyny terapeuta „zakochany" w pacjentce może nie być zdolny do obiektywnej oceny jej potrzeb, a może również mylić jej potrzeby z własnymi. I właśnie ze względu na prawdziwą miłość do swoich pacjentów terapeuci nie pozwalają sobie na uleganie słabości i nie „zakochują się" w nich. Ponieważ prawdziwa miłość wymaga uszanowania odrębności miłowanej osoby, miłujący terapeuta rozpoznaje i akceptuje fakt, że droga życiowa pacjenta jest i powinna być odrębna od jego własnej. Dla niektórych terapeutów oznacza to, że drogi ich oraz ich pacjentów nigdy nie powinny się zejść poza czasem sesji terapeutycznej. Choć szanuję to stanowisko, uważam je za zbyt sztywne. Jakkolwiek w jednym przypadku moje związki z byłą pacjentką wydawały się dla niej szkodliwe, w kilku innych utrzymywanie kontaktów towarzyskich z byłymi pacjentami wyszło na korzyść zarówno im, jak i mnie. Udało mi się również przeprowadzić trafne psychoanalizy kilku moich bliskich przyjaciół. Niemniej kontakty towarzyskie z pacjentami poza terapeutyczną godziną — nawet wówczas, gdy terapia została formalnie zakończona — powinno nawiązywać się z dużą ostrożnością i poddawać surowej samokontroli, aby być pewnym, że zaspokojenie potrzeb terapeuty w wyniku tych kontaktów nie przyniesie szkody pacjentowi.

Powiedziałem, że skuteczna psychoterapia jest procesem prawdziwego miłowania, co przez pewne kręgi psychiatrów hołdujących tradycji może zostać uznane za herezję. Druga strona medalu jest jednak podobną herezją: jeśli psychoterapia jest prawdziwym miłowaniem, to czy miłość zawsze powinna wykazywać działanie psychoterapeutyczne? Jeśli prawdziwie miłujemy naszych małżonków, rodziców, nasze dzieci, przyjaciół, jeśli poszerzamy naszą jaźń, aby wspierać ich rozwój duchowy, to czy powinniśmy odbywać z nimi psychoterapię? Uważam, że z pewnością tak. Niekiedy podczas spotkań towarzyskich ktoś mówi do mnie: „Doktorze Peck, musi być panu niezmiernie trudno oddzielić życie towarzyskie od zawodowego. W końcu nie można w kółko poddawać psychoanalizie rodziny i przyjaciół, nieprawdaż?". Zwykle takie pytanie pada podczas towarzyskiej pogawędki, kiedy to mój rozmówca nie oczekuje poważnej odpowiedzi. Czasami jednak sytuacja stwarza mi niejako okazję nauczania lub uprawiania psychoterapii na żywo. Staram się wtedy wyjaśnić, dlaczego nawet nie próbowałbym i nie próbuję oddzielać życia towarzyskiego od zawodowego. Jeśli dostrzegam, że żona lub dzieci, rodzice czy przyjaciele cierpią wskutek jakiegoś złudzenia, fałszu, ignorancji czy innych zaburzeń, to jestem tak samo zobowiązany poszerzać moją jaźń dla nich, by — na ile będzie to możliwe — uzdrowić problem, jak w przypadku pacjentów, którzy płacą za moje usługi. Czy miałbym odmówić mojej pomocy, wiedzy i miłości rodzinie i przyjaciołom dlatego, że nie wiąże nas umowa i nie płacą mi za poświęcenie uwagi ich potrzebom? Z pewnością nie. Czy byłbym dobrym przyjacielem, ojcem, mężem czy synem, gdybym nie korzystał z wszelkich okazji i posiadanych umiejętności, by próbować uczyć moich umiłowanych tego, co sam wiem, i udzielać im wszelkiej możliwej pomocy w ich rozwoju duchowym? Co więcej, sam oczekiwałbym takiej pomocy od moich przyjaciół i rodziny — oczywiście w granicach ich możliwości. Bardzo wiele uczę się od swoich dzieci, choć ich krytycyzm jest czasami bezzasadny, a nauki nie są tak przemyślane jak nauki dorosłych. Moja żona jest dla mnie takim samym przewodnikiem jak ja dla niej. Nie nazwałbym przyjacielem kogoś, kto ukrywa przede mną swoją dezaprobatę lub nie stać go na życzliwe interesowanie się przesłankami i kierunkiem mojej wędrówki. Wszak dzięki takiej pomocy rozwijam się szybciej, niż będąc zdanym na samego siebie. Sednem każdego prawdziwie miłującego związku jest wzajemna psychoterapia.

Nie zawsze tak patrzyłem na to zagadnienie. Dawniej bardziej ceniłem sobie uznanie mojej żony niż jej krytycyzm i w równym stopniu wzmacniałem jej i zależność, i siłę. Mój dawny wizerunek męża i ojca to logistyk, którego odpowiedzialność kończyła się wraz z przywiezieniem zakupów do domu. Chciałem, by dom był miejscem wypoczynku, a nie współzawodnictwa. W owym czasie zgodziłbym się z opinią, że poddawanie psychoterapii przyjaciół i rodziny może być dla mnie jako psychoterapeuty niebezpieczne, nieetyczne i destruktywne. U podstaw takiej opinii leżało tyle samo lenistwa, ile lęku przed niewłaściwym wykorzystywaniem moich umiejętności zawodowych. Bo psychoterapia, podobnie jak miłość, jest trudem, a o wiele łatwiej pracować osiem godzin dziennie niż szesnaście. Łatwiej jest miłować osobę, która szuka w nas mądrości i przychodzi po nią do nas, która płaci za naszą troskę i której wymagania ograniczają się do pięćdziesięciu minut tygodniowo. Trudniej jest miłować kogoś, kto uważa, że ma prawo do stałej troski, kogoś, czyje żądania nie mogą być ograniczane, kto nie postrzega nas jako osoby z autorytetem i nie prosi o nauki. Prowadzenie psychoterapii w swojej rodzinie lub z przyjaciółmi wymaga takiego samego skupienia i samodyscypliny jak w gabinecie, lecz odbywa się w mniej komfortowych warunkach, przez co wymaga jeszcze więcej wysiłku i miłości.

Mam nadzieję, że inni psychoterapeuci nie uznają moich słów za zachętę do niezwłocznego rozpoczęcia psychoterapii swoich współmałżonków i dzieci. Jeżeli wędrujecie drogą rozwoju duchowego, to wasza zdolność miłowania nieustannie rośnie. Jednak zawsze będzie miała jakieś granice, których nie powinno się przekraczać. Psychoterapia prowadzona poza granicami własnej zdolności miłowania będzie nieskuteczna, a nawet szkodliwa. Jeśli potraficie miłować przez sześć godzin dziennie, poprzestańcie na razie na tym, bo to i tak więcej niż dużo; przed wami długa droga i trzeba czasu, by wasza zdolność się rozwinęła. Praktykowanie psychoterapii z przyjaciółmi i rodziną, miłowanie swoich bliźnich w pełnym wymiarze czasu jest ideałem — celem, do którego należy dążyć, lecz którego nie sposób osiągnąć w jednej chwili.

Skoro, jak już zaznaczyłem, laicy bez specjalistycznych studiów mogą praktykować skuteczną psychoterapię, pod warunkiem że są prawdziwie miłującymi ludźmi, to moje uwagi odnośnie do praktykowania psychoterapii na przyjaciołach i rodzinie nie stosują się wyłącznie do profesjonalistów, lecz do wszystkich. Jeśli pacjent pyta, kiedy będzie mógł zakończyć terapię, czasami odpowiadam: „Gdy sam staniesz się dobrym terapeutą". Taka odpowiedź zazwyczaj pada z moich ust podczas terapii grupowej, gdy pacjenci praktykują psychoterapię na sobie nawzajem i można im pokazać, jakie popełniają błędy jako psychoterapeuci. Wielu pacjentom nie podoba się taka odpowiedź. Niektórzy mówią: „To zbyt trudne. Będąc z innymi ludźmi, musiałbym stale wytężać uwagę. Nie chcę tak dużo myśleć. Nie chcę tak ciężko pracować. Chcę po prostu cieszyć się życiem". Pacjenci często odpowiadają podobnie, gdy zwracam im uwagę na to, że wszelkie związki międzyludzkie stwarzają szansę do nauczania i uczenia się samemu (do udzielania i otrzymywania terapii). Jeśli się na to nie zdobędą, nie wykorzystają tych związków dla wzajemnego rozwoju.

Wielu ludzi uczciwie przyznaje, że nie zależy im na osiągnięciu aż tak wzniosłego celu czy na tak ciężkiej pracy. Większość pacjentów — nawet ci znajdujący się pod opieką najzdolniejszych i najbardziej miłujących terapeutów — kończy terapię o wiele za wcześnie w stosunku do swoich możliwości rozwoju. Mogą przebyć krótki lub spory dystans drogi rozwoju duchowego, lecz nie dojrzeli jeszcze do odbycia całej wędrówki, gdyż wydaje im się zbyt trudna. Zadowalają się tym, że są zwykłymi ludźmi i nie chcą przyjąć roli, jaką z powodzeniem mogliby grać dla chwały Bożej.

MISTERIUM MIŁOŚCI

Moją dyskusję o miłości rozpocząłem stwierdzeniem, że jest ona zjawiskiem tajemniczym i dotychczas ignorowanym. Starałem się omówić pewne aspekty miłości w świetle doświadczeń uzyskanych przeze mnie w trakcie mojej wieloletniej praktyki psychiatrycznej. Jednak pozostaje wiele pytań, na które niełatwo odpowiedzieć.

Niektóre z nich są logicznym następstwem moich dotychczasowych rozważań. Stwierdziłem na przykład, że samodyscyplina rodzi się z miłości. Bez odpowiedzi pozostaje jednak pytanie, skąd się bierze miłość. Zadając to pytanie, trzeba również spytać o przyczyny jej braku. Sugerowałem też, że nieobecność miłości jest najważniejszą przyczyną wielu chorób psychicznych, jej obecność zaś jest warunkiem niezbędnym do pomyślnej psychoterapii. Jeśli tak jest, to dlaczego niektórzy ludzie, urodzeni i wychowywani w nieobecności miłości, nieustannie zaniedbywani i traktowani brutalnie, potrafią w jakiś sposób zerwać z negatywnymi doświadczeniami dzieciństwa — czasami bez żadnego wsparcia psychoterapeutycznego — i stać się dojrzałymi, zdrowymi i niemalże świętymi ludźmi? I przeciwnie, dlaczego niektórzy pacjenci, na pozór nie bardziej chorzy od innych, nie odpowiadają na psychoterapię prowadzoną przez najbardziej doświadczonych i miłujących terapeutów? Na te pytania spróbuję odpowiedzieć w ostatniej części niniejszej książki, poświęconej zjawisku łaski. Moje próby zapewne nie zadowolą nikogo w pełni, tak jak i we mnie pozostawiły pewien niedosyt. Jednak mam nadzieję, że to, co napiszę, przyczyni się do lepszego poznania tego niepojętego zjawiska.

Istnieje jeszcze inna kategoria pytań, dotycząca kwestii rozmyślnie pomijanych lub wypaczanych w dyskusjach na temat miłości. Oto przykład: gdy widzimy po raz pierwszy nagość miłowanej przez nas osoby, odczuwamy niemalże nabożną cześć. Dlaczego? Skoro seks jest tylko instynktem, to dlaczego nie czujemy wtedy jedynie podniecenia lub pożądania? Wszak dla zapewnienia ciągłości gatunku w zupełności wystarczyłby popęd płciowy. Dlaczego pojawia się w nas nabożna cześć? Dlaczego prosty instynkt prokreacji bywa niekiedy „komplikowany" przez tak wzniosłe uczucie? A skoro już o tym mowa, jakie są kryteria piękna?

Mówiłem już, że obiektem prawdziwej miłości może być tylko druga ludzka istota, ponieważ tylko ludzie zdają się obdarzeni duchem zdolnym do rozwoju. Co w takim razie można rzec o najwspanialszych dziełach ludzkich rąk? O najlepszych rzeźbach średniowiecznych przedstawiających Madonnę? O wykonanej z brązu figurze woźnicy rydwanu w Delfach? Czyżby te nieożywione obiekty były przez swoich twórców miłowane, a ich piękno ucieleśniało ich miłość? Co z pięknem natury, organizmów, które niejednokrotnie nazywamy „stworzeniami"? Dlaczego mając do czynienia z pięknem czy szczęściem, tak często i paradoksalnie reagujemy na nie smutkiem, czy nawet łzami? Dlaczego dźwięki niektórych utworów muzycznych tak nas poruszają? Dlaczego mam łzy w oczach, gdy mój sześcioletni syn, choć jeszcze osłabiony po pobycie w szpitalu, przychodzi do mnie, wiedząc, że jestem zmęczony, i delikatnie głaszcze mnie po plecach?

Zapewne są pewne aspekty miłości, o których nie dyskutuje się i które najtrudniej zrozumieć. Nie sądzę, by w ich zgłębieniu pomogła na przykład socjobiologia. Klasyczna psychologia z jej znajomością ograniczeń ego może trochę pomóc, ale tylko trochę. Najwięcej na temat miłości wiedzą osoby wierzące, które poświęciły się studiom nad misterium miłości. To do nich i do religii musimy się zwrócić, jeśli chcemy poznać jej tajemnice. Dalsze części tej książki są poświęcone wybranym zagadnieniom religii.

W następnej części omówię pokrótce związki religii z procesem rozwoju, natomiast w części ostatniej skupię się na zjawisku łaski i roli, jaką ona odgrywa w tym procesie. Pojęcie łaski religia zna od tysiącleci, lecz jest ono obce nauce — również psychologii. Mimo to jestem przeświadczony, że poznanie zjawiska łaski ma zasadnicze znaczenie dla pełnego zrozumienia procesu rozwoju duchowego. Mam nadzieję, że zawarta w niniejszej książce dyskusja na temat tych zagadnień przyczyni się do większego zbliżenia religii i psychologii

CZĘŚĆ TRZECIA

ROZWÓJ I RELIGIA

RELIGIA A WIDZENIE ŚWIATA

Dzięki rozwijaniu samodyscypliny i miłości oraz korzystaniu ze zdobytych doświadczeń życiowych coraz lepiej rozumiemy świat i nasze miejsce w nim. I na odwrót, jeżeli nie wpajamy sobie samodyscypliny, jeżeli nie kierujemy się miłością i nie wykorzystujemy doświadczeń życiowych, to nasz rozwój psychiczny ulega zahamowaniu. Właśnie dlatego, choć należymy do tego samego gatunku, możemy tak bardzo różnić się poglądami, sposobem myślenia i rozumieniem życia. Nasze rozumienie życia jest naszą religią. Ponieważ każdy z nas ma jakieś widzenie świata — choćby bardzo ograniczone, prymitywne lub zaburzone — każdy z nas ma jakąś religię. Jest to fakt o kolosalnym znaczeniu, którego wielu ludzi sobie nie uświadamia.

Jestem przekonany, że zbyt wąskie definiowanie religii jest przyczyną wielu ludzkich cierpień. Religię zwykliśmy utożsamiać z wiarą w Boga, praktykami religijnymi czy przynależnością do jakiejś grupy wyznaniowej. O kimś, kto nie chodzi do kościoła lub nie wierzy w Istotę Wyższą, mówi się zwykle, że nie jest osobą religijną. Nawet z ust skądinąd bardzo wykształconych ludzi padają twierdzenia: „Buddyzm nie jest religią", „Unici wykluczyli religię ze swej wiary" czy „Mistycyzm jest raczej filozofią niż religią". Mamy skłonność do postrzegania religii jak monolitu ukutego z tej samej materii, po czym trzymając się tak uproszczonej definicji tego pojęcia, dziwimy się, dlaczego ludzie przejawiający skrajnie różne postawy mówią o sobie, że są chrześcijanami albo żydami. Z niedowierzaniem odnosimy się do faktu, że ateista może mieć o wiele bardziej rozwinięte poczucie chrześcijańskiej moralności niż katolik uczęszczający regularnie na msze.

Nadzorując pracę innych psychoterapeutów, zauważyłem, że nie zwracają oni zwykle większej uwagi na sposób patrzenia ich pacjentów na świat. Składa się na to kilka przyczyn. Jedną z nich jest dość powszechny pogląd, że jeśli sam pacjent nie uważa siebie za człowieka religijnego, czego miałaby dowodzić jego wiara w Boga lub przynależność do określonego Kościoła, to nie jest on człowiekiem religijnym i kwestia religijności wydaje się nie mieć znaczenia dla procesu psychoterapii. Jednak sprawy mają się zupełnie inaczej — wszak każdy z nas ma mniej lub bardziej sprecyzowane poglądy na temat natury świata. Czy pacjent uważa, że wszechświat nie ma sensu i rządzi nim chaos, przez co jedyną rozsądną postawą jest korzystanie z wszelkich nadarzających się możliwości uzyskania choćby najmniejszej gratyfikacji? A może postrzega go jako miejsce bezwzględnej walki, gdzie silniejszy pożera słabszego, a dla przetrwania najważniejsza jest bezwzględność, cynizm i brak skrupułów? Może uważa go za miejsce przyjazne i wspierające, gdzie dobro zawsze zwycięża i nikt nie musi drżeć z trwogi o swoją przyszłość? Może jest przeświadczony, że inni mają obowiązek dostarczyć mu środków do życia bez względu na to, jak je wiedzie? A może pacjent myśli, że wszechświat bezwzględnie trzyma się litery prawa, w myśl którego za najmniejsze odstępstwo od ustalonych reguł zostanie surowo ukarany lub odrzucony? Przykłady różnych sposobów myślenia o świecie można mnożyć w nieskończoność.

Faktem jest, że każdy postrzega go nieco inaczej. W trakcie psychoterapii terapeuci wcześniej lub później poznają światopogląd swojego pacjenta, lecz jeśli zwrócą na niego szczególną uwagę na samym początku, to poznają go wcześniej. Uzyskanie tych informacji jest dla terapii sprawą o zasadniczym znaczeniu, ponieważ światopogląd pacjenta zawsze stanowi zasadniczą część jego choroby. Poprawa zaburzonego postrzegania świata jest niezbędna do przywrócenia pacjentowi zdrowia psychicznego. Dlatego zawsze powtarzam nadzorowanym przeze mnie terapeutom: „Poznajcie religię waszych pacjentów, nawet jeśli sami twierdzą, że nie wyznają żadnej". Bo ludzie najczęściej nie są świadomi wyznawanej przez siebie religii. Często tylko się im wydaje, że są wyznawcami określonej religii, a w rzeczywistości wierzą w coś zgoła innego.

Stewart, uzdolniony i odnoszący sukcesy inżynier, zaczął w pięćdziesiątym którymś roku życia cierpieć na ciężką depresję. Choć osiągał dobre wyniki w pracy, był wzorowym mężem i ojcem, miał niskie poczucie własnej wartości i uważał siebie za nieudacznika. „Świat byłby beze mnie lepszy" — twierdził. Stewart miał za sobą dwie groźne próby samobójcze. Żadne rzeczowe argumenty nie poprawiały jego zaniżonej samooceny. Oprócz zwykłych objawów ciężkiej depresji, takich jak bezsenność i nadpobudliwość, miał także trudności z przełykaniem pokarmu.

— Nie tyle nie mam apetytu, ile czuję, jakby w moim gardle tkwiło jakieś ostrze, które nie przepuszcza niczego prócz płynów.

Prześwietlenia i badania nie wykazały żadnych fizycznych przyczyn tych subiektywnych dolegliwości. Stewart nie krył się ze swoimi zapatrywaniami na świat.

— Zwyczajnie i po prostu jestem ateistą. Jestem naukowcem. Wierzę tylko w to, co mogę zobaczyć i czego mogę dotknąć. Może byłoby i lepiej, gdybym wierzył w dobrego i miłującego Boga, ale mówiąc szczerze, takie dyrdymały są nie dla mnie. Miałem ich po uszy, będąc dzieckiem, i cieszę się, że nie muszę już słuchać tych bredni.

Stewart dorastał w małym miasteczku na Środkowym Zachodzie. Był synem surowego, dogmatycznego kaznodziei i nie mniej surowej i dogmatycznej matki. Gdy tylko nadarzyła się okazja, opuścił dom i zerwał wszelkie kontakty z Kościołem.

Kilka miesięcy po rozpoczęciu psychoterapii opowiedział mi krótki sen.

— Śniło mi się, że znów mieszkam w moim rodzinnym domu w Minnesocie. Miałem wrażenie, jakbym cofnął się do okresu dzieciństwa, lecz jednocześnie zdawałem sobie sprawę, że mam tyle lat co teraz. Była noc. Do domu wszedł jakiś człowiek. Ten człowiek chciał nam poderżnąć gardła. Nigdy go przedtem nie widziałem. Zdziwiło mnie tylko, że wiem, kim on jest: ojcem dziewczyny, z którą spotkałem się kilka razy, gdy byłem uczniem szkoły średniej. I to wszystko. Sen nie miał końca. Obudziłem się przerażony, że ten człowiek poderżnie mi gardło.

Poprosiłem Stewarta, żeby opowiedział mi jak najwięcej o człowieku ze snu.

— Prawdę mówiąc, nie potrafię ci nic powiedzieć. Nigdy go nie spotkałem. Kilka razy spotkałem się z jego córką. Nie były to nawet randki w pełnym tego słowa znaczeniu. Po prostu odprowadzałem ją do domu po lekcjach religii. Podczas jednego z tych spacerów było ciemno i gdy szliśmy drogą wzdłuż zarośli, skradłem jej całusa. — W tym momencie Stewart roześmiał się nerwowo i mówił dalej: — W moim śnie wydawało mi się, że nigdy nie widziałem jej ojca, a jednak byłem pewien, że to on chciał mi poderżnąć gardło. W rzeczywistości widywałem go tylko z daleka, ponieważ pracował jako zawiadowca, a ja latem często chodziłem na stację, by patrzeć na przejeżdżające pociągi.

Coś mi zaświtało. Ja też jako dziecko spędzałem leniwe, letnie popołudnia na stacji, obserwując przejeżdżające pociągi. Na stacji zawsze coś się działo, a zawiadowca był mistrzem ceremonii. Znał odległe miejsca, skąd wyruszały wielkie pociągi przejeżdżające przez nasze senne miasteczko, i odległe stacje przeznaczenia. Wiedział, które się zatrzymają, a które tylko przemkną z łoskotem, od czego trzęsła się ziemia. Obsługiwał zwrotnice i semafory. Przyjmował i wysyłał pocztę. A kiedy nie wykonywał żadnej z tych cudownych czynności, siedział w biurze i robił coś jeszcze bardziej tajemniczego: przyciskał magiczny guzik i w niezrozumiałym, rytmicznym języku rozsyłał wiadomości na cały świat.

189

— Stewart, tak jak twierdzisz, z pewnością w jakimś stopniu jesteś ateistą. Część twojego umysłu jest przeświadczona, że Boga nie ma. Zaczynam jednak podejrzewać, że inna część twojego umysłu wierzy w Boga, niebezpiecznego boga, który podrzyna gardła. Moje podejrzenie okazało się słusznie. W trakcie naszej pracy stopniowo i z wielkimi oporami Stewart zaczął sobie uświadamiać, że poza ateizmem tkwi w nim jakaś dziwna i niepojęta wiara: przeświadczenie, że światem rządzi złowroga moc, która nie tylko może poderżnąć mu gardło, lecz chce ukarać go za różne występki. Powoli zaczął więc ujawniać swoje przewinienia, drobne incydenty o podtekście seksualnym — jak owo skradzenia całusa córce zawiadowcy stacji. W końcu udało mi się ustalić, że jedną z przyczyn depresji Stewarta była chęć odbywania pokuty. Sam karał siebie, mentalnie podrzynając sobie gardło. Miało to powstrzymać Boga przed wymierzeniem mu kary.

Jak zrodziło się w Stewarcie wyobrażenie groźnego Boga i złowrogiego świata? W jaki sposób kształtują się religie? Jakie czynniki wpływają na postrzeganie świata przez daną osobę? Jest ich bardzo wiele i ze względu na złożoność zagadnienia nie uda mi się go wyczerpująco omówić w tej książce. Najważniejszym czynnikiem wpływającym na kształtowanie się określonej religii u większości ludzi jest przynależność kulturowa. Europejczycy zazwyczaj wyobrażają sobie Chrystusa jako człowieka białego, a Afrykanie jako czarnego. Hindus urodzony i wychowany w Benaresie lub Bombaju zostanie najprawdopodobniej wyznawcą hinduizmu i będzie go cechowało pesymistyczne patrzenie na świat. Amerykanin, urodzony i wychowany w stanie Indiana, ma większe szanse zostać chrześcijaninem niż hinduistą, lecz ze względu na czynniki ekonomiczne będzie przejawiał nieco większy pesymizm. Mamy skłonność wierzyć w to, w co wierzą otaczający nas ludzie, i tendencję do uznawania za prawdę tego, co mówi nam nasze otoczenie — zwłaszcza w okresie, gdy kształtują się podwaliny naszego systemu myślowego.

Jednak mniej oczywiste (dla wszystkich z wyjątkiem psychoterapeutów) jest to, że najważniejszą częścią naszego kręgu kulturowego jest nasza rodzina. Kulturą, która wywiera największy wpływ na nasz rozwój, jest kultura naszej rodziny, której kulturowymi przywódcami są nasi rodzice. Co więcej, najistotniejszym aspektem tej kultury nie jest to, co rodzice mówią nam o Bogu i naturze rzeczy, ale to, co czynią, jak zachowują się wobec siebie, wobec naszego rodzeństwa i przede wszystkim wobec nas samych. Innymi słowy, to, czego dorastając, uczymy się o naturze świata, jest określane przez pryzmat doświadczeń zdobywanych przez nas w mikrokosmosie rodziny. Nie tyle słowa naszych rodziców określają nasze widzenie świata, ile wyjątkowe środowisko, na które składają się ich zachowania i postawy.

— To chyba prawda, że miałem wyobrażenie Boga-nożownika — przyznał Stewart — ale skąd się ono wzięło? Moi rodzice bardzo wierzyli w Boga, ciągle o nim mówili, lecz był to Bóg miłości. Jezus nas kocha, Bóg nas kocha, my kochamy Boga i Jezusa. W mojej rodzinie słowa „Bóg" i „kocha" odmieniano przez wszystkie przypadki.

— A czy miałeś szczęśliwe dzieciństwo? — spytałem.

Stewart spojrzał na mnie zdziwiony.

— Co też pan? Mówiłem panu, że było okropne.

— Dlaczego?

— Za byle przewinienie rodzice tłukli mnie do krwi: pasem, deską, kijem od szczotki, sznurem od żelazka, czym popadło. Dostawałem za wszystko. Mawiali: „Pan Bóg kazał dzieci rózeczką uczyć".

— Czy próbowali kiedykolwiek dusić cię albo podciąć ci gardło?

— Nie, ale myślę, że gdybym nie miał się na baczności, mogliby to zrobić.

Zapadła długa cisza. Na twarzy Stewarta odmalowało się głębokie cierpienie.

— Zaczynam wreszcie rozumieć — powiedział głucho.

Stewart nie był jedyną osobą wierzącą w Boga-potwora,

jak zwykłem go określać. Wielu moich pacjentów podobnie wyobrażało sobie Boga i miało równie ponure i przerażające poglądy na życie. Dziwi raczej fakt, że pojęcie Boga-potwora nie jest jeszcze powszechniejsze. W pierwszej części tej książki pisałem, że rodzice są dla dzieci postaciami niemalże boskimi i ich sposób postępowania wydaje się jedynym i właściwym. Nasze pierwsze (i często, niestety, jedyne) pojmowanie natury Boga jest mieszanką cech charakteru naszych matek, ojców lub osób pełniących wobec nas ich rolę. Jeśli mamy miłujących i przebaczających rodziców, to będziemy wierzyć w miłującego i przebaczającego Boga. W naszym dorosłym życiu świat będzie się nam wydawał miejscem życzliwym i wspierającym — takim jak nasze dzieciństwo. Jeśli nasi rodzice byli surowi i karzący, to najprawdopodobniej dojrzejemy, wykształciwszy koncepcję surowego i karzącego Boga-potwora. A jeśli rodzice o nas nie dbali, to zapewne świat będziemy postrzegać jako równie obojętny*.

Fakt wpływu doświadczeń z dzieciństwa na wyznawaną religię prowadzi do zasadniczego pytania: Jak ma się nasza religia do rzeczywistości? Można rzec, że mamy do czynienia ze swoistym zderzeniem mikrokosmosu i makrokosmosu. Widzenie świata przez Stewarta — jako niebezpiecznego

---

* Często (choć nie zawsze) kwintesencja dzieciństwa pacjenta, a co za tym idzie, kwintesencja jego czy jej widzenia świata zawiera się w „najwcześniejszym wspomnieniu". Dlatego zwykle proszę pacjentów, by sobie takie wspomnienie przypomnieli i o nim powiedzieli. Zazwyczaj protestują, mówiąc, że nie potrafią sobie nic przypomnieć lub że mają wiele takich wspomnień. Jednak gdy nalegam, by wybrali jedno, udzielają odpowiedzi o różnych zabarwieniach emocjonalnych, od: „Pamiętam, jak matka wzięła mnie na ręce i wyniosła przed dom, by pokazać mi piękny zachód słońca" do: „Pamiętam, jak siedziałem na podłodze w kuchni. Zmoczyłem się w majtki, a matka stała nade mną, wymachiwała wielką łychą i krzyczała na mnie". Możliwe, że te pierwsze wspomnienia — podobnie jak zjawisko ekranu wspomnień, z którym często są identyczne — tkwią tak dokładnie w pamięci dlatego, że wiernie oddają wczesne dzieciństwo danej osoby. Nic więc dziwnego, że emocje związane z tymi wczesnymi wspomnieniami często są identyczne z najgłębszymi odczuciami pacjenta co do natury istnienia.

miejsca, w którym ktoś może mu poderżnąć gardło, jeśli nie będzie się miał na baczności — było uzasadnione w mikrokosmosie jego rodzinnego domu, w którym dorastał zdominowany przez dwoje niebezpiecznych rodziców. Jednak nie wszyscy rodzice i nie wszyscy ludzie są niebezpieczni. W świecie — w makrokosmosie — są różni rodzice, różne społeczeństwa i kultury.

Aby rozwinąć w sobie realistyczną religię lub realistyczne widzenie świata — czyli takie, które możliwie najdokładniej oddaje jego rzeczywistość i rolę, jaką możemy w nim grać — musimy nieustannie rewidować i poszerzać nasze rozumienie, by obejmowało ono nowo przyswojoną wiedzę. Musimy stale poszerzać swój układ odniesienia. Wiąże się to z trudem sporządzania mapy rzeczywistości, na której dokładność rzutuje zjawisko przeniesienia, szerzej omówione przeze mnie w pierwszej części niniejszej książki. Mapa rzeczywistości Stewarta odpowiadała mikrokosmosowi jego rodziny. Stewart przeniósł ją w szerszy, dorosły świat, dla którego okazała się niepełna, a przez to nieprzydatna. W pewnym sensie religie wyznawane przez większość dorosłych są właśnie produktami przeniesienia.

Większość z nas posługuje się węższym układem odniesienia od tego, jaki moglibyśmy stworzyć. Nie jesteśmy w stanie uwolnić naszego myślenia spod wpływu określonej kultury, rodziców i doświadczeń dzieciństwa. Nic więc dziwnego, że ludzkość jest rozdzierana przez tak wiele konfliktów. Utrzymujemy ze sobą różne kontakty, lecz mamy krańcowo różne poglądy na naturę rzeczywistości, a na dodatek każdy jest przeświadczony, że właśnie jego pogląd jest słuszny, bo ugruntował się w mikrokosmosie jego osobistych doświadczeń. Sytuację tę jeszcze komplikuje fakt, że większość z nas nie do końca uświadamia sobie, jakie jest to nasze widzenie świata. Jeszcze mniej uzmysławiamy sobie unikatowość doświadczeń, które je ukształtowały.

Bryant Wedge, psychiatra specjalizujący się w psychologicznych aspektach stosunków międzynarodowych, badał proces negocjacji między Stanami Zjednoczonymi a Związkiem Radzieckim. Udało mu się wyróżnić pewną liczbę podstawowych przesłanek co do natury ludzkiej, społeczeństwa i świata, którymi Amerykanie zasadniczo różnią się od Rosjan. Przesłanki te rzutowały na stanowiska obu stron podczas negocjacji. Jednak uczestnicy rozmów nie byli w pełni świadomi swoich przesłanek ani tego, że druga strona może się kierować odmiennym systemem myślowym. Z tej przyczyny Amerykanów dziwiło zachowanie Rosjan i posądzali ich o złą wolę, sami zaś sprawiali na Rosjanach podobne wrażenie*.

Pamiętajmy o tym, że przypominamy sześciu ślepców z przypowieści, w której każdy z nich dotknął innej części ciała słonia i na tej podstawie upierał się, że wie, jak wygląda całe zwierzę. Jesteśmy przeświadczeni o wyższości własnego widzenia świata i w jego obronie gotowi jesteśmy toczyć święte wojny. Czy aby naprawdę są one wojnami świętymi?

NAUKA JAKO RELIGIA

Rozwój duchowy jest wędrówką z mikrokosmosu doświadczeń w niezbadany bezmiar makrokosmosu. Na jej wczesnych etapach (a tym właśnie etapom poświęcona jest ta książka) jest to wędrówka oparta na wiedzy, a nie na wierze. Aby wyjść z mikrokosmosu naszych doświadczeń i nie ulegać wpływom przeniesienia, musimy się uczyć. Musimy stale

---

* Bryant Wedge, Cyril Muromcew, *Psychological Factors in Soviet Disarmament Negotiations*, „Journal of Conflict Resolution", 9, No. 1 (March 1965), s. 18-36. Zob. również: Bryant Wedge, *A Note on Soviet-American Negotiation*, „Proceedings of Emergency Conference on Hostility, Aggression and War", American Association for Social Psychiatry, Nov. 17-18, 1961.

poszerzać zakres swojej wiedzy i pole widzenia, dokładnie analizując i przyswajając nowe informacje.

Dotychczas sporo uwagi poświęciłem poszerzaniu naszej wiedzy. Jak zapewne czytelnik sobie przypomina, miłość również zdefiniowałem jako poszerzanie — czyli ekspansję — naszej jaźni i powiedziałem, że do różnych niebezpieczeństw, jakie ono ze sobą niesie, zalicza się ryzyko zapuszczenia się na obszary nieznane. Pod koniec części poświęconej dyscyplinie stwierdziłem również, że przyswojenie sobie nowego i nieznanego wymaga wyrzeczenia się starej jaźni i pogrzebania dawnej wiedzy. Aby poszerzyć naszą wizję, musimy porzucić lub unicestwić starą, zawężoną wizję. Na krótką metę wygodniej jest tego nie czynić — pozostać tam, gdzie jesteśmy, i nadal używać tej samej mapy mikrokosmosu, by uniknąć cierpienia związanego ze śmiercią naszych ulubionych pojęć. Jednak droga rozwoju duchowego wiedzie w kierunku przeciwnym. Podążamy nią, przestając ufać naszym dotychczasowym przeświadczeniom i udając się na poszukiwania tego, co nieznane i co napawa trwogą — poprzez rozmyślne podawanie w wątpliwość tego, czego nas wcześniej nauczono i co jest nam drogie. Ścieżka do świętości wiedzie poprzez kwestionowanie wszystkiego, co dobrze znane.

Naszą wędrówkę zazwyczaj rozpoczynamy od nauki. Religię naszych rodziców zastępujemy często religią nauki. Ten bunt przeciw religii rodziców i jej odrzucenie są nieuniknione, gdyż ich widzenie świata musi być zawężone w porównaniu z tym, do jakiego my jesteśmy zdolni, jeśli korzystamy ze swoich wszystkich doświadczeń osobistych, w tym naszych doświadczeń jako ludzi dorosłych oraz doświadczeń całego naszego pokolenia. Religia pochodząca z drugiej ręki nigdy się nie sprawdza. Aby była życiowa i odpowiadała naszym możliwościom, nasza religia musi być religią całkowicie osobistą, hartowaną w ogniu kwestii i wątpliwości co do samych podstaw naszego doświadczania rzeczywistości. Teolog Alan Jones ujął to w sposób następujący:

Jednym z naszych głównych problemów jest to, że tylko nieliczni z nas nie lękają się żyć własnym życiem. Wszystko, co istotne i co na nie się składa, zwykle pochodzi z drugiej ręki — nawet nasze uczucia. By móc żyć, w wielu przypadkach musimy polegać na informacjach z drugiej ręki. Przyjmuję na wiarę to, co mówi lekarz, naukowiec czy farmer. Nie lubię tego czynić, lecz muszę, bo ci ludzie mają specjalistyczną wiedzę, której ja nie mam. Mogę żyć, opierając się na informacjach z drugiej ręki o stanie moich nerek, poziomie cholesterolu czy hodowli drobiu. Jednak w kwestiach sensu i celu życia oraz śmierci informacje z drugiej ręki na nic się nie zdają. Nie mogę żyć, kierując się wiarą z drugiej ręki w Boga z drugiej ręki. Jeśli mam żyć rzeczywiście, świat musi być dla mnie osobistą, niepowtarzalną konfrontacją*.

By cieszyć się zdrowiem psychicznym i rozwijać się duchowo, musimy rozwinąć własną, osobistą religię i nie możemy polegać na religii swoich rodziców. Jak to się ma do „nauki jako religii"? Nauka jest religią, ponieważ jest złożonym widzeniem świata opartym na wielu zasadniczych przesłankach. Oto najważniejsze z nich: wszechświat jest rzeczywistym, a przez to obiektywnym przedmiotem badań; badanie wszechświata ma istotne znaczenie; wszechświat ma sens, czyli rządzą nim pewne prawa, i jest przewidywalny. Problem polega na tym, że ludzie są słabymi badaczami, którzy kierują się zabobonami, wypaczeniami, przesądami i mają skłonność widzieć to, co chcą widzieć, zamiast tego, co jest do oglądania. Aby badać dokładnie i dokładnie rozumieć, badacz musi przestrzegać dyscypliny wymaganej przez metodologię nauki. Istotą tej dyscypliny jest doświadczenie, a zatem nie możemy uznać, że cokolwiek wiemy, póki tego nie doświadczymy. O ile dyscyplina metodologii naukowej kładzie nacisk na doświadczenie, o tyle jednostkowe doświadczenie nie jest uważane za miarodajne. Wyniki muszą być powtarzalne

---

* *Journey into Christ*, New York, Seabury Press, 1977, s. 91-92.

i uzyskane w określonych warunkach eksperymentalnych. Ponadto doświadczenie musi poddawać się weryfikacji, co oznacza, że różni badacze w takich samych warunkach powinni otrzymać takie same wyniki eksperymentu.

Kluczowymi słowami są tu: „rzeczywistość", „badanie", „wiedza", „nieufność", „doświadczenie" i „dyscyplina". Słów tych używaliśmy również w naszych dotychczasowych rozważaniach. Nauka jest religią sceptycyzmu. Aby ujść z mikrokosmosu naszych dziecięcych doświadczeń, naszej kultury i jej dogmatów, półprawd, które wmawiali nam rodzice, powinniśmy sceptycznie podchodzić do tego, czego do tej pory się nauczyliśmy. Podejście naukowe pozwala nam przemienić osobiste doświadczanie mikrokosmosu w osobiste doświadczanie makrokosmosu. I właśnie dlatego drogę duchowego rozwoju powinniśmy rozpocząć od przyjęcia za naszą religię nauki.

Wielu pacjentów, którzy mają ten początek za sobą, mówi: „Nie jestem religijny. Nie chodzę do kościoła. Przestałem wierzyć w większość dogmatów, których nauczył mnie Kościół i rodzice. Wiara moich rodziców nie jest moją wiarą. Dlatego myślę, że nie jestem zbytnio uduchowioną osobą". Czasem są zaskoczeni, gdy kwestionuję prawdziwość ich przypuszczenia o braku duchowości. „Masz swoją religię — mówię zazwyczaj w takich przypadkach — i to głęboką. Czcisz prawdę. Jesteś przeświadczony o możliwości swojego rozwoju i stawania się kimś lepszym, o możliwości rozwoju duchowego. W imię swojej religii chcesz cierpieć ból wyzwań i agonię oduczania się. Podejmujesz ryzyko terapii. Nie powiedziałbym, że jesteś mniej uduchowiony od swoich rodziców. Jestem przeświadczony, że zawędrowałeś dużo dalej drogą duchowego rozwoju niż twoi rodzice; twoja duchowość jest znacznie szersza od ich duchowości, która nie dała im odwagi niezbędnej do zakwestionowania przesłanek ich religii".

Jednym z dowodów wskazujących na to, że w porównaniu z innymi sposobami pojmowania świata nauka jako religia to udoskonalenie — ewolucyjny skok — jest jej interna-

~jonalizm. Mówimy o światowej społeczności naukowców. Jest ona zbliżona do prawdziwej społeczności znacznie bardziej niż społeczność Kościoła katolickiego, który jest prawdopodobnie drugą pod tym względem wspólnotą najbliższą prawdziwemu międzynarodowemu braterstwu. Naukowcy ze wszystkich krajów potrafią porozumiewać się ze sobą o wiele lepiej niż pozostali ludzie. Do pewnego stopnia udało im się wznieść ponad mikrokosmosy ich własnych kultur. Do pewnego stopnia stają się mędrcami.

Do pewnego stopnia. Mimo że jestem przeświadczony, iż sceptyczne widzenie świata ludzi o umysłach ścisłych jest znacznym krokiem naprzód w porównaniu z widzeniem świata opartym na ślepej wierze, lokalnych zabobonach i bezpodstawnych przypuszczeniach, to jestem również przeświadczony, że większość uczonych dopiero rozpoczęła wędrówkę drogą rozwoju duchowego. I jestem prawie pewien, że większość naukowców pojmuje Boską rzeczywistość równie zaściankowo jak prości chłopi ślepo trzymający się wiary swoich ojców. Naukowcy z ogromną trudnością radzą sobie z rzeczywistością Boga.

Gdy spoglądamy na zjawisko wiary w Boga z punktu widzenia naukowego sceptycyzmu, nie jest ono dla nas niczym niezwykłym. Ów sceptycyzm ukazuje nam dogmatyzm i jego skutki: inkwizycję i prześladowania. Ukazuje nam również hipokryzję: ludzie mający usta pełne frazesów o braterstwie mordują swoich braci w imię wiary, napełniają własne kabzy cudzą krwią i postępują z wielkim okrucieństwem. Widzimy mnogość rytuałów i różnorodność wizerunków, które nie mają ze sobą nic wspólnego: jedno bóstwo jest kobietą o sześciu rękach i sześciu nogach, drugie — mężczyzną siedzącym na tronie, jeszcze inne jest słoniem, kolejne znów jest kwintesencją nicości. Panteony, bożki domowe, trójce, jednie. Widzimy ciemnogród i zabobon. *Dossier* wyznawców Boga wygląda źle. To wszystko skłania do myślenia, że ludzkość radziłaby sobie lepiej bez niebiańskich gruszek na wierzbie, które przyprawiają ją o obstrukcję. Można by wyciągnąć wniosek, że Bóg jest chorobliwym i destrukcyjnym urojeniem, a wiara w Niego jest formą powszechnej psychopatologii, którą należałoby leczyć.

Nasuwa się więc pytanie: Czy wiara w Boga jest chorobą? Czy może jest objawem przeniesienia koncepcji naszych rodziców, pochodzących z naszego mikrokosmosu; chorych projekcji czynionych przez nas na makrokosmos? Czy, innymi słowy, taka wiara stanowi formę prymitywnego lub dziecinnego myślenia, z którego powinniśmy wyrosnąć, jeśli zależy nam na osiąganiu wyższych poziomów świadomości i dojrzałości? Chcąc uzyskać naukową odpowiedź na to pytanie, musimy oprzeć się na danych uzyskanych na podstawie obserwacji klinicznych. Co dzieje się z wiarą w Boga u osoby uczestniczącej w psychoterapii?

PRZYPADEK KATHY

Kathy była najbardziej przerażoną osobą, z jaką kiedykolwiek miałem do czynienia w mojej dotychczasowej praktyce. Gdy po raz pierwszy wszedłem do jej pokoju, siedziała na podłodze skulona w kącie, mrucząc do siebie bezustannie coś, co brzmiało jak monotonne zawodzenie. Gdy spojrzała na mnie, w jej oczach zobaczyłem strach. Wydała z siebie rozpaczliwy okrzyk, wcisnęła się jeszcze bardziej w kąt i przywarła do ściany tak, jakby chciała przez nią przeniknąć.

— Kathy, jestem psychiatrą. Nie skrzywdzę cię — powiedziałem.

Wziąłem krzesło, usiadłem w pewnej odległości od niej i czekałem. Jeszcze przez minutę wtulała się w kąt, po czym nieco się odprężyła i zaczęła łkać. Po chwili przestała szlochać i znów wróciła do zawodzenia. Spytałem, co się stało.

— Umrę — wyrzuciła z siebie, prawie nie przerywając swojego lamentowania. Tylko tyle była w stanie powiedzieć.

199

Mniej więcej co pięć minut przestawała zawodzić, najwyraźniej wyczerpana, potem cicho szlochała i znów zawodziła. Na każde zadane przeze mnie pytanie odpowiadała „ja zaraz umrę" i wracała do swojego lamentowania. Odniosłem wrażenie, że czuje, iż to zawodzenie uchroni ją od śmierci, i dlatego nie może sobie pozwolić na jego przerwanie.

Od jej męża, młodego policjanta Howarda, dowiedziałem się kilku podstawowych faktów. Kathy miała dwadzieścia lat. Byli dwa lata po ślubie. Kathy była bardzo zżyta z rodzicami. Nigdy nie miała żadnych problemów psychicznych — to było dla mnie całkowitym zaskoczeniem. Owego ranka czuła się świetnie. Odwiozła męża do pracy. Po dwóch godzinach zadzwoniła do niego siostra, która przyszła do Kathy w odwiedziny i zastała ją w tym stanie. Przywieźli ją do szpitala. Nie, w ostatnim czasie nie zachowywała się dziwnie. Może z jednym wyjątkiem: od jakichś czterech miesięcy wydawało się, że przerażają ją miejsca publiczne. Z tego powodu, gdy Howard robił zakupy w supermarkecie, Kathy czekała nań w samochodzie. Wydawało się również, że boi się być sama. Dużo się modliła, ale czyniła tak, odkąd ją znał. Jej rodzina była bardzo religijna. Matka chodziła do kościoła co najmniej dwa razy w tygodniu. Co ciekawe, Kathy po ślubie przestała chodzić do kościoła, ale nadal dużo się modliła. Zdrowie fizyczne? Była w świetnej formie. Nigdy nie leżała w szpitalu. Zemdlała tylko raz, na przyjęciu weselnym parę lat temu. Antykoncepcja? Zażywała pigułki. Chwileczkę... Chyba miesiąc temu powiedziała, że je odstawiła. Wyczytała gdzieś, że szkodzą czy coś w tym rodzaju. On sam nie zaprzątał sobie tym głowy.

Dałem Kathy duże dawki trankwilizatorów i środków uspokajających, by mogła się wyspać. Jednak przez następne dwa dni w jej zachowaniu nic się nie zmieniło. Nadal zawodziła i nie była w stanie powiedzieć nic więcej ponad to, że zaraz umrze i że się boi. Czwartego dnia wstrzyknąłem jej dożylnie amobarbital.

— Po tym zastrzyku poczujesz senność — powiedziałem —

lecz nie uśniesz, ani nie umrzesz. To lekarstwo sprawi, że przestaniesz śpiewać. Poczujesz się odprężona i będziemy mogli porozmawiać. Chciałbym, żebyś mi powiedziała, co się stało tego ranka, gdy zostałaś przywieziona do szpitala.

— Nic się nie stało — odpowiedziała Kathy.

— Odwiozłaś męża do pracy?

— Tak. Potem pojechałam do domu. A potem przeraziłam się, że zaraz umrę.

— Czy po odwiezieniu męża do pracy wróciłaś do domu tą samą drogą co zawsze?

Kathy znów podjęła swój lament.

— Przestań, Kathy — nakazałem. — Jesteś całkowicie bezpieczna. Czujesz się odprężona. Tamtego ranka droga powrotna wyglądała inaczej. Teraz powiedz mi dlaczego.

— Pojechałam inną drogą.

— Dlaczego?

— Pojechałam drogą koło domu Billa.

— Kto to jest Bill?

Kathy znów zaczęła zawodzić.

— Czy Bill jest twoją sympatią?

— Był. Zanim wyszłam za mąż.

— Czy bardzo tęsknisz za Billem?

Kathy rozpłakała się.

— O Boże, ja zaraz umrę.

— Czy zobaczyłaś się tego dnia z Billem?

— Nie.

— Ale chciałaś go zobaczyć?

— Ja umrę — odparła Kathy.

— Czy wydawało ci się, że Bóg ukarze cię za to, że chciałaś zobaczyć Billa?

— Tak.

— Czy to dlatego myślisz, że umrzesz?

— Tak. — Kathy wznowiła swoje monotonne zawodzenie.

Pozwoliłem jej lamentować przez kilka minut, a sam próbowałem pozbierać myśli. W końcu powiedziałem:

— Kathy, myślisz, że umrzesz, ponieważ jesteś przekonana, że znasz zamiary Boga. Ale mylisz się. Nie możesz wiedzieć, co Bóg myśli. Wiesz tylko to, co powiedziano ci o Bogu. A większość rzeczy, które słyszałaś o Bogu, nie odpowiada prawdzie. Nie wiem wszystkiego o Bogu, ale wiem więcej niż ty i ludzie, którzy ci o Nim opowiadali. Codziennie spotykam mężczyzn i kobiety takie jak ty, które chcą zdradzić swojego partnera, czasem nawet dopuszczają się zdrady, a Bóg wcale ich nie karze. Wiem o tym, ponieważ do mnie wracają. Rozmawiają ze mną. I to przynosi im ulgę. Sama się o tym przekonasz, bo będziemy nad tym wspólnie pracować. Dowiesz się, że nie jesteś złym człowiekiem. Poznasz prawdę o sobie i o Bogu. Będzie ci lepiej z samą sobą i w życiu. A teraz spróbuj zasnąć. Gdy obudzisz się, nie będziesz się już bała, że umrzesz. Gdy obudzisz się, będziesz w stanie ze mną rozmawiać. O Bogu i o sobie.

Następnego ranka stan Kathy się poprawił. Nadal była przerażona, lecz nie była już przekonana, że umrze. Tego dnia i przez wiele następnych powoli, szczegół po szczególe, mówiła o swoim życiu. W ostatniej klasie szkoły średniej Kathy miała swój pierwszy stosunek seksualny z Howardem. Chciał się z nią ożenić, więc się zgodziła. Dwa tygodnie później na weselu przyjaciółki uświadomiła sobie niespodziewanie, że nie chce wychodzić za mąż. Zemdlała. Po tym wszystkim nie była pewna, czy naprawdę kocha Howarda. Czuła jednak, że musi zdecydować się na małżeństwo, bo zgrzeszyła, decydując się na seks przedmałżeński, i jeśli po tym wszystkim nie połączyłaby ich więź małżeńska, to grzech byłby jeszcze większy. Nie chciała mieć dzieci, przynajmniej dopóki nie upewniłaby się, że naprawdę kocha Howarda. Zaczęła więc brać pigułki — kolejny grzech! Nie była w stanie wyspowiadać się ze swoich grzechów, więc po ślubie przestała chodzić do kościoła. Seks z Howardem sprawiał jej przyjemność, ale od dnia ślubu mąż przestał się nią interesować. Dbał o dom, kupował jej prezenty, traktował ją z szacunkiem, brał nadgodziny, więc nie mieli problemów finansowych. Jednak o seks musiała go niemalże błagać. Mimo jej próśb nie dochodziło między nimi do zbliżeń częściej niż raz na dwa tygodnie, co Kathy nie zadowalało. Rozwód nie wchodził w grę — przecież to niewybaczalny grzech! Wbrew sobie Kathy zaczęła więc snuć fantazje na temat dopuszczenia się zdrady. Pomyślała, że się od nich uwolni, jeśli będzie się więcej modlić. Zaczęła więc odmawiać pięciominutowy, rytualny pacierz co godzina. Howard zauważył to i z tego powodu jej dokuczał. Postanowiła więc kryć się ze swoimi modlitwami i odmawiać je w ciągu dnia, gdy męża nie było w domu, żeby nie czynić tego przy nim wieczorem. Oznaczało to, że musiała się modlić częściej lub szybciej.

Zdecydowała się na jedno i drugie. Modliła się więc co pół godziny, a pięciominutowy pacierz odmawiała w dwa razy szybszym tempie. Ale fantazje na temat zdrady powracały coraz częściej i stawały się bardziej uporczywe. Zaczęła się oglądać za mężczyznami. To jeszcze bardziej nasiliło jej obsesję. Kathy obawiała się wyjść na miasto nawet z Howardem; bała się miejsc publicznych, gdzie mogła spotkać mężczyzn. Rozważała, czy nie powinna wrócić do kościoła, ale zdała sobie sprawę, że jeśli to zrobi, a nie pójdzie do spowiedzi i nie opowie księdzu o swoich fantazjach na temat niewierności, to popełni kolejny grzech. Tego uczynić nie mogła. Zwiększyła więc jeszcze bardziej tempo swoich modlitw. Wypracowała cały system modłów, w którym jedna wyśpiewana sylaba odpowiadała całemu określonemu pacierzowi. Stąd wzięło się to jej zawodzenie. Swój system modlenia się udoskonaliła tak, że mogła odmówić tysiące modlitw w ciągu pięciu minut. Na początku, gdy zajęła się usprawnianiem sposobu odmawiania pacierza, fantazje seksualne jakby nieco osłabły, lecz z chwilą gdy opracowała już odpowiedni system, wróciły ze zdwojoną siłą. Zaczęła się zastanawiać, jak mogłaby dać im upust. Rozważała, do jakiego baru mogłaby pójść po południu. Przerażona samą myślą, że byłaby do tego zdolna, przestała zażywać pigułki, mając nadzieję, że strach przed ciążą pomoże jej zwalczyć pokusę. Ale obsesja zdrady rosła. Pewnego popołudnia zaczęła się onanizować. Przeraziła się. To był chyba jej największy grzech. Słyszała kiedyś, że na nadpobudliwość pomagają zimne prysznice, więc wzięła najzimniejszy, jaki zdołała wytrzymać. Na jakiś czas pomogło, przynajmniej do chwili, gdy Howard wrócił z pracy. Ale następnego dnia wszystko zaczęło się od nowa.

Wreszcie owego pamiętnego ranka poddała się. Po odwiezieniu Howarda do pracy pojechała prosto do Billa. Zaparkowała przed jego domem. Czekała. I nic. Wyglądało na to, że w domu nikogo nie było. Wysiadła i oparła się o samochód, przybierając uwodzicielską pozę. „Niech Bill wyjdzie, niech mnie zobaczy" — mówiła do siebie. Nadal nic się nie działo. „Niech ktokolwiek zwróci na mnie uwagę. Ktoś musi mnie zerżnąć. O Boże, jestem dziwką. Wielką nierządnicą. Zabij mnie, Boże. Muszę umrzeć". Wskoczyła do samochodu i pojechała do domu. Żyletką próbowała podciąć sobie żyły. Nie udało się jej, ale Bóg może to przecież zrobić. Bóg to uczyni. Odpłaci jej tym, na co zasługuje. Położy kres jej wszeteczeństwom i jej plugawemu życiu. Trzeba zacząć czuwać. „O Boże, tak się boję. Tak się boję, pospiesz się. Tak bardzo się boję". Oczekując kary, zaczęła monotonnie zawodzić swoje modlitwy. I w takim stanie zastała ją szwagierka. Dopiero po kilku miesiącach żmudnej pracy udało mi się wydobyć z niej te fakty i poskładać całą tę historię. Większość psychoterapii dotyczyła jej pojmowania grzechu. Kto powiedział Kathy, że onanizm jest grzechem? Dlaczego niewierność jest grzechem? Kto jej powiedział, czym jest grzech? Podobnych pytań zadawałem jej bardzo wiele.

Nie znam bardziej pasjonującego zajęcia niż praktyka psychoterapeutyczna, lecz czasami bywa ono niezwykle nużące, zwłaszcza wtedy, gdy trzeba metodologicznie i drobiazgowo, jeden po drugim, analizować i podważać zasadnicze poglądy pacjentów. Niekiedy taka analiza udaje się, przynajmniej częściowo, jeszcze przed poskładaniem w całość historii choroby pacjenta. Kathy opowiedziała mi o wielu szczegółach, takich jak jej seksualne fantazje i ochota na masturbację, dopiero w momencie, gdy sama zaczęła podważać słuszność swojego poczucia winy i przeświadczenia o grzesznej naturze swoich poczynań. Musiała przy tym również zakwestionować autorytet i mądrość całego Kościoła katolickiego lub przynajmniej tych jego przedstawicieli, z którymi miała styczność. Trudno przeciwstawić się naukom Kościoła. Kathy była w stanie to uczynić tylko dlatego, że czerpała siłę ze związku ze mną, jej sprzymierzeńcem, ponieważ stopniowo przekonywała się, że naprawdę stoję po jej stronie, że jej dobro leży mi na sercu i nie wiodę jej na manowce. Ten „alians terapeutyczny", który powoli zawiązywał się między nami, jest niezbędnym warunkiem powodzenia każdej poważnej psychoterapii.

Większość psychoterapii Kathy była prowadzona ambulatoryjnie — tydzień po wywiadzie uzyskanym dzięki podaniu jej amobarbitalu Kathy została wypisana ze szpitala. Dopiero jednak po czterech miesiącach intensywnej terapii mogliśmy zacząć pracować nad jej pojmowaniem grzechu. Sama sformułowała wniosek: Kościół wprowadził mnie w błąd. W tym momencie zaczęła się nowa faza terapii. Postawiliśmy sobie pytanie: Jak do tego doszło? Dlaczego Kathy dała wprowadzić się w błąd? Dlaczego nie potrafiła samodzielnie myśleć i była tak bezkrytyczna wobec nauki Kościoła? „Moja matka mówiła mi, że nigdy nie wolno kwestionować nauki Kościoła" — stwierdziła Kathy. Zaczęliśmy więc pracować nad analizą jej związków z rodzicami. Z ojcem w zasadzie nie miała żadnego kontaktu. Nie miała nawet po temu możliwości, ponieważ rzadko bywał w domu. Stale pracował, a kiedy w końcu wracał do domu, zasypiał w fotelu nad piwem. Tylko w piątek wieczorem było inaczej: wtedy wychodził na piwo. Rodziną rządziła matka. Sama. Nikt jej nie pomagał, nikt nie śmiał się jej sprzeciwić i nikt nie myślał o stawieniu jej oporu. Była łagodna, lecz stanowcza. Oddana, lecz nieustępliwa. Spokojna i nieprzejednana: „Nie wolno ci tego robić, kochanie. Grzeczne dziewczynki tego nie robią. Nie będziesz nosiła takich butów. Dziewczynki z dobrych domów takich butów nie noszą. Moja droga, nie ma mowy, byś nie poszła do kościoła. Pan Bóg żąda od nas, byśmy chodziły na mszę". Stopniowo Kathy zaczęła sobie uświadamiać, że moc Kościoła katolickiego dała absolutną władzę jej matce — tak łagodnej, a jednocześnie tak dominującej, że niepodobna było się jej sprzeciwić.

Jednak psychoterapia rzadko kiedy idzie jak po maśle. Sześć miesięcy po wyjściu Kathy ze szpitala, pewnego niedzielnego ranka zadzwonił do mnie Howard i powiedział, że Kathy zamknęła się w łazience i znów zaczęła zawodzić swoje modły. Zgodnie z moimi wskazówkami namówił ją do powrotu do szpitala, gdzie spotkałem się z obojgiem. Kathy była prawie tak samo przerażona jak w dniu, kiedy zobaczyłem ją po raz pierwszy. I tym razem Howard nie umiał powiedzieć, co wyzwoliło tę reakcję. Zabrałem Kathy do pokoju.

— Przestań się modlić — poleciłem. — I powiedz, co się stało?

— Nie mogę.

— Możesz, Kathy.

Łapiąc z trudem oddech miedzy kolejnymi frazami swoich modlitw, powiedziała:

— Może będę mogła powiedzieć, jeśli znów dasz mi ten zastrzyk prawdy.

— Nie dam. Tym razem masz dość siły, by dać sobie radę sama.

Kathy zaszlochała, spojrzała na mnie i znów podjęła swoje modlitewne zawodzenie. Ale w jej wzroku wyczytałem gniew, niemalże furię.

— Czujesz do mnie złość? — spytałem.

Skinęła głową, nie przerywając modlitw.

— Kathy, mogę sobie wyobrazić wiele powodów gniewu, który czujesz do mnie, ale prawdziwego nie poznam, póki mi sama nie powiesz. Więc zrób to, a poczujesz ulgę.

— Ja umrę, umrę — jęczała.

— Nie, nie umrzesz. Nie umrzesz z tego powodu, że czujesz do mnie gniew. Nie zabiję cię dlatego, że się gniewasz na mnie. To nic złego, że czujesz do mnie gniew.

— Już długo nie pożyję na tej ziemi — powiedziała Kathy. — Moje dni są policzone.

Jej słowa mnie zdziwiły. Nie spodziewałem się ich. Wydały mi się skądś znane. Nie byłem jednak pewien, co powiedzieć, więc jeszcze raz zapewniłem ją:

— Kathy, kocham cię. Kocham cię, choć ty mnie nienawidzisz. Na tym polega miłość. Jak mógłbym ukarać cię za to, że mnie nienawidzisz, skoro kocham cię, mimo że ty mnie nienawidzisz?

— To nie ciebie nienawidzę — zachlipała Kathy.

Nagle coś mi zaświtało.

— Twoje dni są policzone? Nie pożyjesz długo na tej ziemi? *Czcij ojca swego i matkę swą, abyś długo żył na ziemi, którą Pan, Bóg twój, da tobie.* Czwarte przykazanie: czcij ich, bo w przeciwnym razie umrzesz. To masz na myśli, prawda?

— Nienawidzę jej — wyszeptała Kathy. A potem głośniej, jakby ośmielał ją dźwięk własnego głosu wypowiadającego te przerażające słowa, powiedziała: — Nienawidzę jej. Nienawidzę mojej matki. Nienawidzę jej. Nigdy mi nie dała..., nigdy..., nie dała mi... mnie samej. Nie pozwoliła mi być sobą. Zrobiła mnie na swoje podobieństwo. Zrobiła mnie... bezwolną kukłą. Nigdy, przenigdy nie pozwalała mi być sobą.

W rzeczywistości terapia Kathy dopiero się zaczynała. Prawdziwy, codzienny terror bycia sobą miał dopiero nadejść; terror bycia naprawdę sobą, wyrażający się na tysiąc rozmaitych sposobów. Rozpoznawszy, że została całkowicie zdominowana przez matkę, Kathy musiała poradzić sobie z następnym problemem: Dlaczego pozwoliła, by tak się stało? Odrzucając dominację matki, musiała skonfrontować się z naprawdę trudnym procesem ustanawiania własnego systemu wartości i podejmowania decyzji, i to ją właśnie przerażało. O wiele bezpieczniej było pozostawić podejmowanie decyzji w rękach matki, przyswoić sobie jej system wartości i Kościała. O wiele więcej trudu wymaga samodzielne kierowanie swoim życiem. Później Kathy zwykła mawiać:

— Za nic w świecie nie chciałabym stać się na powrót taka, jaka byłam dawniej, chociaż zdarza mi się tęsknić do tamtych czasów. Wtedy żyło mi się dużo łatwiej. Przynajmniej pod pewnymi względami.

Gdy Kathy zaczęła stawać się coraz bardziej samodzielna, poruszyła w rozmowie z Howardem problem jego braku zainteresowania seksem. Obiecał, że się zmieni, lecz tak się nie stało. Kathy wywierała nań presję. Howard zaczął miewać napady lęku. Gdy przyszedł z tym problemem do mnie, poradziłem mu wizytę u innego psychoterapeuty. Stopniowo ujawniał przed terapeutą problem głęboko skrywanych skłonności homoseksualnych, przed którym usiłował się bronić, zawierając małżeństwo z Kathy. Ponieważ Kathy była bardzo atrakcyjną kobietą, Howard uznał ją za prawdziwą zdobycz. Ta zdobycz miała udowodnić jemu samemu i całemu światu jego męskość. W zasadzie wcale jej nie kochał. Zaakceptowawszy ten fakt, Kathy i Howard postanowili po przyjacielsku rozstać się. Kathy podjęła pracę jako sprzedawczyni w dużym sklepie odzieżowym. W rozmowach ze mną opisywała męki, jakie cierpiała, podejmując niezbędne w tej pracy niezliczone drobne, lecz samodzielne decyzje. Stopniowo stawała się coraz bardziej asertywna i nabierała pewności siebie. Spotykała się z wieloma mężczyznami, którzy proponowali jej małżeństwo i założenie rodziny, ale na razie wolała cieszyć się swoją wolnością i karierą zawodową. Została asystentką zaopatrzeniowca. Po zakończeniu terapii awansowała na stanowisko zaopatrzeniowca, a niedawno powiedziała mi, że przeniosła się do innej, większej firmy na podobne, lecz lepiej płatne stanowisko. Ma dwadzieścia siedem lat i cieszy się ze swoich osiągnięć zawodowych. Nie chodzi do kościoła i nie uważa się już za katoliczkę. Sama nie wie, czy wierzy w Boga, ale mówi, że obecnie nie ma to dla niej większego znaczenia.

Poświęciłem tyle miejsca opisowi przypadku Kathy dlatego, że jest on przykładem zależności między wychowaniem religijnym a psychopatologią. Takich ludzi jak Kathy są miliony. Zwykłem mawiać nieco żartobliwie, że dzięki Kościołowi katolickiemu nie mogę narzekać na brak pacjentów. To samo mógłbym powiedzieć o każdym Kościele: baptystów, luterańskim, prezbiteriańskim czy jakimkolwiek innym. Jednak Kościół nie był przyczyną nerwicy Kathy. W pewnym sensie Kościół był wykorzystany przez jej matkę jako narzędzie, za pomocą którego starała się rozszerzyć i ugruntować swoją nieograniczoną władzę rodzicielską. Ktoś mógłby słusznie zauważyć, że dominujący charakter matki, wzmocniony częstą nieobecnością ojca, stanowił prawdziwą przyczynę nerwicy i pod tym względem przypadek Kathy również jest typowy. Niemniej Kościół też przyczynił się do problemów tej kobiety. Żadna zakonnica w szkółce parafialnej ani katecheta na lekcjach religii nie zachęcili Kathy do wyrażania racjonalnych wątpliwości co do doktryny religijnej czy do samodzielnego myślenia. Nic nie wskazywało na to, by przedstawiciele Kościoła kiedykolwiek zastanawiali się, czy jego doktryna nie jest zbyt oderwana od życia, nierealnie sztywna, czy nie jest nadużywana lub niewłaściwie stosowana.

Na problem Kathy można spojrzeć następująco: szczerze, z całego serca wierzyła w Boga, Jego przykazania i pojęcie grzechu, lecz jej religia i widzenie świata pochodziły z drugiej ręki i nie dawały odpowiedzi na dręczące ją osobiste problemy. Nie umiała kwestionować, stawiać wyzwań ani myśleć samodzielnie. Jednak Kościół Kathy — co jest również typowe — nie czynił najmniejszych wysiłków, by pomóc jej w wypracowaniu właściwej, oryginalnej i osobistej religii. Smutny to fakt, że Kościoły zazwyczaj oferują towar z drugiej ręki. Przypadek Kathy jest tak typowy i powszechny, że wielu psychiatrów i psychoterapeutów postrzega religię jak wroga numer jeden. Niektórzy z nich uważają ją za swojego rodzaju nerwicę — zbiór irracjonalnych idei służących zniewoleniu umysłu i tłumieniu wrodzonej potrzeby rozwoju umysłowego. Freud, racjonalista i naukowiec *par excellence*, widział te sprawy mniej więcej w takim właśnie świetle, a jako twórca klasycznej psychoanalizy spowodował, że jego idee przyczyniły się do postrzegania religii jako nerwicy. Psychiatrów rzeczywiście pociąga widzenie siebie jako rycerzy nowoczesnej wiedzy, toczących szlachetną walkę z niszczycielskimi siłami starych religijnych zabobonów i irracjonalnych, a przy tym autorytarnych dogmatów. I w rzeczy samej psychoterapeuci muszą poświęcać ogromnie dużo czasu na uwalnianie umysłów swoich pacjentów od przestarzałych idei i pojęć religijnych, które wykazują jednoznacznie destrukcyjny wpływ na ich psychikę.

PRZYPADEK MARCII

Nie wszystkie nerwice o podłożu religijnym przypominają przypadek Kathy. Istnieje również wiele innych rozpowszechnionych obrazów tego schorzenia. Oto kolejny przykład. Marcia była jedną z moich pierwszych pacjentek wymagających długotrwałej terapii. Była dość zamożną, młodą, dwudziestokilkuletnią kobietą, która zwróciła się do mnie z prośbą o pomoc z powodu ogólnej anhedonii, czyli utraty zdolności odczuwania przyjemności. Choć nie miała żadnych powodów do narzekań, z niewiadomych przyczyn czuła się nieszczęśliwa. I tak samo wyglądała. Choć była osobą zamożną i wykształconą, ubierała się jak osoba uboga i nie dbała o swój wygląd. W pierwszym roku terapii wciąż nosiła te same, brzydkie ubrania. Zawsze miała ze sobą ogromną, brudną szmacianą torbę. Była jedynaczką z małżeństwa dwojga nauczycieli akademickich z bogatym dorobkiem zawodowym; socjalistów, dla których religia była „opium dla mas". Drwili z córki, gdy w okresie dorastania chodziła z koleżanką do kościoła.

Rozpoczynając terapię, Marcia w pełni zgadzała się z rodzicami. Na samym początku z pewną dumą i dość stanowczo oznajmiła, że jest ateistką. I to nie taką na pokaz, lecz z krwi i kości, przekonaną, że ludzkości byłoby o wiele lepiej, gdyby nie miała urojeń co do istnienia Boga. Co ciekawe, sny Marcii pełne były symboli religijnych, takich jak wlatujące do pokoju ptaki trzymające w dziobach zwoje papirusu, na których wypisane były niejasne posłania w jakimś starożytnym języku. Jednak początkowo nie konfrontowałem Marcii z tym aspektem jej nieświadomości. Przez dwa lata terapii nie podejmowaliśmy w ogóle tematyki religijnej. W tym czasie skupialiśmy się przede wszystkim na stosunkach Marcii z rodzicami — dwojgiem inteligentnych racjonalistów, którzy dbali o jej materialny dobrobyt, lecz emocjonalnie byli dla niej niedostępni i mieli chłodny, intelektualny sposób bycia. Z jednej strony dystans emocjonalny, z drugiej zaangażowanie w pracę zawodową sprawiały, że nie mieli czasu ani ochoty interesować się problemami córki. Marcia miała więc wygodny i zasobny dom, lecz była przysłowiowym „bogatym biedactwem", psychiczną sierotą. Nie chciała jednak tego dostrzec. Oburzyła się, gdy zasugerowałem jej, że rodzice dopuścili się wobec niej poważnej deprywacji. Uraziło ją również moje spostrzeżenie, że ubiera się jak biedna sierota. Powiedziała, że teraz jest taka moda, a mnie nic do tego.

Terapia Marcii postępowała niezwykle wolno, ale rezultat był imponujący. Jej najistotniejszym elementem okazała się ciepła i bliska więź, jaką stopniowo nawiązywaliśmy — zupełnie inna od więzi łączącej Marcię z rodzicami. Pewnego dnia na początku drugiego roku terapii Marcia przyszła na sesję z nową torebką, trzy razy mniejszą od jej starej torby. Potem mniej więcej co miesiąc dodawała do swojego ubioru coś kolorowego — pomarańczowego, żółtego, jasnoniebieskiego, zielonego — coraz bardziej przypominając powoli rozkwitający kwiat.

Podczas przedostatniej sesji Marcia, starając się określić swoje samopoczucie, powiedziała:

— Wiem, że to dziwne, ale nie tylko ja zmieniłam się wewnętrznie. Odnoszę wrażenie, że wszystko dookoła też się zmieniło. Chociaż wciąż tu jestem, mieszkam w tym samym starym domu i robię to, co przedtem, cały świat wygląda teraz inaczej. Widzę go inaczej. Czuję, że jest ciepły, bezpieczny, miłujący, ciekawy i dobry. Pamiętam, jak ci powiedziałam, że jestem ateistką. Wcale nie jestem tego taka pewna. Prawdę mówiąc, nie sadzę, bym nią była. Czasem, kiedy świat wydaje mi się tak dobry, mówię sobie: „Jestem prawie pewna, że Bóg istnieje". Nie sądzę, by świat mógł być tak dobry bez Boga. To zabawne. Nie umiem mówić o takich rzeczach. Czuję, że jestem rzeczywistym i naturalnym elementem ogromnej układanki, która beze mnie byłaby niepełna. Chociaż nie mogę dostrzec jej całej, wiem, że jest, wiem, że jest cudowna, i wiem, że jestem jej częścią.

W wyniku terapii myślenie Kathy przesunęło się z punktu, w którym pojęcie Boga było najważniejsze, do punktu, gdzie przestało się ono liczyć. Natomiast Marcia przeszła od ateizmu do żarliwej miłości do Boga. Ten sam proces, ten sam terapeuta, a jakże pozornie przeciwstawne wyniki — i oba pomyślne. Jak można to wyjaśnić? Zanim się tego podejmiemy, rozważmy jeszcze jeden przypadek. W przypadku Kathy musiałem aktywnie przeciwstawić się jej poglądom na religię, żeby spowodować zmianę idącą w kierunku wydatnego zmniejszenia wpływu Kościoła, a zwłaszcza matki na jej życie. U Marcii pojęcie Boga nabrało znaczenia, chociaż jako terapeuta w żaden sposób nie przeciwstawiłem się jej poglądom na religię. Możemy w tym miejscu postawić pytanie: Czy zdarza się, by terapeuta musiał aktywnie przeciwstawić się ateizmowi czy agnostycyzmowi pacjenta i rozmyślnie skierować go na drogę wiary w Boga?

PRZYPADEK THEODORE'A

Ted zjawił się u mnie, mając trzydzieści lat i wiodąc życie pustelnika. Przez ostatnie siedem lat żył w chatce w głębi lasu. Miał kilku znajomych, lecz żadnego bliskiego przyjaciela. Od trzech lat nie utrzymywał kontaktów z kobietami. Od czasu do czasu imał się prac stolarskich, ale przeważnie spędzał całe dnie na łowieniu ryb, czytaniu i podejmowaniu niezliczonych, błahych decyzji, na przykład: co i jak ugotować na obiad lub czy może sobie pozwolić na zakup jakiegoś niedrogiego narzędzia.

Dzięki otrzymanemu spadkowi był człowiekiem dość zamożnym. Był nieprzeciętnie inteligentny. Powiedział mi, że podczas pierwszej sesji terapeutycznej czuł się tak, jakby był zupełnie sparaliżowany. „Wiem, że powinienem robić w życiu coś bardziej konstruktywnego, ale co tu mówić o poważnych decyzjach, skoro nie jestem w stanie podjąć nawet najbłahszych. Powinienem skończyć szkołę, zdobyć jakiś zawód i zrobić karierę. Cóż, kiedy nie potrafię wzbudzić w sobie entuzjazmu do niczego. O wszystkim myślałem — o pracy w szkole lub pracy naukowej ze specjalizacją w zakresie stosunków międzynarodowych, medycyny, rolnictwa, ekologii, lecz na dłuższą metę nic mnie nie pociąga. Mogę się czymś interesować przez dzień lub dwa, lecz potem wydaje mi się, że każda dziedzina wiedzy wiąże się z rozwiązywaniem problemów, których nie sposób pokonać. Myślę, że samo życie jest problemem nie do rozwiązania".

Jego kłopoty zaczęły się w wieku osiemnastu lat, gdy zaczął studiować. Przedtem wszystko układało się świetnie. Dzieciństwo spędził w stabilnym, zamożnym domu, z dwoma starszymi braćmi i rodzicami, którzy poświęcali mu wiele uwagi. Dostawał dobre stopnie i nagrody w prywatnej szkole z internatem. Potem — może to miało kluczowe znaczenie? — zakochał się w dziewczynie, która porzuciła go tydzień przed początkiem studiów. Załamany, przez pierwszy rok studiów pił. Mimo to nadal dobrze się uczył. Wdał się w kilka związków z kobietami, coraz płytszych i mniej udanych. Zaczął otrzymywać coraz gorsze stopnie. Przestał sobie radzić z pracami pisemnymi. Na trzecim roku stracił w wypadku samochodowym bliskiego przyjaciela, Hanka, ale jakoś przebolał jego śmierć. Przestał nawet pić. Jednak miał coraz większe trudności z podejmowaniem decyzji. Nie mógł nawet wybrać tematu pracy dyplomowej. Skończył studia i wynajął pokój poza domem akademickim. Aby uzyskać dyplom, musiał przedstawić krótką dysertację, której przygotowanie wymagało około miesiąca. Jemu zajęło to trzy lata. A potem — nic. Przed siedmioma laty przeniósł się do lasu.

Ted był pewien, że jego problemy mają swoje źródło w sferze seksu. Pojawiły się przecież w związku z doznanym zawodem miłosnym. Przeczytał prawie wszystkie dzieła Freuda (czym nawet ja nie mogę się pochwalić!). Przez pierwsze pół roku terapii zgłębialiśmy więc zakamarki jego dziecięcej seksualności, lecz nie wyciągnęliśmy żadnych wniosków. W tym okresie ujawniły się jednak interesujące cechy osobowości Teda. Jedną z nich był między innymi całkowity brak entuzjazmu. Na przykład bardzo wyczekiwał na poprawę pogody, lecz gdy pogoda się poprawiła, wzruszał ramionami i stwierdzał: „No i co z tego. Ot, dzień jak co dzień". Kiedy indziej złowił w jeziorze ogromnego szczupaka. „Był za duży, bym mógł go sam zjeść, a nie mam przyjaciół, z którymi mógłbym się podzielić, więc wrzuciłem go z powrotem do wody".

Z brakiem entuzjazmu łączył się pewien snobizm. Ted uważał, że cały świat jest „nie taki, jaki być powinien". Był bardzo krytyczny. Zacząłem podejrzewać, że ten snobizm pozwalał utrzymywać dystans do spraw, które w innym przypadku mogłyby wpływać na jego emocje. Ponieważ Ted był także niesamowicie skryty, terapia postępowała bardzo powoli. Najważniejsze fakty dotyczące jakiegokolwiek incydentu musiałem z niego wprost wyduszać. Opowiedział mi kiedyś o swoim śnie: „Byłem w klasie. Znajdował się tam jakiś przedmiot — nie wiem, co to było — który schowałem do pudełka. Właściwie skonstruowałem pudełko wokół tego przedmiotu, żeby nikt nie mógł się dowiedzieć, co jest w środku. Pudełko umieściłem w dziupli martwego drzewa i za pomocą starannie dopasowanych, drewnianych śrub zamaskowałem skrytkę kawałkiem kory. Siedząc w klasie, przypomniałem sobie jednak, że nie mam pewności, czy należycie dokręciłem śruby. Zaniepokoiłem się. Pobiegłem do lasu i przykręciłem je tak, że nie można ich było odróżnić od powierzchni kory. Wtedy poczułem się lepiej i wróciłem do klasy". Jak u wielu innych ludzi, klasa i pokoje lekcyjne symbolizowały w snach Teda terapię. Najwyraźniej nie chciał, żebym doszukał się prawdziwej przyczyny jego nerwicy.

Pierwsza rysa w pancerzu Teda pojawiła się podczas jednej z sesji w szóstym miesiącu terapii. Poprzedniego dnia spędził popołudnie u jednego ze swoich znajomych.

— To był okropny wieczór — skarżył się potem Ted. — Kolega chciał, bym posłuchał nowej płyty, z muzyką Neila Diamonda do filmowej wersji *Mewy* Jonathana Livingstona. To było coś koszmarnego. Nie rozumiem, jak wykształconym ludziom może się podobać takie rzępolenie, a na dodatek śmią je nazywać muzyką!

Ted wyraził swoje niezadowolenie tak gwałtownie, że wzbudziło to moją czujność.

— *Mewa* jest książką religijną — powiedziałem. — Czy muzyka też miała religijny charakter?

— Jeśli można to nazwać muzyką, to można powiedzieć, że miała.

— A może to nie muzyka tak obraziła twoje uczucia tylko religia? — zasugerowałem.

— Ten rodzaj religijności z pewnością mnie razi — odparł Ted.

— Jaki rodzaj?

— Sentymentalny. Ckliwy. — Ted prawie wypluł z siebie te słowa.

— A jaka poza tym może być religia?

Ted wyglądał na zakłopotanego i wytrąconego z równowagi.

— Inna chyba być nie może. Religia raczej mnie nie pociąga — odpowiedział po chwili.

215

— Czy zawsze tak było?

Ted uśmiechnął się ponuro.

— Nie. Gdy byłem podrostkiem, religia znaczyła dla mnie bardzo wiele. W ostatniej klasie szkoły średniej byłem nawet ministrantem w naszym małym kościółku.

— I co potem?

— Jak to, co?

— Co się stało z twoją religią?

— Po prostu z niej wyrosłem, jak mi się zdaje.

— Jak wyrosłeś?

— Co masz na myśli, pytając o to? — Ted zaczynał się najwyraźniej irytować. — Jak się wyrasta z różnych rzeczy? Wyrosłem i tyle.

— Kiedy to nastąpiło?

— Nie wiem. Po prostu stało się. Już ci o tym mówiłem. Podczas studiów nigdy nie zaszedłem do kościoła.

— Nigdy?

— Ani razu.

— A więc w ostatniej klasie szkoły średniej byłeś ministrantem. Potem latem przeżyłeś zawód miłosny. I już nigdy więcej nie poszedłeś do kościoła. To gwałtowna zmiana. Czy nie przypuszczasz, że odrzucenie cię przez dziewczynę miało z tym coś wspólnego?

— Nic nie przypuszczam. To samo zrobiło wielu moich kolegów z roku. Dorastaliśmy w czasach, gdy religijność wychodziła z mody. Może moja dziewczyna miała z tym coś wspólnego, a może nie. Któż to może wiedzieć? Wiem tylko tyle, że religia straciła dla mnie znaczenie.

Drugi przełom nastąpił miesiąc później. Pracowaliśmy nad kolejnym problemem Teda, którym był całkowity brak entuzjazmu, co mu bardzo przeszkadzało.

— Pamiętam, że ostatni raz potrafiłem wzbudzić w sobie zapał dziesięć lat temu, kiedy byłem na trzecim roku. Powodem do entuzjazmu była praca, którą pisałem pod koniec jesiennego semestru na zajęciach ze współczesnej poezji brytyjskiej.

— O czym była ta praca? — zapytałem.

— Chyba sobie nie przypomnę. To było tak dawno.

— Na pewno sobie przypomnisz, jeśli zechcesz.

— No dobrze, wydaje mi się, że o Gerardzie Manleyu Hopkinsie. Był jednym z pierwszych naprawdę nowoczesnych poetów. A pisałem chyba o wierszu *Pstre piękno*. Wyszedłem z gabinetu, poszedłem do biblioteki i wróciłem z zakurzonym tomiskiem poezji brytyjskiej z moich studenckich czasów. Na stronie 819 znalazłem *Pstre piękno*:

Za wszystko, co pstrokate, chwała niech będzie Panu
Za niebo wielobarwne, jak łaciate cielę;
Za grzbiety pstrągów, różem nakrapiane w cętki;
Za skrzydła zięb, żar szkarłatny rozłupanych kasztanów;

Za ziemię w działkach, w kawałkach — za ugór i za zieleń;
I za rzemiosło wszelkie, jego narzędzia i sprzęty.
Wszystkiemu, co nadmierne, osobliwe, sprzeczne,
Rzeczom pstrym i pierzchliwym

(któż wie, jak to się dzieje)
Wartkim i wolnym, słodkim i słonym,
mocnym i miękkim,
On wciąż początek daje,
Ten, czyje piękno jest wieczne:
Jemu niech będą dzięki*.

Łzy zakręciły mi się w oczach.

— To przecież wiersz o entuzjazmie.

— Tak.

— Poza tym bardzo religijny.

— Tak.

— Pisałeś pracę na jego temat pod koniec jesiennego semestru. To musiał być styczeń, prawda?

— Tak.

---

* Przekład Stanisława Barańczaka w: *Z Tobą, więc ze Wszystkim*, Kraków, Znak, 1992, s. 241.

217

— Jeśli dobrze pamiętam, w następnym miesiącu, lutym, zginął twój przyjaciel Hank.

— Tak.

Czułem, że narasta we mnie niesamowite napięcie. Poszedłem za ciosem:

— A więc gdy miałeś siedemnaście lat, zostałeś odrzucony przez swoją pierwszą dziewczynę i straciłeś entuzjazm do religii. Trzy lata później zginął twój najlepszy przyjaciel i wtedy straciłeś zapał do wszystkiego.

— Nie straciłem, został mi zabrany. — Ted prawie krzyczał, wzburzony bardziej niż kiedykolwiek.

— Bóg odrzucił ciebie, więc ty odrzuciłeś Boga.

— A co miałem zrobić? To zasrany świat. Zawsze był zasrany.

— Myślałem, że miałeś szczęśliwe dzieciństwo.

— Nie! Też było gówno warte.

I takie właśnie było. Pod zewnętrznymi pozorami spokoju w domu rodzinnym Ted musiał toczyć nieustanną, zażartą walkę. Obaj jego starsi bracia zachowywali się wobec niego wyjątkowo złośliwie. Rodzice nienawidzili siebie nawzajem i byli zbyt zajęci własnymi sprawami, by zwracać uwagę na pozornie dużo mniej ważne problemy swoich dzieci, a zwłaszcza Teda, który był najmniejszy i najsłabszy, pozbawiając go tym samym swojej ochrony. Często uciekał z domu na długie, samotne spacery po okolicy, które były dla niego jedyną pociechą. Udało się nam ustalić, że jego pustelnicze życie ma swoje źródło właśnie w tych próbach obrony przed nieznośną sytuacją, które zaczął podejmować, nie mając nawet dziesięciu lat. Szkoła z internatem, choć stawiała inne wyzwania, była dlań oazą spokoju i przybytkiem wytchnienia. Gdy Ted o tym wszystkim opowiadał, jego uraza do świata, a raczej sposób jej wyrażania coraz bardziej przybierał na sile. Podczas kolejnych miesięcy terapii ożyły nie tylko jego cierpienia doznane w dzieciństwie i ból po śmierci Hanka, lecz także cierpienie spowodowane umieraniem na tysiące sposobów — na skutek odrzuceń i strat.

Po piętnastu miesiącach terapii nastąpił przełom. Ted przyniósł na sesję niewielką książkę.

— Zawsze powtarzasz, że jestem bardzo skryty i masz rację — powiedział. — Wczoraj wieczorem przerzucałem różne starocie i znalazłem ten dziennik, który pisałem na drugim roku studiów. Nawet doń nie zajrzałem, by go ocenzurować. Pomyślałem, że być może będziesz chciał przeczytać tę pełną relację o mnie takim, jaki byłem dziesięć lat temu.

Powiedziałem, że chętnie to zrobię, i przez kolejne dwa wieczory czytałem. W gruncie rzeczy niewiele tam było rewelacji, jeśli nie liczyć potwierdzenia, że samotniczy tryb życia Teda, izolującego się od innych snobizmem rozwiniętym na tle osobistych urazów, już wtedy dawał o sobie mocno znać. Zwróciłem jednak uwagę na jedną krótką relację. Ted opisywał, jak w pewną styczniową niedzielę wybrał się samotnie na pieszą wycieczkę, podczas której zaskoczyła go burza śnieżna. Dopiero kilka godzin po zapadnięciu zmroku wrócił do zacisza swojego pokoju. „Czułem się w jakimś sensie odrodzony i uradowany powrotem do bezpiecznego pokoju. Trochę to przypominało sytuację z zeszłego lata, gdy o mało nie zginąłem" — pisał. Następnego ranka podczas kolejnej sesji poprosiłem, żeby mi opowiedział, jak doszło do tego, że otarł się o śmierć.

— Mówiłem ci przecież o tym — odparł.

Wiedziałem już, że gdy Ted twierdzi, że coś mi powiedział, usiłuje to ukryć przede mną.

— Znów coś chcesz zataić przede mną.

— Ależ jestem pewien, że o tym mówiłem. Musiałem. No, ale nie było to znów nic wielkiego. Pamiętam, że podczas wakacji między pierwszym a drugim rokiem studiów pracowałem na Florydzie. Był sztorm. A ja lubię sztormy. W samym środku burzy poszedłem na molo. Zmyła mnie fala. Potem następna wyrzuciła mnie z powrotem. I wszystko. Stało się to bardzo szybko.

— Poszedłeś sam na koniec mola podczas największej burzy? — spytałem z niedowierzaniem.

— Mówiłem już. Lubię sztormy. Chciałem być blisko szalejącego żywiołu.

— Rozumiem. Ja też lubię sztormy. Nie wiem jednak, czy naraziłbym siebie na takie niebezpieczeństwo.

— Jak wiesz, mam skłonności samobójcze — odparł Ted. — Z pewnością doszły one do głosu owego lata. Przeanalizowałem to. Mówiąc szczerze, nie pamiętam, żebym poszedł na molo w celach samobójczych. Jednak z pewnością nie zależało mi zbytnio na życiu i dopuszczałem możliwość, że stamtąd nie wrócę.

— Fala zmyła cię z mola?

— Tak. Nie widziałem, co się ze mną dzieje. Była taka mgła, że prawie nic nie było widać. Domyślam się, że przypłynęła ogromna fala. Poczułem, jak mnie ogarnia, porywa, straciłem grunt pod nogami i znalazłem się w wodzie. Nie mogłem nic zrobić, żeby się ratować. Byłem pewien, że utonę. Poczułem przerażenie. Po jakiejś minucie zdałem sobie sprawę, że fala niesie mnie z powrotem; musiało to być coś w rodzaju fali powrotnej. Po chwili uderzyłem o betonowe molo. Chwyciłem się czegoś i wygramoliłem z wody. Znalazłem się na brzegu, trochę poobijany. I to wszystko.

— Co czujesz w związku z tą przygodą?

— Co masz na myśli? — Ted próbował zyskać na czasie.

— Dokładnie to, o co pytałem. Co czujesz w związku z tą przygodą?

— Chodzi ci o moje ocalenie?

— Tak.

— No, chyba czuję, że miałem szczęście.

— Szczęście? Po prostu niezwykły zbieg okoliczności, że nadpłynęła fala powrotna?

— Tak, i to wszystko.

— Niektórzy nazwaliby to cudem — skomentowałem.

— Myślę, że miałem po prostu szczęście.

— Myślisz, że miałeś szczęście? — prowokowałem go.

— Tak, do cholery! Miałem szczęście i już.

— To ciekawe, Ted. Kiedykolwiek spotyka cię przykrość,

złorzeczysz Bogu i temu zasranemu światu, lecz gdy dzieje się coś dobrego, kwitujesz to słowami, że miałeś szczęście. Drobnej tragedii winien jest Bóg, a cudowne błogosławieństwo jest dla ciebie tylko dziełem przypadku. Jak to się dzieje? Skonfrontowany z niekonsekwencją swojego rozumowania Ted zaczął zwracać większą uwagę na to, co dobre i wartościowe w tym świecie, na jego blaski i cienie. Po uporaniu się z bólem wywołanym śmiercią Hanka i śmiercią innych ważnych dla niego osób, zaczął zwracać uwagę na ciemne strony życia. Zaczął akceptować konieczność cierpienia i pojął paradoksalną, „pstrokatą" naturę egzystencji. Owa akceptacja przyszła, rzecz jasna, w atmosferze ciepła, miłości i coraz większej przyjemności, jaką dawał mu nasz związek psychoterapeutyczny. Ted ruszył z miejsca. Ostrożnie i z rozmysłem zaczął umawiać się na randki. Zaczął wyrażać nieśmiały entuzjazm. Doszła do głosu jego religijność. Dostrzegał teraz misterium życia i śmierci, tworzenia, rozpadu i odrodzenia. Czytał dzieła teologiczne. Słuchał *Jesus Christ Superstar*, *Godspell*, a nawet kupił sobie egzemplarz *Mewy* Jonathana Livingstona.

Po dwóch latach terapii Ted oznajmił mi pewnego ranka, że nadszedł czas, by sam się nią zajął.

— Rozważałem możliwość studiowania psychologii. Pewnie pomyślisz, że cię po prostu naśladuję, ale przeanalizowałem ten pomysł, i nie sądzę, by tak było.

— No i?

— Doszedłem do wniosku, że powinienem zabrać się za to, co najważniejsze. I to chciałbym właśnie studiować.

— Mów dalej.

— Uważam, że najważniejsza jest ludzka dusza. I psychoterapia.

— Ludzka dusza i psychoterapia to najważniejsze sprawy? — zapytałem.

— No, nie. Przypuszczam, że najważniejszy jest Bóg.

— Dlaczego więc nie miałbyś podjąć studiów nad Bogiem?

— Co masz na myśli?

— Jeżeli Bóg jest najważniejszy, to dlaczego nie miałbyś Go studiować?

— Przepraszam, ale nie rozumiem — powiedział Ted.

— Nie rozumiesz, bo nie chcesz zrozumieć.

— Naprawdę nie pojmuję. Jak można studiować Boga?

— Psychologię studiuje się na uczelni. Boga też.

— Masz na myśli uczelnię teologiczną?

— Tak.

— Miałbym zostać duchownym?

— Tak.

— Nie, nie mogę — powiedział Ted z konsternacją.

— A to dlaczego?

Ted próbował pobić mnie moją własną bronią.

— Nie ma właściwie specjalnej różnicy między psychoterapeutą a duchownym. To znaczy duchowni w dużym stopniu uprawiają psychoterapię. A psychoterapia jest czymś w rodzaju duchowej posługi.

— Dlaczego więc nie mógłbyś zostać duchownym?

— Ale mnie naciskasz — fuknął Ted. — Wybór zawodu jest moją osobistą sprawą. To ja decyduję, jaką wybiorę karierę. Terapeuci nie powinni aż tak ingerować w wybory dokonywane przez ich pacjentów. Nie jest twoją rolą decydować za mnie. Sam będę to robił.

— Ted, wcale nie dokonuję wyboru za ciebie — powiedziałem. — Podchodzę do tego czysto analitycznie. Analizuję możliwości, jakie stoją przed tobą. To ty z jakiegoś powodu nie chcesz rozważyć jednej z nich. Chcesz robić w życiu to, co najważniejsze. Uważasz, że najważniejszy jest Bóg. A kiedy doprowadziłem do tego, byś rozważył możliwość zawodu związanego z Bogiem, wykluczyłeś to. Mówisz, że nie możesz. W porządku. Ale tu zaczyna się moja działka. Interesuje mnie, dlaczego czujesz, że nie możesz. Dlaczego wykluczasz taką możliwość?

— Po prostu nie mógłbym być duchownym — powiedział Ted cicho.

— Dlaczego?

— Dlatego..., że duchowny reprezentuje Boga wobec innych ludzi. Mam na myśli, że z moją wiarą musiałbym się obnosić przed innymi ludźmi. Musiałbym wobec nich okazywać swój entuzjazm. Po prostu nie mógłbym robić czegoś takiego.

— Nie, gdyż ty wolisz działać w ukryciu, prawda? Twoją nerwicą jest twoja tajemnica i chcesz ją zachować. Wolisz ją chować w szafie, prawda?

Ted wybuchnął.

— Słuchaj, nie masz pojęcia, jakim to jest dla mnie problemem! Co ja przez to wycierpiałem! Gdy tylko otwierałem usta, by wyrazić entuzjazm, moi bracia bezlitośnie drwili ze mnie.

— A więc nadal myślisz, że masz dziesięć lat i narazisz się na drwiny swoich braci?

Ted rozpłakał się z bezsilności i frustracji.

— To nie wszystko — powiedział szlochając. — Rodzice karali mnie w ten sposób, że odbierali mi to, na czym mi zależało. „Pomyślmy, na czym Tedowi najbardziej zależy. Cieszy się na wyjazd do cioci w przyszłym tygodniu? Zależy mu na tym? No to nie pojedzie, bo był niedobry. A jego łuk i strzały? Wszak to ulubiona zabawka Teda. Odbierzmy mu ją". Prawda, jakie to proste? Prosty system. Zabierali mi wszystko, z czego się cieszyłem. Traciłem wszystko, na czym mi zależało.

I tak dotarliśmy do samego sedna nerwicy Teda. Stopniowo, wysiłkiem własnej woli, nieustannie pamiętając, że nie ma już dziesięciu lat i nie jest pod kontrolą rodziców lub w zasięgu rażenia swoich braci, krok po kroku zmuszał się do wyrażania swojego entuzjazmu, swojego miłowania życia i miłości do Boga. Postanowił wstąpić na uczelnię teologiczną. Kilka tygodni temu Ted przysłał mi czek, którym zapłacił za sesje z poprzedniego miesiąca. Coś przykuło moją uwagę. Podpis Teda był jakby dłuższy. Przyjrzałem się dokładniej. Dotychczas podpisywał się skróconym imieniem „Ted". Teraz napisał „Theodore". Spytałem go o to.

— Miałem nadzieję, że to zauważysz — powiedział. — Chyba nadal mam tendencję do zatajania pewnych spraw. Otóż gdy byłem mały, ciocia powiedziała mi, że powinienem być dumny z imienia Theodore, które znaczy „miłośnik Boga". I byłem. Powiedziałem o tym braciom. Jezu, jak zaczęli ze mnie drwić. Na tysiące sposobów szydzili z mojego zniewieścienia: „Ty babo kościelna. No idź, ucałuj ołtarz. Dlaczego nie pocałujesz się z organistą?". — Theodore roześmiał się. — Wiesz, jak to jest z dzieciakami. Zacząłem się wstydzić własnego imienia. Kilka tygodni temu uświadomiłem sobie, że nie wstydzę się już swojego imienia. Doszedłem do wniosku, że teraz będę się posługiwał nim w pełnym brzmieniu. Ostatecznie jestem miłośnikiem Boga, no nie?

WYLEWANIE DZIECKA Z KĄPIELĄ

Przytoczone przypadki chorobowe miały dać odpowiedź na zadane wcześniej pytanie: Czy wiara w Boga jest formą psychopatologii? Jeżeli mamy wydostać się z grzęzawiska opowiastek dla dzieci, lokalnych tradycji i zabobonów, trzeba zadać to pytanie, lecz podane przeze mnie przykłady dowodzą, że odpowiedź nie jest prosta. Czasami jest ona twierdząca. W przypadku Kathy bezkrytyczna wiara w dogmaty wpojone jej przez Kościół i matkę wyraźnie opóźniała jej rozwój i zatruwała jej ducha. Dopiero po zakwestionowaniu i odrzuceniu swojej wiary mogła pójść dalej i cieszyć się satysfakcjonującym życiem. Dopiero wtedy uzyskała możliwość rozwoju. Czasami odpowiedź jest przecząca. Gdy Marcia wyszła z zimnego mikrokosmosu swojego dzieciństwa na szerszy, cieplejszy świat, zaczęła w niej spokojnie i naturalnie dochodzić do głosu wiara w Boga. Natomiast w przypadku Teda należało wskrzesić wiarę, której musiał się wyrzec, by zapewnić sobie bezpieczeństwo w dzieciństwie. Owo wskrzeszenie wiary stanowiło zasadniczą część wyzwolenia i zmartwychwstania jego ducha.

Jak sprowadzić do wspólnego mianownika te sprzeczne wyniki? W poszukiwaniu prawdy uczeni z zapałem stawiają różne pytania, ale podobnie jak każdy z nas chcą uzyskać oczywiste, jasne i łatwe odpowiedzi. W poszukiwaniu łatwych rozwiązań, kwestionując rzeczywistość Boga, naukowcy mają skłonność do wpadania w dwie pułapki. Pierwszą jest przysłowiowe wylewanie dziecka z kąpielą, drugą — wizja tunelowa.

Prawdą jest, że Boską rzeczywistość otacza mnóstwo brudnej wody. Święte wojny. Inkwizycje. Ofiary ze zwierząt. Ofiary z ludzi. Zabobony. Ośmieszanie. Dogmatyzm. Ignorancja. Hipokryzja. Nadętość i wyniosłość. Surowość. Okrucieństwo. Palenie książek. Palenie czarownic. Zakazy. Lęk. Konformizm. Chorobliwe poczucie winy. Niepoczytalność. Tę listę można by ciągnąć w nieskończoność. Jednak czy to wszystko Bóg uczynił ludziom, czy raczej ludzie uczynili Bogu? Istnieje mnóstwo dowodów na to, że wiara w Boga bywa destrukcyjnie dogmatyczna. Czy problemem jest więc skłonność ludzi do wiary w Boga, czy problemem jest skłonność ludzi do dogmatyzmu? Ktokolwiek zetknął się z wojującym ateistą, wie, że może on być równie dogmatyczny w swojej niewierze jak człowiek wierzący w swojej wierze. Czy powinniśmy więc wyrzec się wiary w Boga, czy raczej naszego dogmatyzmu?

Innym powodem, dla którego uczeni mają skłonność do wylewania dziecka z kąpielą, jest fakt, że sama nauka — jak już pisałem — jest religią. Nieopierzony naukowiec, który dopiero odkrył naukowe widzenie świata lub został na nie nawrócony, potrafi być równie fanatyczny jak rycerz krzyżowy lub terrorysta z imieniem Allaha na ustach. Z takimi przypadkami mamy do czynienia zwłaszcza wtedy, gdy do naukowego widzenia świata dochodzi się, mając za punkt wyjścia kulturę i dom, w których wiara w Boga ściśle wiązała się z ignorancją, zabobonami, surowością i hipokryzją. Zarówno emocjonalne, jak i intelektualne motywy skłaniają nas wówczas do obalenia bożków prymitywnej wiary. Oznaką dojrzałości naukowców jest uzmysłowienie sobie tego, że nauka może być tak samo dogmatyczna jak każda inna religia.

Powiedziałem, że abyśmy mogli rozwijać się duchowo, musimy się stać naukowcami sceptycznymi wobec tego, czego nas nauczono, czyli wobec utartych pojęć i założeń naszej kultury. Również pojęcia naukowe stają się często kulturowymi bożkami i wobec nich także powinniśmy przejawiać sceptycyzm. Można wyrosnąć z wiary w Boga. Chciałbym jednak zasugerować, że można też dojrzeć do wiary w Boga. Sceptyczny ateizm czy agnostycyzm niekoniecznie musi być najwyższym stadium rozumienia, do jakiego zdolne są istoty ludzkie. Wręcz przeciwnie — dysponujemy mocnymi dowodami pozwalającymi sądzić, że za niczym nie popartymi spostrzeżeniami i fałszywymi koncepcjami Boga jest rzeczywistość, która jest Bogiem. To właśnie miał na myśli Paul Tillich, mówiąc o „bogu poza Bogiem". To mieli na myśli niektórzy głęboko refleksyjni chrześcijanie, z radością obwieszczając: „Umarł Bóg. Niech żyje Bóg". Czyżby droga duchowego rozwoju wiodła od zabobonów poprzez agnostycyzm do prawdziwego poznania Boga? O tej drodze pisał przed ponad dziewięcioma wiekami sufi muzułmański Aba Said ibn Abi al-Khayr:

Póki nie runą szkoła i minaret,
Nie będzie końca naszej świętej pracy.
Póki wiara nie stanie się odrzuceniem, a odrzucenie
nie stanie się przeświadczeniem,
Nie będzie prawdziwego muzułmanina*.

Bez względu na to, czy droga rozwoju duchowego wiedzie od sceptycznego ateizmu lub agnostycyzmu do właściwej wiary w Boga, zdarza się, że niektórzy intelektualnie rozwinięci i sceptyczni ludzie, tacy jak Marcia czy Ted, ewoluują

---

* Idries Shah, *The Way of the Sufi*, New York, Dutton, 1970, s. 44.

w kierunku wiary. Trzeba przy tym zauważyć, że wiara, do której dojrzewają, nie ma nic wspólnego z tą, od której uwolniła się Kathy. Bóg, który nastaje przed etapem sceptycyzmu, wykazuje małe podobieństwo do Boga, w którego wierzy się po naukowym etapie rozwoju. Jak wspomniałem na początku tej części, nie ma jednej, monolitycznej religii. Jest wiele religii i przypuszczalnie jest wiele poziomów wiary. Niektórym ludziom najwidoczniej pewne religie nie służą, inne zaś mogą się okazać ważnym czynnikiem duchowego rozwoju.

Wszystko to ma szczególne znaczenie dla tych naukowców, którzy są psychiatrami i psychoterapeutami. Zajmując się bezpośrednio procesem rozwoju, bardziej niż ktokolwiek inny są powołani do wydawania osądów na temat zdrowotnych implikacji wiary pacjenta. A ponieważ należą zazwyczaj do sceptycznej, jeśli nie stricte freudowskiej tradycji, mają tendencję do uznawania każdej żarliwej wiary w Boga za patologię. Czasami ta ich tendencja może przeradzać się w otwartą stronniczość i uprzedzenie. Spotkałem niedawno studenta ostatniego roku, który poważnie rozważał możliwość wstąpienia za kilka lat do klasztoru. Przez ubiegły rok chodził na psychoterapię i kontynuował ją do chwili, gdy z nim rozmawiałem. „Nie zdobyłem się na powiedzenie mojemu terapeucie o klasztorze ani o głębi mojej wiary. Myślę, że nie zrozumiałby mnie" — wyznał mi. Nie poznałem tego młodego człowieka na tyle, by ocenić, jakie znaczenie miał dla niego klasztor lub czy jego pragnienie wstąpienia doń miało podłoże nerwicowe. Miałem ochotę powiedzieć: „Powinieneś zwierzyć się swojemu terapeucie. W terapii podstawową sprawą jest całkowita otwartość, zwłaszcza w tak ważnej dla ciebie kwestii. Powinieneś ufać w obiektywizm swojego terapeuty". Nie zrobiłem tego jednak. Nie miałem przecież żadnej pewności, że terapeuta zachowa obiektywizm i postara się zrozumieć pacjenta.

Psychiatrzy i psychoterapeuci o zbyt uproszczonym nastawieniu wobec religii mogą oddać niektórym pacjentom niedźwiedzią przysługę. Stanie się tak, jeśli uznają każdą religię za dobrą i zdrową. Ale stanie się tak i wtedy, gdy należą do tych, którzy wylewają dziecko z kąpielą i każdą religię traktują jak chorobę lub publicznego wroga. Może się również zdarzyć, że zniechęceni złożonością zagadnienia terapeuci w ogóle nie zajmą się problemem wiary pacjentów, kryjąc się za maską absolutnego obiektywizmu, który — ich zdaniem — nie pozwala im angażować się w sprawy rozwoju duchowego czy religii ich pacjentów. Jednak dobro pacjentów często wymaga takiego zaangażowania. Nie chodzi mi o to, by psychoterapeuci wyzbyli się swojego obiektywizmu czy poszukiwania złotego środka między zachowaniem pacjenta a własną duchowością, co nie jest rzeczą łatwą. Przeciwnie, usilnie proszę, by psychoterapeuci wszystkich specjalności nie unikali zaangażowania się w te kwestie i wykazywali bardziej przemyślane podejście do zagadnień religijnych.

NAUKOWA WIZJA TUNELOWA

Czasami psychiatrzy spotykają się z pacjentami o dziwnym zaburzeniu widzenia: pacjenci ci widzą tylko wąski wycinek. Nie widzą niczego z lewa ani z prawa, powyżej ani poniżej tego ograniczonego pola widzenia. Nie są w stanie widzieć jednocześnie dwóch sąsiadujących ze sobą przedmiotów; widzą tylko jeden, a jeżeli chcą dostrzec drugi, to muszą kierować w jego stronę głowę. Ten syndrom przypomina patrzenie w tunel, na końcu którego widać tylko mały krążek światła. Objawu tego nie można wyjaśnić żadnymi zaburzeniami somatycznymi ich układu wzrokowego. Wygląda to tak, jakby z jakiejś przyczyny nie chcieli widzieć więcej niż oko może bezpośrednio ujrzeć, dojrzeć czegoś ponad to, na czym postanowili skupić swoją uwagę.

Jednym z głównych powodów, dla którego naukowcy mają skłonność do wylewania dziecka z kąpielą, jest fakt, że nie widzą dziecka. Cierpią na pewien rodzaj tunelowej wizji, sami zakładają sobie psychologiczny odpowiednik końskich klapek na oczy nie pozwalający im dostrzec domeny ducha. Chciałbym omówić dwie spośród wielu przyczyn występowania wizji tunelowej, wywodzące się bezpośrednio z podejścia naukowego. Pierwsza z nich wynika z metodologii. Kładąc nacisk — co jest godne pochwały — na eksperyment, dokładną obserwację i powtarzalność, nauka wielką wagę przywiązuje do pomiarów. Zmierzyć coś, znaczy doświadczyć tego w określonym wymiarze, w którym możemy poczynić dokładne obserwacje, które inni mogą potwierdzić. Umiejętność dokonywania pomiarów pozwoliła nauce poczynić ogromne postępy w rozumieniu wszechświata materialnego. Jednak z tego powodu pomiar stał się czymś w rodzaju naukowego bożka. Wielu naukowców zatem przyjmuje nie tylko sceptyczną postawę, lecz z gruntu odrzuca wszystko, czego nie da się zmierzyć, jak gdyby chcieli powiedzieć: „Nie możemy poznać tego, czego nie da się zmierzyć. Nie należy zajmować się czymś, czego nie można poznać, a więc wszystko, czego nie da się zmierzyć, jest nieistotne i niewarte naszej uwagi". Takie podejście sprawia, że nie traktują oni poważnie tego, czego nie da się dotknąć. Łącznie z Bogiem, rzecz jasna.

To osobliwe, lecz bardzo rozpowszechnione założenie, w myśl którego rzeczy niełatwe do zbadania nie są godne uwagi, zaczęło być kwestionowane dzięki stosunkowo niedawnym osiągnięciom samej nauki. Należy do nich rozwój coraz bardziej wyszukanych metod badawczych. Za pomocą takich narzędzi jak mikroskopy elektronowe, spektrofotometry i komputery oraz dzięki rozwojowi odpowiednich technik analizy — na przykład statystycznych — możemy dziś dokonywać pomiarów coraz bardziej złożonych zjawisk, takich, które kilkadziesiąt lat temu były niemierzalne. Pole naukowej wizji wciąż się poszerza. Dzięki temu być może wkrótce będziemy mogli stwierdzić, że „nie ma niczego, czego nie bylibyśmy w stanie zobaczyć — jeśli postanowimy cokolwiek zbadać, to zawsze znajdziemy odpowiednią metodologię, która nam to umożliwi".

Innym osiągnięciem, które pomaga nam się uwolnić od wizji naukowej tunelowej, jest stosunkowo niedawne odkrycie występowania paradoksu. Sto lat temu paradoks był dla naukowego umysłu równoznaczny z błędem. Wnikając jednak w takie zagadnienia jak natura światła, elektromagnetyzm, mechanika kwantowa i teoria względności, nauki ścisłe w ciągu ostatniego stulecia dojrzały do tego, by coraz częściej przyznawać, że na pewnej płaszczyźnie rzeczywistość jest paradoksalna. J. Robert Oppenheimer pisał:

Na pytania, które wydają się najprostsze, mamy tendencję albo nie dawać żadnej odpowiedzi, albo udzielamy takiej, która na pierwszy rzut oka przypomina raczej zdanie wyrwane z jakiegoś dziwacznego katechizmu niż oczywistą i zrozumiałą odpowiedź fizyki. Gdy na przykład pytamy, czy elektron zachowuje niezmienną pozycję, musimy odpowiedzieć „nie"; na pytanie, czy pozycja elektronu zmienia się z upływem czasu, odpowiedź brzmi „nie"; na pytanie, czy elektron pozostaje w stanie spoczynku, musimy odpowiedzieć „nie"; na pytanie, czy jest w ruchu, musimy odpowiedzieć „nie". Takich odpowiedzi udzielał Budda, kiedy pytano go, co się dzieje z jaźnią człowieka po śmierci, lecz są one obce siedemnasto- i osiemnastowiecznej nauce*.

Od tysiącleci mistycy przemawiali w kategoriach paradoksu. Czy to możliwe, że zaczynamy dostrzegać wspólną płaszczyznę dla nauki i religii? Skoro możemy powiedzieć, że „człowiek jest zarówno śmiertelny, jak i wieczny" albo że „światło jest jednocześnie falą i cząstką", to zaczynamy mówić tym samym językiem. Czy to możliwe, by droga rozwoju duchowego prowadząca od religijnego zabobonu do naukowego sceptycyzmu przywiodła nas do poznania rzeczywistości religijnej?

* *Science and the Common Understanding*, New York, Simon & Schuster, 1953, s. 40.

Ta rysująca się możliwość zjednoczenia religii z nauką jest najbardziej znaczącym i pasjonującym zagadnieniem współczesnego życia intelektualnego. Ale to dopiero początek, ponieważ obie strony dialogu — religia i nauka — nadal posługują się utartymi, wąskimi układami odniesienia; jedna i druga nadal są zaślepione swoją własną wizją tunelową. Przypatrzmy się nastawieniu obu stron wobec kwestii cudów. Dla większości naukowców pojęcie cudu jest wyklęte. Przez ostatnie cztery stulecia nauka sformułowała wiele „praw natury" w rodzaju: „Dwa ciała przyciągają się wzajemnie z siłą wprost proporcjonalną do ich masy i odwrotnie proporcjonalną do odległości między nimi" lub: „Energia nie może być ani stworzona, ani zniszczona". Odniósłszy jednak sukces w odkrywaniu praw natury, naukowcy uczynili z nich bożka swojego naukowego widzenia świata, tak jak bożkiem stało się dla nich pojęcie pomiaru. Skutkiem tego każde zjawisko, które nie może być wyjaśnione na podstawie obecnego poziomu wiedzy, jest uznawane przez autorytety naukowe za nierzeczywiste. Gdy chodzi o metodologię, naukowcy mają tendencję mawiać: „Co jest trudne do zbadania, nie zasługuje na badanie", gdy chodzi o prawa naturalne: „Co jest trudne do zrozumienia, nie istnieje".

Kościół ma pod tym względem szersze horyzonty. Dla autorytetów religijnych to, czego nie można zrozumieć z punktu widzenia obecnie uznawanych praw naturalnych, jest cudem, a cuda się zdarzają. Kościół poświadcza istnienie cudów, lecz lęka się patrzeć na nie z bliska. „Cuda nie potrzebują naukowych badań. Powinny być po prostu akceptowane jako działanie Boga" — oto przeważające nastawienie ludzi religijnych. Ludzie religijni nie chcą, by ich religia była podważana przez odkrycia nauki, podobnie jak naukowcy nie chcą, by nauka była podważana przez religię.

Przypadki cudownych uzdrowień od dawna były używane przez Kościół katolicki do weryfikowania ludzi świętych. Podobnie jest w wielu odłamach wyznania protestanckiego. Kościoły te jednak nigdy nie zwróciły się do lekarzy z zapytaniem: „Czy pomoglibyście nam zbadać te fascynujące zjawiska?". Lekarze zaś też nie zaproponowali: „Może moglibyśmy razem z wami zbadać te przypadki, które są przecież tak ważne dla naszej profesji?". Zamiast tego świat medycyny przejął stanowisko, że cudowne uzdrowienia nie istnieją, że choroba, z której dany człowiek został uzdrowiony, albo w ogóle nie istniała, albo była urojeniem, histeryczną konwersją, lub też mogła być mylnie zdiagnozowana. Na szczęście jednak garstka poważnych naukowców, lekarzy i religijnych poszukiwaczy prawdy coraz częściej podejmuje badania nad takimi fenomenami jak spontaniczna remisja raka czy bezsporne przypadki uzdrawiania siłami psychiki.

Piętnaście lat temu, gdy ukończyłem akademię medyczną, byłem pewien, że cudów nie ma. Dzisiaj jestem przekonany, że cudów jest bez liku. Zmiana w mojej świadomości nastąpiła w wyniku współdziałania dwóch czynników. Jednym z nich były różnorodne doświadczenia, które poczyniłem podczas mojej praktyki psychiatrycznej. Z początku wydawały mi się czymś powszednim, lecz gdy zastanowiłem się nad nimi głębiej, doszedłem do wniosku, że moja praca, mająca na celu pomaganie pacjentom w ich rozwoju, była w znacznej mierze wspomagana przez coś, dla czego nie znajduję logicznego wytłumaczenia, czyli w sposób cudowny. Te doświadczenia, z których część przytoczę, kazały mi zakwestionować moje poprzednie założenie, że cuda są niemożliwe. Podważywszy to przypuszczenie, otworzyłem się na możliwość ich istnienia. Ta moja otwartość stała się drugim czynnikiem, który przyczynił się do przemiany mojej świadomości i pozwolił mi patrzeć na zwykłą egzystencję okiem postrzegającym cudowność. I im dokładniej się jej przyglądałem, tym więcej cudów dostrzegałem. Byłbym niezmiernie rad, gdyby czytelnicy po lekturze tej książki uzyskali zdolność postrzegania cudowności. O tej zdolności niedawno napisano:

Samospełnienie rodzi się i dojrzewa w innej zmysłowości, zmysłowości, którą różni ludzie różnie określali. Na przykład mistycy nazywali ją postrzeganiem boskości i doskonałości świata. Richard Bucke odnosił ją do świadomości kosmicznej, Buber opisywał w kategoriach relacji ja–ty, Maslow zaś opatrzył ją mianem „poznanie Bytu". Będziemy używać terminu Uspienskiego i nazwiemy ją postrzeganiem cudownego. W tym przypadku „cudowne" odnosi się nie tylko do zjawisk nadzwyczajnych, lecz również do całkiem zwykłych, ponieważ absolutnie wszystko może wywoływać tę szczególną zmysłowość, pod warunkiem że zwróci się na to wystarczającą uwagę. Gdy postrzeganie zostanie uwolnione od dominacji z góry przyjętych koncepcji i osobistego interesu, uzyska wolność doświadczania świata takim, jaki sam w sobie jest, i będzie mogło dostrzec wrodzoną mu doskonałość. Postrzeganie cudownego nie wymaga wiary ani przyjętych z góry założeń. Jest po prostu kwestią zwracania pełnej uwagi na dary życia, czyli na to wszystko, co jest w nim tak stale obecne, że zwykle uznawane jest za oczywiste. Prawdziwy cud tego świata obecny jest wszędzie, w najdrobniejszych częściach naszych ciał, w rozległych przestrzeniach kosmosu, a także w ścisłym wzajemnym powiązaniu jednych i drugich oraz wszechrzeczy. Jesteśmy częścią wspaniale zrównoważonego ekosystemu, w którym wzajemna zależność idzie ręka w rękę z indywidualizacją. Wszyscy jesteśmy indywiduami, lecz jednocześnie stanowimy część większej całości, zjednoczeni w czymś niezmiernym i pięknym, czego nie da się opisać. Postrzeganie cudownego jest subiektywną istotą samospełnienia, korzeniem, z którego wyrastają najwspanialsze ludzkie przymioty i doświadczenia*.

Jeśli chodzi o powszechne postrzeganie cudów, to uważam, że zwykliśmy o nich myśleć zbyt ekstremalnie. Szukamy gorejącego krzaka, chcielibyśmy zobaczyć rozstępujące się morze lub usłyszeć grzmiący z nieba głos. A powinniśmy

---

* Michael Stark, Michael Washburn, *Beyond the Norm: A Speculative Model of Self-Realization*, „Journal of Religion and Health", Vol. 16, No. 1 (1977), s. 58-59.

baczniej przyglądać się zwyczajnym, codziennym zdarzeniom w naszym życiu, szukając w nich dowodów cudowności, zachowując jednocześnie nastawienie naukowe. Takich właśnie prób podejmę się w następnej części tej książki, analizując zwyczajne zdarzenia z praktyki psychiatrycznej, które doprowadziły mnie do zrozumienia nadzwyczajnego zjawiska łaski.

Chciałbym jednak zakończyć ten rozdział pewnym ostrzeżeniem. Pogranicze nauki i religii może się okazać terenem grząskim i niebezpiecznym. Możemy się zetknąć z przypadkami postrzegania pozazmysłowego, zjawiskami paranormalnymi oraz innymi odmianami cudowności. Dlatego wskazane jest zachowanie zdrowego rozsądku. Niedawno byłem na konferencji poświęconej uzdrawianiu wiarą, na której wielu wykształconych ludzi przedstawiało anegdotyczne dowody mające wykazać, że oni sami lub inne osoby posiadają moc uzdrawiania. Starali się przy tym wywołać wrażenie, że ich relacje odpowiadają kryteriom metodologii naukowej, chociaż wcale tak nie było. Jeśli uzdrowiciel ma do czynienia z pacjentem cierpiącym na zapalenie stawu, kładzie rękę na chorym miejscu, a następnego dnia stan zapalny znika, to nie znaczy jeszcze, że on go uzdrowił. Stany zapalne stawów prędzej czy później, powoli lub nagle ustępują — bez względu na to, czy się je leczy czy nie. Fakt, że dwie rzeczy dzieją się w tym samym czasie, nie musi oznaczać, że łączy je związek przyczynowo-skutkowy. I właśnie dlatego, że owo pogranicze nauki roi się od zjawisk niejasnych i niejednoznacznych, powinniśmy poruszać się po nim z zachowaniem zdrowego sceptycyzmu, by nie wprowadzać w błąd siebie samych i innych. Jedną z dróg, która może wieść donikąd, jest brak sceptycyzmu i poczucia rzeczywistości tak często spotykany u zwolenników zjawisk parapsychologicznych. Takie osoby szkodzą dobremu imieniu całej tej dziedziny. Ponieważ sfera zjawisk parapsychologicznych przyciąga wiele osób o obniżonym poziomie krytycyzmu, więc bardziej realistycznie rozumujący obserwatorzy skorzy są do wyciągania wniosku, że zjawiska te nie występują, choć wcale tak być nie musi. Często ludzie próbują znaleźć proste odpowiedzi na trudne pytania, dokonując mariażu koncepcji popularnonaukowych z religijnymi — wiele sobie po nim obiecując, lecz jednocześnie niewiele myśląc. Fakt, że większość takich mariaży kończy się fiaskiem, nie oznacza, że są one niemożliwe czy niewskazane. Ale tak jak ważne jest, by nasze widzenie nie było upośledzone wskutek naukowej wizji tunelowej, ważne jest też, by nasz zmysł krytycyzmu i zdolność do sceptycyzmu nie zostały zaślepione olśniewającym pięknem domeny ducha.

CZĘŚĆ CZWARTA

ŁASKA

CUD ZDROWIA

Zdumiewająca łasko! Twoje słodkie słowo
takiego nikczemnika jak ja ocaliło!
Byłem zagubiony, lecz teraz się odnalazłem.
Byłem ślepy, lecz ono wzrok mi przywróciło.

To łaska nauczyła moje serce się lękać
i łaska moje lęki uśmierzy.
Jakże drogocenną ona mi się objawiła
w godzinie, gdym po raz pierwszy uwierzył.

Wielu niebezpieczeństw, mozołów i sideł
dzięki łasce pomyślnie uniknąłem.
To łaska tak daleko mnie przywiodła
I dzięki niej bezpiecznie do domu wróciłem.

I choćbyśmy na Ziemi dziesięć tysięcy lat żyli,
przez wszystkie dni jaśniejąc jak słońce,
tyle samo dni będziemy wychwalać Boga, tak samo
jak wtedy, gdyśmy pierwszy raz łaskę zobaczyli*.

Pierwszym określeniem użytym w odniesieniu do łaski
w znanym, wczesnym amerykańskim hymnie ewangelickim
Amazing Grace (Cudowna łaska) jest „zdumiewająca". Coś
nas zdumiewa, gdy nie biegnie zwykłą koleją rzeczy lub gdy

---

* John Newton (1725-1807), *Amazing Grace.*

nie da się tego przewidzieć na podstawie znanych praw natury. W tej części książki spróbuję dowieść, że łaska jest zjawiskiem powszechnym i w pewnym stopniu przewidywalnym, choć jej natura jest niewytłumaczalna w kategoriach pojęć konwencjonalnej nauki i jej praw. Zjawisko łaski pozostaje więc cudowne i zdumiewające.

Są takie aspekty praktyki psychiatrycznej, które nigdy nie przestaną zdumiewać mnie i wielu moich kolegów po fachu. Jednym z nich jest fakt, że nasi pacjenci są zadziwiająco zdrowi umysłowo. Specjaliści z innych dziedzin medycyny zarzucają psychiatrom praktykowanie niedokładnej i nienaukowej dyscypliny. Jednak w rzeczywistości więcej wiadomo o przyczynach nerwic niż o wielu chorobach somatycznych. Psychoanaliza pozwala śledzić etiologię i rozwój nerwicy u pacjenta z dokładnością i precyzją rzadko spotykaną w innych specjalnościach medycyny. Można rozpoznać, jak, kiedy, gdzie i dlaczego rozwija się u danej osoby konkretny objaw nerwicowy czy wzorzec zachowania. Z równą dokładnością daje się ustalić, jak, kiedy, gdzie i dlaczego dana nerwica może być leczona, lub też dlaczego ustąpiły jej objawy. Nie wiemy jednak, dlaczego nerwica nie przybiera ostrzejszej formy; dlaczego nasz pacjent cierpiący na lekką nerwicę nie cierpi na jej cięższą postać lub dlaczego pacjent z ciężką nerwicą nie cierpi na zupełną psychozę. Bardzo często stwierdzamy, że pacjent doznał takiego urazu lub urazów psychicznych, które mogły doprowadzić do określonej nerwicy, lecz urazy te powinny spowodować znacznie cięższą nerwicę niż tę, na którą cierpi.

Trzydziestopięcioletni biznesmen odnoszący duże sukcesy zawodowe zgłosił się do mnie z nerwicą, którą można było określić tylko jako łagodną. Był dzieckiem pozamałżeńskim. W niemowlęctwie i wczesnym dzieciństwie wychowywała go samotnie głuchoniema matka; żyli w slumsach Chicago. Gdy skończył pięć lat władze uznały, że dłużej nie może pozostawać pod opieką matki i umieszczono go w domu dziecka. Potem był w trzech rodzinach zastępczych, w których go poniżano i zaniedbywano. Gdy miał piętnaście lat, doznał częściowego paraliżu z powodu pęknięcia wrodzonego tętniaka mózgu. Mając szesnaście lat, opuścił ostatnią rodzinę zastępczą i rozpoczął życie na własną rękę. Jak to zwykle w takich przypadkach bywa, w wieku siedemnastu lat znalazł się w więzieniu za jakieś drobne przestępstwo. W więzieniu nie poddawano go psychoterapii.

Kiedy po sześciu ciężkich miesiącach wyszedł na wolność, władze zapewniły mu pracę pomocnika magazyniera w niewielkiej firmie. Żaden psychiatra ani pracownik socjalny nie wróżyłby mu świetlanej przyszłości. A jednak po trzech latach został najmłodszym w historii firmy kierownikiem działu. Pięć lat później ożenił się z kobietą na kierowniczym stanowisku, opuścił firmę i otworzył własne przedsiębiorstwo, stając się dość zamożnym człowiekiem. Kiedy zgłosił się do mnie na leczenie, był także kochającym i szczęśliwym ojcem, intelektualistą samoukiem, liderem lokalnej społeczności i artystą o sporym dorobku. Jak tego wszystkiego dokonał? Rozumując zwykłymi kategoriami związków przyczynowych, muszę stwierdzić, że nie wiem. Razem udało nam się dokładnie ustalić — za pomocą logicznej analizy związków przyczynowo-skutkowych — pochodzenie jego lekkiej nerwicy i uzdrowić go z niej, lecz nie byliśmy w stanie określić, co zdecydowało o jego niezwykłych sukcesach.

Omówiłem ten przypadek dość szczegółowo, ponieważ doznane przez tego człowieka urazy były równie oczywiste jak jego sukcesy życiowe. Większość pacjentów odnosi znacznie lżejsze urazy w dzieciństwie, a wywierają one dużo bardziej niszczycielski wpływ na ich psychikę, przez co stan ich zdrowia psychicznego bywa dużo gorszy niż biznesmena, o którym napisałem. I to jest właśnie sedno zagadnienia. Rzadko mam do czynienia z pacjentami, którzy już na początku terapii nie byliby bardziej zdrowi psychicznie od swoich rodziców. Dysponujemy dużą wiedzą na temat przyczyn chorób psychicznych. Nie potrafimy jednak zrozumieć, dlaczego pacjenci tak często wychodzą obronną ręką z ciężkich urazów, jakie spotykają ich w życiu. Potrafimy przewidzieć, którzy ludzie i dlaczego przejawiają tendencje samobójcze. Natomiast rozważając zwykłe związki przyczynowo-skutkowe, nie potrafimy wytłumaczyć, dlaczego wielu innych ludzi samobójstw nie popełnia. Możemy tylko skonstatować, że istnieje jakaś powszechna siła, której mechanizmu nie pojmujemy, a która oddziałuje na większość ludzi, chroniąc i wspomagając ich zdrowie psychiczne w najbardziej nawet niekorzystnych warunkach.

Choć nie ma zasadniczej analogii między procesami chorobowymi zachodzącymi w przypadku chorób psychicznych i somatycznych, to w tym przypadku jest ona dość wyraźna. O wiele więcej wiemy o przyczynach chorób psychicznych niż o przyczynach zdrowia fizycznego. Spytajcie jakiegokolwiek lekarza, co powoduje nagminne zapalenie opon mózgowych, a odpowiedź będzie brzmiała: „Bakterie nazywane meningokokami". I w tym problem! Gdyby najbliższej zimy przebadano populację miejscowości, w której mieszkam, okazałoby się, że u dziewięciu na dziesięć osób występują te bakterie. Jednakże od wielu lat nikt w tym miasteczku nie chorował na zapalenie opon mózgowych ani nie zachoruje tej zimy. Jak to wytłumaczyć?

Nagminne zapalenie opon mózgowych jest raczej rzadko spotykaną chorobą, chociaż jej czynnik etiologiczny jest bardzo pospolity. By wyjaśnić ten fenomen, lekarze sięgają po pojęcie odporności, twierdząc, że posiadamy mechanizmy obronne, które nie dopuszczają do inwazji meningokoków i bronią dostępu również innym wszędobylskim drobnoustrojom chorobotwórczym. Niewątpliwie jest to prawda. Wiemy już sporo o mechanizmach działania układu odpornościowego. Ale bardzo ważne pytania pozostają bez odpowiedzi. Choć część śmiertelnych ofiar zapalenia opon mózgowych stanowią ludzie o osłabionym systemie odpornościowym, to jednak większość z nich to osoby przedtem zdrowe, u których nie stwierdzono obniżonej odporności. Oczywiście możemy stwierdzić, że ich śmierć spowodowały meningokoki, lecz taka ocena będzie powierzchowna. Tak naprawdę nie wiemy, dlaczego zmarli. Najbliższe prawdy byłoby stwierdzenie, że mechanizmy obronne, które do tej pory chroniły ich życie i zdrowie, w tym przypadku zawiodły.

Choć pojęcie odporności zazwyczaj stosuje się do chorób zakaźnych, takich jak zapalenie opon mózgowych, można je w jakimś stopniu odnieść do wszystkich chorób somatycznych. W przypadku chorób niezakaźnych nie wiemy jednak prawie nic o działaniu systemu odporności. Ktoś może mieć jeden stosunkowo łagodny atak choroby wrzodowej — powszechnie uznawanej za zaburzenie psychosomatyczne — po czym całkowicie powróci do zdrowia i nie będzie miał już nigdy nawrotów tej choroby. Kogoś innego ataki tej choroby będą nękały do końca życia, a może być i tak, że zapalenie będzie miało piorunujący przebieg — chory umrze już po pierwszym ataku. Choroba niby ta sama, a skutki tak różne. Dlaczego?

Nie mamy pojęcia i możemy tylko spekulować, że niektórzy ludzie o określonym wzorcu osobowości są bardziej podatni na pewne choroby i mają większe problemy z ich zwalczaniem. Jaka jest tego przyczyna? Nie wiemy. Podobne pytania można postawić w odniesieniu do prawie wszystkich chorób, również tych uznawanych za współczesne plagi ludzkości: schorzeń układu krążenia, udaru mózgu, raka, owrzodzenia żołądka, a nawet AIDS. Coraz więcej myślicieli skłania się ku twierdzeniu, że prawie wszystkie choroby mają charakter psychosomatyczny, że psyche moduluje działanie systemu odpornościowego. Jednak rzeczą zdumiewającą nie są zaburzenia działania układu immunologicznego, lecz jego skuteczność! Nie byłoby w tym nic dziwnego, gdybyśmy zostali żywcem pożarci przez bakterie, przerośnięci rakiem, gdyby nasze żyły zostały zatkane złogami miażdżycowymi i skrzepami, a nasz żołądek został na wylot przeżarty przez kwas solny. Fakt, że chorujemy i umieramy, nie powinien dziwić; zadziwiające jest to, że tak rzadko chorujemy i nie umieramy zbyt wcześnie. O chorobach somatycznych możemy powiedzieć to samo co o zaburzeniach psychicznych: istnieje jakaś siła o nie w pełni zrozumiałym dla nas mechanizmie działania, która wydaje się powszechnie chronić większość ludzi w najbardziej niesprzyjających warunkach.

Równie intrygujące pytania nasuwają się w związku z nieszczęśliwymi wypadkami. Wielu lekarzy i większość psychiatrów miało w swojej pracy do czynienia ze zjawiskiem skłonności niektórych pacjentów do ulegania wypadkom. Skrajnym przykładem z mojej praktyki może być przypadek czternastoletniego chłopca, o którego zbadanie poproszono mnie przed umieszczeniem go w poprawczaku. Jego matka zmarła w listopadzie, gdy miał osiem lat. Po roku od jej śmierci, w listopadzie, mając dziewięć lat, spadł z drabiny i złamał kość ramieniową. W dziesiątym roku życia, w listopadzie, miał poważny wypadek podczas jazdy rowerem — doznał pęknięcia czaszki i urazu mózgu. W jedenastym roku życia, również w listopadzie, wypadł przez okno w dachu i złamał kość biodrową. W następnym roku, także w listopadzie, spadł z deskorolki i złamał rękę w nadgarstku. Mając trzynaście lat został w listopadzie potrącony przez samochód, co skończyło się pęknięciem kości miednicy. Jest bezsprzecznym faktem, że ów chłopiec rzeczywiście miał skłonność do ulegania wypadkom i musiała istnieć jakaś tego przyczyna. Jaka? Chłopiec nie działał świadomie, by wyrządzić sobie krzywdę. Nie uświadamiał sobie też żalu po śmierci matki; cynicznie oświadczył mi, że całkiem o niej zapomniał. Chcąc zrozumieć, jak do tych wypadków dochodziło, powinniśmy, moim zdaniem, również posłużyć się znanym medycynie chorób somatycznych mechanizmem podatności i odporności. Mechanizm ten sprawia w tym przypadku, że niektórzy ludzie w pewnych okresach swojego życia często ulegają wypadkom, lecz nie dotyczy to większości z nas.

Pewnego zimowego dnia, gdy miałem dziewięć lat i wracałem z książkami ze szkoły do domu, przechodząc przez zasypaną śniegiem ulicę, poślizgnąłem się i upadłem. Gwałtownie hamujący samochód, który pędził tą ulicą, zatrzymał się, gdy moja głowa znalazła się tuż przy przednim zderzaku, a nogi i tułów między kołami auta. Wygramoliłem się spod samochodu i przerażony pobiegłem do domu. Nie odniosłem żadnych obrażeń. To zdarzenie nie wydaje się niczym nadzwyczajnym; można by rzec, że miałem szczęście i tyle. Ale jeśliby spisać wszystkie inne chwile, gdy jako pieszy, rowerzysta lub kierowca uniknąłem potrącenia przez samochód, gdy prowadząc samemu, o mało nie przejechałem przechodnia lub ledwo ominąłem w ciemności grupę rowerzystów, gdy nacisnąwszy hamulec, zatrzymałem się o włos od innego pojazdu, gdy jadąc szybko na nartach, musnąłem drzewo, gdy uniknąłem niechybnego wypadnięcia przez okno, gdy kij golfowy z pełnym rozmachem musnął moje włosy... i wiele innych przypadków, gdy „miałem szczęście i tyle"? Czy to były tylko przypadki? Czy może jestem w czepku urodzony? Jeśli czytelnicy przyjrzą się pod tym kątem swojemu życiu, to myślę, że większość z nich odkryje podobne wzorce powtarzających się zagrożeń, które cudem ich ominęły, i okaże się, że wypadków, do których o mały włos nie doszło, jest o wiele więcej niż tych, które się wydarzyły. Jestem też pewien, że czytelnicy przyznają, iż uniknięcie wypadku lub katastrofy w sytuacji zagrożenia najczęściej nie jest wynikiem świadomej decyzji. Czyżby w życiu większości z nas działał jakiś dobroczynny czar? Czyżby prawdą było to, co mówi wers cytowanego hymnu: „łaska mnie tak daleko przywiodła"?

Niektórzy mogą pomyśleć, że nie ma w tym nic nadzwyczajnego, że wszystko, o czym mówię, jest przejawem instynktu samozachowawczego. Ale czy nazwanie jakiegoś zjawiska wyjaśnia je? Czy fakt posiadania instynktu samozachowawczego staje się banałem dlatego, że nadaliśmy mu nazwę? Nasza wiedza o mechanizmie działania instynktów jest jeszcze w powijakach. Zagadnienie nieszczęśliwych wypadków każe nam myśleć, że skłonność do ich przeżywania bądź unikania może być zjawiskiem szerszym i jeszcze bardziej cudownym niż instynkt, który sam w sobie jest cudem. Choć niewiele wiemy o instynktach, ich działanie najwyraźniej ogranicza się do ciała organizmu, którym zawiadują. Możemy sobie wyobrazić, że odporność na choroby psychiczne i somatyczne jest wynikiem działania umysłu nieświadomego* lub procesów fizjologicznych zachodzących w ciele konkretnej osoby. Jednak podczas wypadku dochodzi do oddziaływania między różnymi ludźmi lub między ludźmi a materią nieożywioną. Czy koła samochodu nie przejechały mnie dlatego, że zadziałał mój instynkt przetrwania, czy też dlatego, że instynkt kierowcy nie pozwolił mu mnie przejechać? Czy występuje u nas instynkt chroniący nie tylko nasze życie, lecz również życie innych ludzi?

Choć osobiście tego nie doświadczyłem, mam kilku przyjaciół, którzy widzieli wypadki samochodowe, z których ofiary wychodziły dosłownie nietknięte z pojazdów zdruzgotanych i zniekształconych nie do poznania. Byli tym szczerze zdumieni: „Nie wyobrażam sobie, jak ktoś mógł się wydostać z takiego wraku żywy, a co dopiero bez żadnej szkody". Jak to wytłumaczymy? Dzieło przypadku? Szczęście? Moich sceptycznych znajomych zaskakiwało zwłaszcza to, że okoliczności wypadku wykluczały szczęśliwy zbieg okoliczności. „Nikt nie miał prawa wyjść z tego żywy" — mówili. Choć nie są ludźmi wierzącymi i nie zastanawiają się głębiej nad własnymi słowami, próbując wyjaśnić tego rodzaju wydarzenia, czynili zwykle następujące uwagi: „Bóg czuwa nad pijakami" albo „Chyba jeszcze nie przyszła jego kolej".

Czytelnik może się skłaniać do złożenia tych niewyjaśnionych przypadków ocalenia na karb „czystego przypadku", „zbiegu okoliczności", czy też „zrządzenia losu", by nie za-

---

* Ang. *the unconscious (mind)* — nieświadome albo umysł nieświadomy — jungowskie określenie freudowskiego id, co w dosłownym tłumaczeniu z łaciny oznacza „to". Choć *the unconscious* zwykło się tłumaczyć jako „nieświadomość", to jednak uważam, że termin „nieświadome" lepiej oddaje znaczenie angielskiego *the unconscious* i freudowskiego id niż termin „nieświadomość", który można rozumieć jako brak świadomości, a nie jako odrębną, obiektywnie istniejącą warstwę aparatu psychicznego, której istnienie pierwszy postulował Freud. Z tej przyczyny będę używał terminu „nieświadome" i „umysł nieświadomy" zamiast „nieświadomość" (przyp. tłum.).

stanawiać się nad ich przyczyną. Gdybyśmy chcieli posunąć się dalej w analizie takich przypadków, okazałoby się jednak, że nie da się ich wyjaśnić na podstawie teorii instynktów. Czy nieożywiona karoseria samochodu może posiadać instynkt, który każe jej wygiąć się w taki sposób, by ochronić znajdujące się w niej ludzkie ciało? Czy to raczej człowiek dzięki swojemu instynktowi przybiera w momencie zderzenia pozycję dostosowującą kształt jego ciała do wolnej przestrzeni w zmiażdżonej karoserii? Takie pytania zakrawają na absurd. Decydując się na analizowanie przypuszczenia, że tego rodzaju wypadki dałyby się jakoś wyjaśnić, mam świadomość, że nasza wiedza o instynktach nie będzie zbyt pomocna. Bardziej przydatne w dalszych rozważaniach może się okazać zjawisko synchroniczności. Jednak teraz chciałbym omówić pewne aspekty działania tej części ludzkiego umysłu, którą psychoanalitycy nazywają umysłem nieświadomym.

CUD NIEŚWIADOMEGO

Pracę z nowym pacjentem często rozpoczynam od narysowania na kartce dużego koła z niewielkim wcięciem. Wskazując na to wcięcie, mówię: „To jest twój świadomy umysł. Cała reszta koła, 95 procent albo więcej, przedstawia twoje nieświadome. Jeśli dostatecznie długo i ciężko będziesz pracował nad zrozumieniem samego siebie, to odkryjesz, że ta ogromna część twojego umysłu, której istnienia teraz sobie nie uzmysławiasz, zawiera niewyobrażalne wprost bogactwo".

Jednym ze sposobów, w jaki dowiadujemy się o istnieniu tego ogromnego, aczkolwiek ukrytego królestwa umysłu i bogactwa, jakie ono zawiera, są nasze sny. Pewien dość znany człowiek zgłosił się do mnie z powodu trwającej u niego od wielu lat depresji. Nie znajdował żadnej radości w swojej pracy i nie miał pojęcia, co jest tego przyczyną. Choć jego rodzice byli dość ubodzy i nie należeli do osób powszechnie znanych, to kilku przodków ze strony ojca było ludźmi bardzo sławnymi. O swoich sławnych antenatach mój pacjent mówił niewiele. Jego depresja była spowodowana wieloma czynnikami. Dopiero po kilku miesiącach zaczęliśmy pracować nad zagadnieniem jego ambicji. Wtedy po raz pierwszy poruszyliśmy ten temat, a na następnej sesji pacjent opowiedział mi sen, jaki miał ubiegłej nocy. Oto jego fragment.

— Znajdowaliśmy się w mieszkaniu pełnym wielkich, przytłaczających mebli. Byłem o wiele młodszy niż teraz. Ojciec chciał, żebym przepłynął zatokę i przyholował łódkę, którą z jakiegoś powodu zostawił przy wyspie po drugiej stronie zatoki. Miałem ochotę na tę wyprawę i zapytałem ojca, jak odnaleźć łódkę. Przyprowadził mnie w miejsce, gdzie stał szczególnie wielki i przytłaczający mebel; ogromna, sięgająca do sufitu szafa długości co najmniej czterech metrów z dwudziestoma lub trzydziestoma gigantycznymi szufladami. Powiedział, że znajdę łódkę, jeśli popatrzę wzdłuż krawędzi tego mebla.

Znaczenie snu było z początku niejasne, więc jak zwykle poprosiłem pacjenta o dodatkowe informacje. Spytałem go, z czym kojarzyła mu się ta wielka szafa z szufladami. Odpowiedział natychmiast.

— Z jakiegoś powodu, być może dlatego, że sprawiała tak przytłaczające wrażenie, przypominała mi sarkofag.

— A szuflady? — spytałem.

— Może chciałem pozabijać wszystkich moich przodków — uśmiechnął się. — Ta szafa kojarzyła mi się z rodzinnym grobowcem albo kryptą. Każda z tych szuflad była na tyle duża, że z łatwością mogła pomieścić ciało.

Znaczenie snu stało się jasne. Mojemu pacjentowi wpojono w młodości określony sposób patrzenia na życie — poprzez groby sławnych przodków. Ten sposób patrzenia na życie uczynił go człowiekiem znanym. Jednak z czasem poczuł, że to go przytłacza i dlatego zapragnął mentalnie pogrzebać swoich przodków, by uwolnić się spod kompulsywnego pędu do sławy.

Osoba mająca doświadczenie w psychoanalizie marzeń sennych zapewne przyzna, że ten sen był dość typowy. Chciałbym skupić się na jego użyteczności jako na jednym z aspektów tej typowości. Mój pacjent w warstwie świadomości sam zaczął rozwiązywać swój problem. Prawie natychmiast jego nieświadome ukazało mu we śnie scenę wyjaśniającą przyczynę problemu, której pacjent do tej pory sobie nie uzmysławiał. Jego nieświadome posłużyło się przy tym symbolami po mistrzowsku, jak najlepszy reżyser. Trudno sobie wyobrazić, by jakiekolwiek inne doświadczenie mogło na tym etapie terapii dobitniej przemówić do niego i do mnie niż ten właśnie sen. Jego nieświadome niesłychanie wsparło wysiłki tego pacjenta i ułatwiło psychoterapię.

Właśnie dlatego, że sny często są bardzo pomocne, psychoterapeuci poświęcają wiele uwagi ich analizie. Muszę przyznać, że jest wiele snów, których znaczenia w ogóle nie pojmuję, i chciałoby się, by nieświadome częściej przemawiało do nas bardziej jednoznacznym językiem. Jednak gdy uda się nam przełożyć sen na zrozumiały język, zawarte w nim przesłanie zawsze wspiera rozwój duchowy pacjenta, dostarczając śniącemu ważnej informacji. Pomoc ta wyraża się w różnorodnych formach: jako ostrzeżenie przed grożącym nam niebezpieczeństwem; jako wskazówka służąca rozwiązaniu problemów, z którymi nie potrafiliśmy się uporać; jako napomnienie, gdy mylimy się, sądząc, że mamy rację; jako potwierdzenie słuszności decyzji, której nie jesteśmy pewni; jako źródło niezbędnej informacji o nas samych; jako drogowskazy, gdy czujemy się zagubieni, i wreszcie jako rada umożliwiająca odnalezienie właściwej drogi, gdy zbłądzimy.

Również na jawie nieświadome może przemawiać do nas tak wyszukanie i dobroczynnie jak we śnie, chociaż w trochę innej formie. Są to przeważnie pozornie czcze myśli lub ich strzępy. Podobnie jak w przypadku snów zazwyczaj nie zwracamy uwagi na te myśli i usuwamy je na bok, jakby nie miały żadnego znaczenia. Z tego właśnie względu pacjentom poddawanym psychoanalizie powtarza się nieustannie, by mówili o w s z y s t k i m, co im przychodzi na myśl, nawet jeśli z początku może się to wydawać niedorzeczne lub bez znaczenia. Kiedy pacjent mówi: „To śmieszne, ale ta głupia myśl mnie prześladuje. Jest bezsensowna, ale przecież kazałeś mi mówić o wszystkim", wiem, że trafiliśmy w sedno sprawy — pacjent otrzymał właśnie od swojego nieświadomego ważny komunikat, który pomoże wyjaśnić jego problem.

Choć te „czcze myśli" zazwyczaj pozwalają nam dokonać wglądu w siebie samych, zdarza się, że pozwalają wejrzeć w psychikę drugiej osoby lub uzyskać ważne informacje o świecie zewnętrznym. Jako przykład przesłania od nieświadomego, które można zaliczyć do tej kategorii, opiszę przypadek jednej z moich pacjentek. Była to młoda kobieta, która od okresu dojrzewania cierpiała na tak silne zawroty głowy, że często powodowały utratę równowagi i upadki. Nie udało się stwierdzić somatycznej przyczyny tej dolegliwości. Z powodu tego schorzenia chodziła na prostych, szeroko rozstawionych nogach, niemal jak kaczka. Odznaczała się dużą inteligencją i wielkim urokiem osobistym. Z początku nie miałem pojęcia, co mogło być przyczyną jej dolegliwości. Wprawdzie nie usunęła ich kilkuletnia psychoterapia, lecz mimo to pacjentka zgłosiła się do mnie po pomoc. Podczas naszej trzeciej sesji, gdy wygodnie siedziała i mówiła o różnych sprawach, nagle w moim umyśle pojawiło się słowo „Pinokio". Usiłowałem się skoncentrować na tym, co mówi pacjentka, więc natychmiast wyparłem to słowo ze świadomości. Jednak po chwili, wbrew mojej woli, znów powróciło w moim umyśle i to tak wyraźnie, jakby ktoś je głośno literował: P i n o k i o. Nieco poirytowany przymknąłem oczy i zmusiłem się do skoncentrowania uwagi na pacjentce. Ale słowo, jakby powodowane własną wolą, znów się pojawiło w moich myślach, jak gdyby żądało, bym zwrócił na nie baczniejszą uwagę. „Chwileczkę — pomyślałem — jeśli jest takie natrętne, to może lepiej zastanowić się nad nim. Wiem

przecież, jak ważne mogą być takie komunikaty, i jeśli nieświadome próbuje mi coś powiedzieć, to powinienem je
wysłuchać". Tak też zrobiłem. „Pinokio! Cóż, do diaska, może
znaczyć Pinokio? Chyba nie sądzisz, że może mieć coś wspólnego z twoją pacjentką? Nie przypuszczasz, że ona jest Pino-
kiem? Zaraz, zaraz. Jest taka miła jak laleczka. Zawsze ubiera się w żywe, dziecinne kolory. Zabawnie chodzi, jak drew-
niany żołnierzyk o sztywnych nogach. Ależ tak! Ona jest lalką.
Pinokio to ona! Ona postrzega siebie jako lalkę!" W jednej chwili zrozumiałem problem pacjentki: nie zachowuje się
jak żywy człowiek, lecz jak drewniana laleczka, która próbuje udawać, że jest żywa. Boi się, że w każdej chwili może
upaść i zaplątać się w sznurki, którymi jest poruszana. Po-
twierdzające to fakty wyszły na jaw jeden po drugim: sza-
lenie dominująca matka, która pociągała za sznurki i była
bardzo dumna, że „w jedną noc" nauczyła córkę korzystać
z nocnika. Wskutek działań matki pacjentka była całkowicie podporządkowana spełnianiu oczekiwań innych osób —
miała być czysta, schludna, przyzwoita i zadbana i zawsze
mówić to, co wypada, rozpaczliwie usiłując dostosować się
do stawianych jej wymagań. Dlatego cierpiała na całkowity
brak wewnętrznej motywacji i zdolności do podejmowania
samodzielnych decyzji.

Ten niezmiernie cenny wgląd w istotę problemu pacjentki wdarł się do mojej świadomości jak niepożądany intruz.
Nie zapraszałem go. Nie chciałem. Wydał mi się obcy i zupełnie nie związany ze sprawą, którą się zajmowałem; trak-
towałem go jako niepotrzebne rozproszenie uwagi. Początkowo broniłem się przed nim, próbując go wyprzeć. Owa
pozorna obcość i niechęć, jaką do nich odczuwamy, są bardzo charakterystycznymi cechami przesłań od nieświadomego i sposobu, w jaki docierają do naszej świadomości. Właśnie ze względu na te cechy i wywoływany przez nie opór
ich adresata Freud i jego pierwsi uczniowie skłonni byli postrzegać nieświadome jako magazyn wszystkiego, co w nas
prymitywne, aspołeczne i złe. Ponieważ świadomość broni

się przed przesłaniami od nieświadomego, założyli, że materiał zawarty w nieświadomym jest „zły". Kierując się podobną logiką, przypuszczali, że nieświadome jest siedliskiem chorób psychicznych, które niczym demony kryją się w jego niedostępnych głębiach. Carl Gustav Jung uważał, że należy zmienić to postrzeganie nieświadomego i sformułował nawet wpadającą w ucho frazę: „mądrość nieświadomego". Moje własne doświadczenia potwierdzają słuszność punktu widzenia Junga pod tym względem, że choroba psychiczna nie jest wytworem nieświadomego; jej przyczyna tkwi w świadomości lub w zaburzonym związku świadomości z nieświadomym.

Rozważmy na przykład zagadnienie wyparcia. Freud u wielu swoich pacjentów odkrywał pragnienia seksualne i wrogie uczucia, których sobie nie uzmysławiali, a które wywoływały w nich chorobę. Ponieważ te pragnienia i uczucia miały rezydować w nieświadomym, Freud doszedł do wniosku, że to właśnie nieświadome „powodowało" chorobę psychiczną. Ale dlaczego te pragnienia i uczucia rezydują przede wszystkim w nieświadomym? Dlaczego zostały wyparte? Dlatego, że świadomy umysł nie chciał ich. I problem tkwi właśnie w tym niechceniu, w ich wywłaszczaniu. Problem nie polega na tym, że ludzie żywią wrogość, nienawiść czy mają pragnienia seksualne, lecz na tym, że ich świadomość nie chce konfrontować się z tymi uczuciami ani tolerować bólu radzenia sobie z nimi, i dlatego chętnie zmiata je pod dywan — do nieświadomego.

Trzecim sposobem, w jaki nieświadome przemawia do nas, jeśli chcemy go słuchać (a przeważnie nie chcemy!), jest nasze zachowanie. Mam na myśli przejęzyczenia i inne zachowania pomyłkowe — tak zwane freudowskie lapsusy, które ojciec psychoanalizy omówił w swojej *Psychopatologii życia codziennego*, uznając je za przejawy aktywności nieświadomego. Użycie przez Freuda słowa „psychopatologia" w odniesieniu do tych zachowań jest kolejnym przejawem jego negatywnego nastawienia do nieświadomego. Freud uważał, że odgrywa ono „złośliwą" rolę, w najlepszym razie psotnego chochlika usiłującego podstawić nam nogę, a nie dobrej wróżki trudzącej się po to, by nakłonić nas do uczciwości. Gdy pacjentowi zdarzy się taka pomyłka, okazuje się ona zawsze pomocna w procesie psychoterapii lub uzdrowienia. W trakcie psychoterapii świadomy umysł pacjenta podejmuje próby jej zwalczania, chcąc ukryć przed terapeutą i uniemożliwić uzmysłowienie sobie przez pacjenta prawdziwej natury jego jaźni. Jednak nieświadome sprzymierza się z terapeutą, walcząc o otwartość, uczciwość, prawdę i rzeczywistość — o powiedzenie, „jak to naprawdę jest".

Przytoczę kilka przykładów. Pewna pedantyczna kobieta, całkowicie niezdolna do uzmysłowienia sobie swojego uczucia gniewu, a przez to nie potrafiąca otwarcie go wyrażać, zaczęła spóźniać się kilka minut na sesje psychoterapii. Zasugerowałem, że powodem tych spóźnień może być niechęć do mnie, do terapii, lub też jedno i drugie. Stanowczo wykluczyła taką możliwość, wyjaśniając, że spóźnienia są sprawą przypadku. Oświadczyła też, że z całego serca jest mi wdzięczna i ma motywację do dalszej terapii. Wieczorem po tej sesji regulowała rachunki za ubiegły miesiąc i wysłała mi czek. Okazało się, że był bez podpisu. Na następnej sesji powiedziałem jej o tym, sugerując, że nie wypełniła czeku dla mnie jak należy, ponieważ czuła do mnie gniew.

— Ależ to śmieszne! — stwierdziła. — Nigdy mi się nie zdarzyło, żebym nie podpisała czeku. Wiesz, jaka jestem w tych sprawach pedantyczna. To jest po prostu niemożliwe.

Pokazałem jej ten nie podpisany czek. Choć podczas sesji zawsze bardzo się kontrolowała, tym razem wybuchnęła płaczem.

— Co się ze mną dzieje? — łkała. — Chyba rozpadam się na części. Czuję się tak, jakbym była dwiema osobami.

Dzięki swojemu cierpieniu i wskutek skonfrontowania jej przeze mnie z niekonsekwencją jej działania, po raz pierwszy dopuściła do siebie możliwość, że przynajmniej jakaś część jej umysłu żywi gniew. Nastąpił zwrot w terapii.

Innym pacjentem z problemem gniewu był mężczyzna, któremu wręcz nieprawdopodobne wydawało się, żeby mógł poczuć — a co dopiero okazać! — gniew na kogokolwiek z rodziny. Ponieważ miała go odwiedzić siostra, opowiadał mi o niej, mówiąc, jaka to wspaniała osoba. Potem powiedział mi, że przygotowuje nawet małe przyjęcie wieczorowe, na które przyjdzie małżeństwo z sąsiedztwa, no i oczywiście jego „szwagierka". Zwróciłem mu uwagę, że o swojej siostrze powiedział „szwagierka".

— Podejrzewam, że chcesz mi powiedzieć, iż jest to jeden z owych freudowskich lapsusów — zaśmiał się.

— Tak — odpowiedziałem. — Twoje nieświadome mówi, że nie chcesz, by twoja siostra była twoją siostrą. Wolałbyś, by była raczej twoją szwagierką niż siostrą i w rzeczywistości nie znosisz jej.

— To nieprawda, że jej nie znoszę — odparł. — Ale ona tak gada bez przerwy, że nikomu nie daje dojść do słowa. Czasem czuję zażenowanie z jej powodu.

Po raz pierwszy udało mi się dokonać zasadniczego przełomu w terapii.

Nie wszystkie zachowania pomyłkowe wyrażają wrogość lub „negatywne" uczucia, którym pacjent zaprzecza. Wyrażają wszystkie uczucia, którym on zaprzecza: negatywne lub pozytywne. Wyrażają prawdę, faktyczny stan rzeczy, a nie sposób, w jaki lubimy o sobie myśleć. Chyba najbardziej wymowny lapsus przydarzył się pewnej młodej kobiecie już podczas pierwszej sesji. Wiedziałem, że jej rodzice są ludźmi emocjonalnie niedostępnymi i nieczułymi. Wychowywali ją bardzo starannie, lecz nie okazywali jej uczuć ani prawdziwej troski. Sprawiała wrażenie kobiety niezwykle dojrzałej, o wysokim poczuciu własnej wartości, wyzwolonej i niezależnej; światowej kobiety, która przyszła do mnie, ponieważ — jak stwierdziła — w tej chwili nie ma nic innego do roboty, ma dużo czasu i sądzi, że psychoanaliza może korzystnie wpłynąć na jej rozwój intelektualny. Gdy zacząłem dociekać, jak to się stało, że „w tej chwili nie ma nic innego do roboty", okazało się, że właśnie porzuciła uczelnię, bo jest w piątym miesiącu ciąży. Nie chce wyjść za mąż. Ma nie do końca sprecyzowane plany. Po porodzie odda dziecko do adopcji, a potem pojedzie do Europy, żeby dalej się kształcić. Spytałem, czy poinformowała o ciąży przyszłego ojca, z którym nie widziała się od czterech miesięcy. „Tak. Napisałam do niego, że nasz związek jest skutkiem dziecka" — usłyszałem w odpowiedzi. Zamiast powiedzieć, że skutkiem ich związku jest dziecko, przyznała się, że aparycja światowej kobiety jest kamuflażem dla małej, łapczywej, spragnionej uczucia dziewczynki, której ciąża jest desperacką próbą doświadczenia matczynej opieki poprzez swoje własne macierzyństwo. Nie skonfrontowałem jej ze znaczeniem lapsusu, ponieważ w ogóle nie była gotowa do zaakceptowania przejawianych przez siebie potrzeb ani ich bezpiecznego doświadczenia. Mimo to lapsus pomógł jej, gdyż dzięki niemu ja uświadomiłem sobie, że mam przed sobą przerażone dziecko, które przez długi czas wymagać będzie ode mnie ochrony, łagodności i niemalże rodzicielskiej opiekuńczości.

Tych troje pacjentów, których pomyłki przytoczyłem, próbowało skrywać swoje problemy nie tyle przede mną, ile przed sobą. Pierwsza pacjentka była przeświadczona, że nie ma w niej ani krzty urazy. Drugi pacjent był pewien, że nie żywi wrogości wobec nikogo ze swojej rodziny. Natomiast trzecia pacjentka utwierdzała się w przeświadczeniu, że jest kobietą światową. Z powodu wielu bardzo złożonych czynników nasze świadome wyobrażenie o sobie samych prawie zawsze odbiega od tego, kim w rzeczywistości jesteśmy. Prawie zawsze jesteśmy albo mniej, albo bardziej kompetentni, niż nam się wydaje, lecz nieświadome wie, jacy naprawdę jesteśmy. Głównym i podstawowym zadaniem rozwoju duchowego jest nieustanna praca nad coraz dokładniejszym dopasowaniem wyobrażenia o sobie samym do swojej rzeczywistości. Gdy dzięki skutecznej psychoterapii pacjent w krótkim czasie wykonuje dużą część tego życiowego zadania, czuje się jak odrodzony. Z wielką radością wielu pacjentów mówi o ogromnej zmianie, jaka zaszła w ich świadomości: „Nie jestem tym, kim byłem. Jestem zupełnie nową, inną osobą". Taki człowiek bez trudu rozumie słowa cytowanego hymnu: „Byłem zagubiony, lecz teraz się odnalazłem. Byłem ślepy, lecz ono wzrok mi przywróciło".

Jeśli utożsamiamy swoją jaźń z własnym widzeniem siebie samych lub, mówiąc inaczej, ze swoją świadomością, to należy stwierdzić, że nieświadome jest od nas mądrzejsze. Mówiliśmy o „mądrości nieświadomego" przede wszystkim w kategoriach samopoznania i odkrywania samego siebie. Na przykładzie pacjentki, którą moje nieświadome objawiło mi jako Pinokia, chciałem wykazać, że nieświadome jest mądrzejsze zarówno w odniesieniu do innych ludzi, jak i do nas samych. Chodzi jednak o to, że nasze nieświadome jest mądrzejsze od nas pod każdym względem. Kiedy po raz pierwszy pojechaliśmy z żoną na wakacje do Singapuru, wyszliśmy o zmroku na małą przechadzkę. Znaleźliśmy się na otwartej przestrzeni. W oddali, dwie lub trzy przecznice od nas, majaczyły w ciemności zarysy jakiegoś wielkiego budynku. „Ciekawe, co to takiego" — powiedziała moja żona. Odparłem bez wahania i z pełnym przekonaniem: „To Singapurski Klub Krykieta". Słowa wyrwały mi się całkiem spontanicznie. Prawie natychmiast ich pożałowałem. Nie miałem przecież żadnych podstaw, by to powiedzieć. Nigdy przedtem nie byłem w Singapurze, a w dodatku nigdy nie widziałem klubu krykieta. Gdy podeszliśmy bliżej i znaleźliśmy się z drugiej strony budynku, od frontu, ku mojemu zdumieniu zobaczyłem przy wejściu mosiężny szyld z napisem „Singapurski Klub Krykieta".

Jak mogłem znać coś, z czym zetknąłem się po raz pierwszy? Zdarzenie to można wyjaśnić, opierając się na jungowskiej teorii „zbiorowego nieświadomego", zgodnie z którą dziedziczymy mądrość i doświadczenie naszych przodków, dzięki czemu nie musimy odkrywać ich na nowo. Choć ten rodzaj poznania może się wydać naukowcom niedorzeczny, nawet nasz język codzienny odzwierciedla jego istnienie.

Zastanówmy się nad angielskim słowem *recognize*, które znaczy r o z p o z n a ć. Zdarza się, że gdy czytamy jakąś książkę, natrafiamy na ideę lub teorię, która do nas przemawia. Czujemy, że „gdzieś dzwoni", r o z p o z n a j e m y, że ona jest prawdziwa, choć wcześniej mogliśmy sobie tej idei lub teorii nie uświadamiać. Słowo „rozpoznajemy" sugeruje, że z n ó w   p o z n a j e m y tę koncepcję, tak jakbyśmy ją już kiedyś poznali, potem zapomnieli, a teraz r o z p o z n a l i jako starą znajomą. To tak, jakby całe poznanie i mądrość były już zawarte w naszym umyśle, a gdy uczymy się „czegoś nowego", w rzeczy samej odkrywamy coś, co przez cały czas w nim było. Podobnie jest ze słowem „edukacja", pochodzącym od łacińskiego *educare*, które znaczy między innymi w y c i ą g a ć lub w y p r o w a d z a ć. Znaczyłoby to dosłownie, że edukując kogoś, nie uczymy go niczego nowego, lecz jedynie uzmysławiamy mu coś, co w y p r o w a d z i l i ś m y z nieświadomego. Cały czas było mu to znane.

Co jest źródłem tej części nas samych, która jest od nas mądrzejsza? Nie wiemy. Jungowska teoria zbiorowego nieświadomego sugeruje, że nasza mądrość jest wrodzona. Być może ta mądrość również jest kodowana przez kwasy nukleinowe będące materiałem genetycznym. Koncepcja chemicznego przechowywania informacji pozwala zrozumieć, jaki ogrom informacji potencjalnie dostępnych ludzkiemu umysłowi może mieścić się w stosunkowo niewielkiej ilości tkanki mózgowej. Jednak nawet ten sensowny model przechowywania wielkiej ilości informacji odpowiadających wiedzy wrodzonej i zdobytej doświadczalnie nie daje odpowiedzi na najbardziej interesujące pytania. Nawet gdy spekulujemy na temat technicznych możliwości jego funkcjonowania — jego budowy i mechanizmów regulacji — fenomen ludzkiego umysłu nie przestaje budzić w nas nabożnej czci. Spekulacje na temat tych zagadnień nie różnią się od rozważań na temat sprawowania kosmicznej kontroli przez Boga, komenderującego armiami i chórami archaniołów, aniołów, serafinów i cherubinów pomagających Mu zachować ład we wszechświecie. Umysł, który niekiedy przypuszcza, że nie ma czegoś takiego jak cuda, sam w sobie jest cudem.

„CUD Z SERENDIBU"*

O ile można sobie wyobrazić, że niezwykła mądrość nieświadomego może być wynikiem współdziałania cząsteczek chemicznych składających się na niezwykle skomplikowane struktury mózgu, o tyle daleko nam do zrozumienia tak zwanych zjawisk parapsychologicznych, które muszą się wiązać z działaniem nieświadomego. Za pomocą pomysłowych eksperymentów naukowcy Montague Ullman i Stanley Krippner udowodnili, że osoba w stanie czuwania może przekazywać oddalonej, pogrążonej we śnie osobie obrazy, które pojawią się w jej snach**. Takie telepatyczne przekazy występują nie tylko w warunkach doświadczalnych. Nierzadko zdarza się, że dwie osoby mają takie same lub niewiarygodnie podobne sny. Dlaczego? Nie mam najmniejszego pojęcia.

A jednak to się zdarza. Występowanie tych zjawisk zostało naukowo udowodnione i metodologicznie potwierdzone

---

* Angielskie słowo *serendipity* nie ma zgrabnego odpowiednika w języku polskim i dlatego proponuję tłumaczyć je jako „cud z Serendibu". *Serendipity* to „dar dokonywania przypadkowych odkryć". Pochodzi z perskiej bajki o trzech książętach z Serendibu lub Serendipu (arabska nazwa Cejlonu) obdarzonych zdolnością znajdowania rzeczy cennych i miłych, których nie szukali (por. W. Kopaliński, *Słownik mitów i tradycji kultury*, Warszawa, PIW, 1985, s. 1057) (przyp. tłum.).

** *An Experimental Approach to Dreams and Telepathy: II Report of Three Studies*, „American Journal of Psychiatry" (March 1970), s. 1282--1289. Gorąco zachęcam do przeczytania tego artykułu wszystkich, którzy nie wierzą w występowanie postrzegania pozazmysłowego lub są sceptycznie nastawieni do możliwości jego naukowej walidacji.

analizą statystyczną. Sam miałem pewnej nocy sen będący sekwencją siedmiu różnych obrazów. Potem się dowiedziałem, że mój przyjaciel, który dwie noce wcześniej spał w moim domu, obudził się ze snu, w którym te same siedem obrazów wystąpiło w identycznej kolejności. Ani on, ani ja nie byliśmy w stanie ustalić żadnych przyczyn tego zdarzenia. Nie mogliśmy odnieść tych snów do jakiegokolwiek wspólnego czy indywidualnego doświadczenia ani wyjaśnić ich w żaden sensowny sposób. Wiedzieliśmy jednak, że zdarzyło się coś naprawdę ważnego. Mój umysł przechowuje miliony obrazów, z których może tworzyć marzenia senne. Prawdopodobieństwo przypadkowego pojawienia się takich samych obrazów w takiej samej kolejności w snach dwóch osób jest niesłychanie małe. Zdarzenie to było tak niezwykłe, że od razu zorientowaliśmy się, iż nie mogło być dziełem przypadku.

Występowanie wysoce nieprawdopodobnych zjawisk, których przyczyn nie można ustalić na podstawie znanych praw, a które zdarzają się ze statystycznie istotną częstością, tłumaczy się zasadą synchroniczności. Mój przyjaciel i ja nie wiedzieliśmy, dlaczego mieliśmy tak niesamowicie podobne sny, ale wystąpiły one u nas prawie jednocześnie. Niekiedy zbieżność czasowa jest ważnym, a nawet zasadniczym elementem tych niewiarygodnych zjawisk. Omawiając podatność i odporność na uleganie wypadkom, wspomniałem, że nierzadko zdarza się, iż ludzie wychodzą cało ze zgniecionych samochodów, i niedorzecznością byłoby przypuszczać, że karoseria samochodu „instynktownie" odkształciła się tak, by ochronić pasażera, lub że pasażer instynktownie przybrał pozycję dopasowaną do wygiętej karoserii. Nie istnieje żadne znane prawo natury, zgodnie z którym odkształcenie karoserii (wydarzenie A) przyczyniałoby się do przeżycia pasażera albo pozycja pasażera (wydarzenie B) spowodowałaby wygięcie się karoserii w określony sposób. Jednak, choć nie ma tu związku przyczynowego, zdarzenia A i B zachodzą zadziwiająco synchronicznie, to znaczy w tym samym czasie i w taki sposób, że pasażer uchodzi z życiem. Zasada synchroniczności nie wyjaśnia jednak przyczyny ani mechanizmu tego zjawiska. Mówi po prostu, że takie niepojęte zbiegi okoliczności zdarzają się częściej, niż wynikałoby to z praw statystyki. Zasada synchroniczności nie wyjaśnia cudów, ale mówi o ich ważnej cesze: zbieżności czasowej i dużej częstości ich występowania.

Niemal jednoczesne występowanie takich samych lub bardzo podobnych snów można zaliczyć, ze względu na statystycznie nieskończenie małe prawdopodobieństwo takiego zdarzenia, do zjawisk parapsychicznych lub paranormalnych. Znaczenie większości zjawisk parapsychicznych i paranormalnych pozostaje tajemnicą. Niemniej poza statystycznie małym prawdopodobieństwem wystąpienia takich zdarzeń charakteryzują się one również tym, że są przeważnie szczęśliwe — w ten czy inny sposób okazują się dobrodziejstwem dla osób, które w nich uczestniczyły.

Dojrzały, sceptyczny i szanowany naukowiec podczas niedawnej wizyty opowiedział mi o następującym zdarzeniu: „Po naszej ostatniej sesji pogoda była piękna i postanowiłem wracać do domu drogą wokół jeziora. Jak wiesz, jest na niej dużo ostrych zakrętów. Zbliżałem się chyba do dziesiątego zakrętu, kiedy nagle przyszła mi do głowy myśl, że jakiś samochód może go ściąć i wjechać na mój pas ruchu. Niewiele myśląc, zahamowałem i zatrzymałem się. Gdy tylko to zrobiłem, zza zakrętu rzeczywiście wypadł samochód jadący wprost na mnie. Ledwo mnie wyminął. Gdybym nie stanął, nieuchronnie zderzylibyśmy się na zakręcie. Nie mam pojęcia, co kazało mi zahamować. Mogłem zatrzymać się na każdym innym z tych wielu zakrętów, ale tego nie zrobiłem. Często jeździłem tą drogą i choć zdawałem sobie sprawę, że jest niebezpieczna, nigdy dotąd się nie zatrzymałem. Zastanawiałem się, czy nie było to zjawisko zaliczane do postrzegania pozazmysłowego czy czegoś w tym rodzaju. Nie umiem znaleźć innego wytłumaczenia".

Powinniśmy się spodziewać, że zbiegi zdarzeń statystycznie nieprawdopodobnych — a takimi są zjawiska synchroniczne lub paranormalne — powinny równie często być szkodliwe jak dobroczynne. Słyszymy o nieprawdopodobnych sytuacjach i o dziwnych zbiegach okoliczności, kiedy do wypadków nie doszło. Z pewnością należałoby zbadać te przypadki, choć możemy natrafić na wiele metodologicznych trudności. Na razie mogę tylko stanowczo stwierdzić — mimo braku naukowych dowodów — że częstość występowania tego rodzaju statystycznie niewiarygodnych zbiegów okoliczności, które mają wyraźnie korzystny charakter, jest o wiele większa niż szkodliwych. Nie zawsze chodzi o ujście z życiem ze śmiertelnego niebezpieczeństwa. O wiele częściej zjawiska te ułatwiają życie lub przyczyniają się do rozwoju człowieka. Świetnym przykładem takiego zbiegu okoliczności jest „sen o skarabeuszu", który Carl Gustav Jung opisał w artykule na temat synchroniczności. Przytoczę go w całości:

Oto przypadek młodej pacjentki, która mimo wysiłków podejmowanych przeze mnie i przez nią samą nie odpowiadała na terapię. Trudność polegała na tym, że pacjentka zawsze wiedziała wszystko lepiej. Jej wykształcenie dało jej broń świetnie nadającą się do obrony: precyzyjny, kartezjański racjonalizm z nieskazitelną, wręcz „geometryczną" ideą rzeczywistości. Po wielu bezowocnych próbach sforsowania jej racjonalizmu pozostało mi tylko żywić nadzieję, że stanie się coś niespodziewanego i irracjonalnego, co rozsadzi intelektualną retortę, w której pacjentka się zamknęła. Pewnego dnia siedziałem naprzeciw niej, tyłem do okna, słuchając jej retorycznego monologu. Opowiadała, że poprzedniej nocy miała niezwykły sen, w którym podarowano jej kosztowny klejnot — złotego skarabeusza. Ledwo to powiedziała, usłyszałem za sobą łagodne pukanie w okno. Odwróciłem się i zobaczyłem wielkiego owada, który uderzał z zewnątrz o szybę, próbując dostać się do pomieszczenia. Wydało mi się to bardzo dziwne. Natychmiast otworzyłem okno i schwytałem go. Był to chrząszcz z rzędu skarabeuszowatych, pospolita kruszczyca złotawka (*Cetonia aurata*), lecz swoim złocistozielonym kolorem jak najbardziej przypominał złotego skarabeusza. Podałem go pacjentce, mówiąc: „Oto pani skarabeusz". To doświadczenie dokonało wyłomu w racjonalizmie młodej kobiety i przełamało lody jej intelektualnego oporu. Od tej pory terapia zaczęła przynosić zadowalające skutki*.

Omawiane przeze mnie nie wyjaśnione zdarzenia o dobroczynnych skutkach mają w języku angielskim nazwę, która nie ma dobrego odpowiednika w języku polskim: *serendipity*. Słownik Webstera definiuje *serendipity* jako „dar natrafiania na cenne lub przyjemne rzeczy, których się nie szuka". Ta definicja mówi o kilku intrygujących cechach tego zjawiska. Jednym z nich jest określenie *serendipity* jako daru, co sugeruje, że niektórzy ludzie go posiadają, natomiast inni — nie. Jedni mają szczęście, a inni go nie mają. Jednak główną tezą tego rozdziału jest założenie, że wszyscy jesteśmy obdarzeni łaską objawiającą się między innymi tym, że natrafiamy na „cenne lub przyjemne rzeczy, których nie szukamy". Różnica polega na tym, że jedni czynią z nich użytek, inni zaś nie. Jung, wpuszczając chrząszcza do pokoju, łapiąc go i pokazując pacjentce, użył tego daru. W rozdziale poświęconym oporowi wobec łaski omówię niektóre powody, dla których ludzie z niej nie korzystają. Na razie jednak pozwolę sobie zasugerować, że jedną z tych przyczyn jest fakt, iż nie uświadamiamy sobie jej obecności; nie znajdujemy cennych rzeczy, których nie szukamy, ponieważ nie jesteśmy w stanie docenić wartości tego daru w momencie, gdy jest on nam ofiarowywany. Innymi słowy, „cuda z Serendibu" spotykają nas wszystkich, lecz najczęściej ich nie dostrzegamy. Uważamy je za coś nieistotnego i nie potrafimy ich wykorzystać.

---

* Joseph Campbell (red.), *The Portable Jung*, New York, Viking Press, 1971, s. 511-512. [Istnieje polski przekład pióra J. Prokopiuka, *Synchroniczność*, w: C.G. Jung, *Rebis czyli kamień filozofów*, Warszawa, PWN, 1989, s. 503 i 567, zawierający bardzo skrócony opis zdarzenia ze skarabeuszem — C.U.].

Podczas pobytu w pewnym mieście miałem dwie godziny wolnego czasu między kolejnymi spotkaniami. Zadzwoniłem więc do kolegi, który tam mieszkał, i spytałem go, czy nie mógłbym wpaść do niego, by popracować nad korektą pierwszej części tej książki. Drzwi otworzyła mi jego żona, kobieta chłodna i pełna rezerwy, która nigdy nie zwracała na mnie większej uwagi, a przy paru okazjach okazała wobec mnie arogancję graniczącą z wrogością. Przez kilka chwil prowadziliśmy sztuczną, chłodną rozmowę. Powiedziała, że słyszała o książce, którą piszę, i spytała o jej tematykę. Wyjaśniłem, że dotyczy rozwoju duchowego, i na tym nasza rozmowa się skończyła. Usiadłem w gabinecie jej męża i zająłem się pracą. Po dwóch kwadransach utknąłem na martwym punkcie. Nie byłem zadowolony z rozdziału poświęconego odpowiedzialności. Trzeba było go znacznie rozbudować, by koncepcje, które w nim poruszyłem, nabrały sensu, ale czułem, że nadmierne rozwijanie kwestii utrudni jej zrozumienie. Jednak nie chciałem usuwać tej części, gdyż uważałem, że muszę zasygnalizować pewne zagadnienia. Przez kolejną godzinę bezowocnie zmagałem się z tym problemem, czując coraz większą frustrację i bezradność.

Niespodziewanie do gabinetu weszła po cichu żona kolegi. Zachowywała się nieśmiało, z wahaniem i dystansem, ale wyczułem w niej jakąś dziwną łagodność i ciepło, których nigdy dotąd nie dostrzegłem.

— Scotty, mam nadzieję, że ci nie przeszkadzam — powiedziała.

Zapewniłem ją, że nie przeszkadza i poinformowałem, że mam pewien problem, którego chwilowo nie jestem w stanie rozwiązać. Żona kolegi trzymała w ręku niewielką książkę.

— Wpadło mi to w ręce. Nie wiem dlaczego, ale pomyślałam, że to cię zainteresuje. Może się mylę. Przyszło mi jednak na myśl, że może ci się przydać. Sama nie wiem, dlaczego.

Byłem tak poirytowany, że korciło mnie, by powiedzieć, że mam tyle książek do przeczytania, iż do tej nie będę w stanie zajrzeć w najbliższej przyszłości. Jednak owa dziwna łagodność żony mojego kolegi skłoniła mnie do innej reakcji. Powiedziałem, że dziękuję za życzliwość i że zajrzę do tej książki przy najbliższej sposobności. Wziąłem ją od niej, nie wiedząc, kiedy spełnię swoją obietnicę. Tego samego wieczoru coś mnie podkusiło, by odłożyć wszystkie inne książki i przeczytać właśnie tę. Był to cienki tomik pod tytułem *How People Change* (Jak ludzie się zmieniają) autorstwa Allena Wheelisa. Praca dotyczyła głównie problemu odpowiedzialności. W jednym z rozdziałów autor elegancko i dogłębnie omówił tematykę, o której ja zamierzałem napisać. Następnego ranka skróciłem ten rozdział mojej książki do jednego akapitu i zamieściłem przypis odsyłający do pracy Wheelisa przybliżającej omawiane zagadnienie. Mój problem został w cudowny sposób rozwiązany.

Niby nic nadzwyczajnego. Nie było fanfar ani gorejącego krzaka. Mogłem nad tym zdarzeniem przejść do porządku dziennego. Mogłem się bez niego obejść. Niemniej spotkała mnie łaska. Zdarzenie było nadzwyczajne i zwyczajne zarazem; nadzwyczajne, bo mało prawdopodobne, a zwyczajne dlatego, że wysoce nieprawdopodobne, lecz korzystne dla nas rzeczy spotykają nas bardzo często. Stukają cichutko do drzwi naszej świadomości niczym jungowski skarabeusz. W ciągu kilku miesięcy, które minęły od czasu, gdy żona kolegi pożyczyła mi książkę, podobnych zdarzeń było wiele. Niektóre dostrzegłem, z innych mogłem odnieść korzyść, lecz nie zdałem sobie sprawy z ich cudownej natury. Nigdy się nie dowiem, ilu nie dostrzegłem i nie wykorzystałem.

DEFINICJA ŁASKI

Omówiłem całą gamę różnorodnych zjawisk charakteryzujących się pewnymi wspólnymi cechami:

a) wspierają, chronią i usprawniają ludzkie życie oraz stymulują rozwój duchowy;

b) z punktu widzenia współczesnej nauki i naszego rozumienia praw natury ich mechanizm jest niezupełnie zrozumiały (przykładem są sny i odporność na uleganie wypadkom) lub całkowicie niejasny (zjawiska paranormalne);

c) występują często, regularnie i powszechnie;

d) choć świadomość może w pewnym stopniu na nie wpływać, ich przyczyna tkwi poza świadomą wolą i procesem świadomego podejmowania decyzji.

Choć uważa się, że zjawiska te zachodzą niezależnie, doszedłem do wniosku, że powszechność ich występowania wskazuje na to, że są przejawem jeszcze bardziej podstawowego zjawiska: potężnej siły spoza naszej świadomości, która wspiera rozwój duchowy istot ludzkich. Przez setki, a nawet tysiące lat przed naukową konceptualizacją takich rzeczy, jak globuliny odpornościowe, fazy snu i nieświadome — istnienie tej siły było uznawane przez ludzi wierzących, którzy nazywali ją „łaską". I na jej cześć śpiewali hymny takie jak „Cudowna łaska".

A co mają sądzić sceptycy i myślący naukowo o tej wielkiej sile, której źródło znajduje się poza ludzką świadomością i która wspiera duchowy rozwój rodzaju ludzkiego? Nie możemy jej dotknąć. Nie mamy sposobu, by ją zmierzyć. Jednak ona istnieje. Jest realna. Czy mamy obstawać przy naszej tunelowej wizji i ignorować ją, bo nie pasuje do naszych wyobrażeń o prawach natury? Byłoby to ryzykowne. Myślę, że nie zrozumiemy wszechświata i miejsca, jakie w nim zajmujemy, jeśli nie wcielimy do naszego systemu pojęciowego zjawiska łaski. Jednak my nie potrafimy jej nawet umiejscowić. Powiedzieliśmy tylko, gdzie jej nie ma: w ludzkiej świadomości. No więc gdzie jest? Niektóre omówione przeze mnie zjawiska, na przykład zbieżności obrazów widzianych we śnie, wskazywałyby na to, że siedzibą łaski jest nieświadoma część umysłu jednostki. Inne — takie jak synchroniczność i „cud z Serendibu" — każą myśleć, że istnieje ona poza granicami jednostki. Nie tylko ludzie o naukowym światopoglądzie mają trudność z umiejscowieniem łaski. Ludzie wierzący, którzy źródła łaski upatrują w Bogu, uważając, że jest ona po prostu miłością Boga, przez całe wieki mieli takie same problemy z umiejscowieniem Boga. W teologii od dawien dawna istnieją co do tego dwa przeciwstawne nurty myślowe: doktryna transcendencji, według której łaska spływa na ludzi od zewnętrznego Boga, i doktryna immanencji, zgodnie z którą łaska emanuje z Boga obecnego w człowieku.

Problem umiejscowienia łaski, tak jak wszystkie problemy, w których natrafiamy na paradoks, bierze się z naszej żądzy, by wszystkiemu przypisać określone miejsce. Ludzie przejawiają wielką skłonność do myślenia kategoriami odrębnych bytów. Dlatego postrzegany przez nas świat jest światem odrębności — odrębnych ludzi i odrębnych przedmiotów: statków, butów, gruszek i innych istności. Pysznimy się rozumieniem jakiegoś zjawiska lub bytu, jeśli potrafimy nadać mu nazwę i zakwalifikować je do określonej kategorii. Jest tym albo tamtym, ale nie może być zarazem jednym i drugim. Statki są statkami, a nie butami. Ja to ja, a ty to ty. Jednostka, której na imię Ja, jest moją tożsamością, a Ty jest twoją tożsamością. Czujemy się nieswojo, gdy ktoś pomyli naszą tożsamość. Nie lubimy, gdy ktoś myli lub przekręca nasze imię lub nazwisko. Jak już mówiłem, hinduiści i buddyści są przeświadczeni, że nasze postrzeganie odrębnych bytów jest złudzeniem i nazywają je *maja*. Współcześni fizycy, zajmujący się teorią względności, zjawiskami korpuskularno-falowymi, elektromagnetyzmem, kwantami i wieloma innymi zagadnieniami są coraz bardziej świadomi ograniczeń naszego dotychczasowego rozumowania opartego na kategorii odrębnych istnień. Jednak trudno nam się od niego uwolnić. Nasza tendencja do myślenia w takich kategoriach sprawia, że czujemy przymus umiejscawiania wszystkiego — łącznie z Bogiem i łaską — nawet wtedy, gdy zdajemy sobie sprawę, że przeszkadza nam to zrozumieć te zagadnienia.

Ja sam nie myślę o ludziach jako o całkowicie odrębnych bytach. Jeśli tylko moje ograniczenia intelektualne nie zmuszają mnie do tego, by myśleć (lub pisać), posługując się kategoriami odrębnych bytów, to wyobrażam sobie, że granice jednostki definiowane są przez coś w rodzaju półprzepuszczalnej membrany — łatwego do penetracji ograniczenia, przez które inne jednostki mogą do niej wnikać, podobnie jak nasz świadomy umysł jest częściowo przepuszczalny dla nieświadomego. Nasze „osobiste" nieświadome również jest przepuszczalne dla „umysłu zewnętrznego", który nas przenika, lecz który nie jest przydzielony żadnej szczególnej jednostce. Bardziej elegancko i adekwatnie niż język dwudziestowiecznej nauki, posługujący się pojęciem membran półprzepuszczalnych, opisuje tę sytuację religijny język Juliany, czternastowiecznej pustelniczki z Norwich (ok. 1393), która tak pisała o związku między łaską a istotą ludzką: „bo jako szata ciało przyodziewa, a skóra ciało, ciało kości, a całość serce, tak my, duszą i ciałem, odziani jesteśmy dobrocią Boga i nią ogarnięci. Albo nawet lepiej, bo tamto wszystko zużyć i popsuć się może, a Dobroć Boga zawsze jednaka"*.

Bez względu na to, jak ją określimy i gdzie umiejscowimy, opisane przeze mnie cuda dowodzą, że naszemu rozwojowi asystuje siła inna od naszej świadomej woli. By lepiej zrozumieć naturę tej siły, powinniśmy zastanowić się nad jeszcze jednym cudem: procesem rozwoju życia jako takiego, któremu nadaliśmy nazwę ewolucji.

CUD EWOLUCJI

Choć do tej pory rozwoju duchowego nie nazywałem ewolucją, można nań spojrzeć w ten właśnie sposób. Wszak

* Grace Warrack (red.), *Revelations of Divine Love*, New York, British Book Centre, 1923, rozdz. VI.

rozwój duchowy jest ewolucją jednostki. Ciało ludzkie zmienia się podczas życia, lecz nie ewoluuje. Nie dochodzi do wykształcenia nowych cech fizycznych i ich przekazania potomstwu. Wraz z wiekiem spada sprawność fizyczna człowieka. Jednak za życia jednostki duch ludzki może nieustannie się rozwijać. W odróżnieniu od cech fizycznych, nowe przymioty duchowe mogą się utrwalić. Duchowa kompetencja może rosnąć (choć zazwyczaj tak się nie dzieje!) aż do śmierci w podeszłym wieku. Nasze życie do samego końca daje nam nieograniczone możliwości duchowego rozwoju. Wprawdzie głównym tematem tej książki jest rozwój duchowy, ale proces ewolucji fizycznej jest do niego podobny i może posłużyć za model dla głębszego zrozumienia procesu duchowego rozwoju i znaczenia łaski.

Najbardziej zaskakującą właściwością procesu ewolucji fizycznej jest to, że sama w sobie jest cudem. Według znanych nam praw fizyki ewolucja nie powinna zachodzić. Drugie prawo termodynamiki mówi, że poziom energii lub uporządkowania układu spada. Innymi słowy, wszechświat powinien stawać się coraz mniej uporządkowany i tracić energię. Dla ilustracji tego procesu używa się często przykładu strumienia spływającego ze wzgórza. Żeby ten proces odwrócić — by woda znalazła się znów na szczycie wzgórza — potrzebna jest energia lub praca pomp, śluz, ludzi, wiatru itp. Ta energia musi pochodzić z zewnątrz. Aby zachować lub zwiększyć energię układu, trzeba tę energię doprowadzić doń z zewnątrz. Zgodnie z drugim prawem termodynamiki po wielu miliardach lat wszechświat ulegnie na koniec całkowitej degeneracji, osiągając uprzywilejowany, zerowy stan energii i stając się amorficznym, nieuporządkowanym tworem, w którym nic więcej się już nie zdarzy. Taki stan całkowitego nieuporządkowania i braku zróżnicowania nazywany jest entropią.

Naturalny spadek poziomu energii powodujący wzrost entropii nazwę dla ułatwienia dalszych rozważań siłą entropii. Ewolucja jest procesem zachodzącym wbrew sile entropii. Polega on na rozwoju organizmów od prostszych do coraz bardziej złożonych, zróżnicowanych i zorganizowanych. Wirusy złożone z jednej lub kilku cząsteczek są jednymi z najprostszych struktur*.

Bakterie są dużo bardziej złożone i zróżnicowane; mają ścianę komórkową i składają się z kilkunastu tysięcy różnych cząsteczek, które biorą udział w przemianach metabolicznych. Pantofelek należący do pierwotniaków posiada różne organelle komórkowe, jądro, rzęski i prosty układ pokarmowy. Gąbki zbudowane są z różnych typów komórek pełniących wyspecjalizowane funkcje. Owady i ryby mają system nerwowy i wyspecjalizowane narządy ruchu. Niektóre zwierzęta żyją w zorganizowanych społecznościach. Wzrost złożoności, organizacji i zróżnicowania ciągnie się aż do szczytu drabiny ewolucyjnej, na którym znajduje się człowiek mający niezwykle rozwinięty układ nerwowy i przejawiający nadzwyczaj złożone wzorce zachowań. Twierdzę, że proces ewolucji jest cudem, gdyż będąc procesem prowadzącym do coraz większego zorganizowania i zróżnicowania, zachodzi odwrotnie do znanych nam praw natury. Gdyby wszystko biegło naturalną koleją rzeczy, nie byłoby komu napisać ani przeczytać tej książki**.

Proces ewolucji można przedstawić schematycznie jako piramidę z człowiekiem — najbardziej złożonym, lecz najmniej licznie występującym organizmem — na wierzchołku

---

* Wirusy nie są organizmami żywymi, lecz infekcyjnymi kompleksami kwasu nukleinowego (informacji genetycznej), białek i niekiedy innych makrocząsteczek. Znamy jeszcze prostsze infekcyjne makrocząsteczki. Wiroidy — złożone tylko z kwasu nukleinowego i powodujące choroby roślin, oraz priony — infekcyjne cząsteczki białka, uważane za czynnik etiologiczny choroby Creutzfeldta-Jacoba u ludzi i BSE u bydła (przyp. tłum.).

** Koncepcja, że ewolucja postępuje wbrew naturalnemu prawu, nie jest ani nowa, ani oryginalna. Przypominam sobie ze studiów następujące twierdzenie: „Ewolucja jest zawirowaniem drugiego prawa termodynamiki". Niestety, nie potrafię podać źródła tego stwierdzenia. Niedawno koncepcja ta została sformułowana przez Buckminstera Fullera w książce *And It Came to Pass — Not to Stay* (New York, Macmillan, 1976). [W 1977 r. Ilia Prigogine otrzymał Nagrodę Nobla za opracowanie termodynamicznego modelu ewolucji zachodzącej bez udziału zewnętrznego kreatora — C.U.].

WYŻSZA ORGANIZACJA

siła entropii

siła entropii

człowiek
zwierzęta
ptaki
ryby
(prymitywne) organizmy żyjące w koloniach
bakterie
wirusy

E   N   T   R   O   P   I   A

i wirusami — najliczniejszymi, lecz najmniej złożonymi — u podstawy. Wierzchołek wznosi się ku górze, w kierunku przeciwnym niż wektor siły entropii. Dynamiczna siła ewolucji to „coś", co w tak skuteczny i konsekwentny sposób potrafiło przez wiele milionów pokoleń przeciwstawić się „prawu natury" i samo musi być uznane za prawo natury, choć jeszcze nie zdefiniowane. Podobnie można przedstawić duchową ewolucję ludzkości.

Wielokrotnie podkreślałem, że proces duchowego rozwoju wymaga wiele wysiłku i jest bardzo trudny. A to dlatego, że prowadzony jest wbrew naturalnemu oporowi, wbrew naturalnej skłonności do pozostawiania wszystkiego takim, jakie jest, wbrew kurczowemu trzymaniu się starych map — znanych i sprawdzonych sposobów na życie. Chciałbym coś jeszcze powiedzieć o tym oporze — przejawie entropii w naszym życiu duchowym. Podobnie jak w przypadku ewolucji fizycznej, cud ewolucji duchowej polega na przezwyciężaniu oporu. Rozwijamy się. Wbrew wszystkiemu, co się sprzeciwia temu procesowi, stajemy się lepsi. Z pewnością nie wszyscy. Z pewnością

KOMPETENCJA DUCHOWA

siła entropii

siła entropii

LUDZKOŚĆ

DUCHOWOŚĆ NIEROZWINIĘTA

z wielkim trudem. Jednak wielu przedstawicieli rodzaju ludzkiego rozwija się i przyczynia się do rozwoju swojego kręgu kulturowego, a niekiedy całej ludzkości. Jest jakaś siła, która sprawia, że wybieramy trudniejszą drogę i ewoluujemy na coraz wyższe poziomy kompetencji duchowej.

Ten schemat procesu ewolucji duchowej można odnieść do życia jednej osoby. Każdy z nas ma w sobie pęd rozwojowy i postępując zgodnie z nim, musi na własną rękę walczyć ze swoim oporem. To samo można również odnieść do całej ludzkości. Ewolucja osobnicza przyczynia się do ewolucji całego społeczeństwa. Kultura kształtująca nas w dzieciństwie jest następnie kształtowana przez nasze przewodnictwo. Ludzie rozwijający się nie tylko sami cieszą się owocami procesu swojego rozwoju, lecz te same owoce dają również światu. Rozwijając się jako jednostki, dźwigamy na swoich barkach całą ludzkość. I w ten sposób ludzkość ewoluuje.

Stwierdzenie, że duchowy rozwój rodzaju ludzkiego zachodzi w dobrym kierunku, może się wydać mało realistyczne pokoleniu rozczarowanemu snami o postępie. Nadal toczone są wojny, nadal ludzie umierają na nieuleczalne choroby, postępuje degradacja środowiska naturalnego i pojawiają się dotychczas nie znane zagrożenia. Czy gatunek ludzki rzeczywiście rozwija się duchowo? Ja twierdzę, że tak. Rozczarowanie wynika z faktu, że oczekujemy od siebie samych o wiele więcej, niż były w stanie osiągnąć poprzednie pokolenia. Zachowanie uznawane dzisiaj za odrażające i skandaliczne było dawniej uważane za najzupełniej normalne. Jednym z głównych wątków tej książki jest odpowiedzialność rodziców za wsparcie duchowego rozwoju swoich dzieci. Dzisiaj trudno uznać to za temat nadzwyczajny, lecz kilka wieków temu nikt tym zagadnieniem nie zaprzątał sobie głowy. Uważając poziom współczesnego rodzicielstwa za niski, zdaję sobie sprawę, że i tak jest o wiele wyższy niż kilka pokoleń wstecz. Opublikowany niedawno artykuł na temat jednego z aspektów troski o dziecko zaczyna się następująco:

Prawo rzymskie dawało ojcu absolutną władzę nad dziećmi. Mógł je bezkarnie sprzedać lub skazać na śmierć. Ta koncepcja prawa absolutnego została przeniesiona do prawodawstwa angielskiego, w którym bez większych zmian funkcjonowała do XIV wieku. W przeciwieństwie do czasów współczesnych w średniowieczu nie uważano dzieciństwa za szczególny okres rozwoju. Siedmioletnie dzieci oddawano na służbę lub do terminu, gdzie nie tyle uczyły się, ile pracowały dla swojego majstra. Pod względem traktowania nie było różnicy między dziećmi a służbą i zwracano się do nich w ten sam sposób. Dopiero w XVI wieku zaczęto poświęcać szczególną uwagę dzieciom, postrzegając je jako istoty na szczególnym etapie rozwoju, przed którymi stoją ważne zadania i które zasługują na troskę i opiekę*.

Czym jest ta siła, która popycha nas jako jednostki i cały gatunek do rozwoju wbrew naturalnemu oporowi? Mówiłem już o niej. To miłość. Została przeze mnie zdefiniowana jako

---

* André P. Derdeyn, *Child Custody Contests in Historical Perspective*, „American Journal of Psychiatry", Vol. 133, No. 12 (Dec. 1976), s. 1369.

„wola poszerzania swojej jaźni w celu wspierania własnego lub cudzego rozwoju duchowego". Jeśli się rozwijamy, to dlatego, że pracujemy nad naszym rozwojem, a pracujemy — ponieważ miłujemy samych siebie. Dzięki miłości przechodzimy na wyższy poziom. Miłując innych ludzi, pomagamy im dokonać podobnego skoku. Miłość — poszerzanie własnej jaźni — jest procesem ewolucji. Jest ewolucją w działaniu. Pęd do ewolucji, tak charakterystyczny dla życia, u przedstawicieli *Homo sapiens* przejawia się w formie miłości. Miłość jest cudowną siłą przeciwstawiającą się entropii.

ALFA I OMEGA

Wciąż nie udzieliłem odpowiedzi na pytanie zadane pod koniec części poświęconej miłości: Co jest jej źródłem? Teraz możemy je poszerzyć o pochodzenie siły ewolucji oraz o aspekt łaski. Miłość jest świadoma, natomiast łaska pozostaje poza tą domeną psychiki. Co jest więc źródłem tej potężnej mocy wspierającej rozwój duchowy istot ludzkich?

Nie możemy odpowiedzieć na te pytania tak samo naukowo jak wtedy, gdy pytamy na przykład, z czego robi się mąkę, stal lub co to są larwy. Nie dlatego, że zagadnienia, których dotyczą zadane przeze mnie pytania, są zbyt nieuchwytne, lecz dlatego, że są zbyt podstawowe dla nauki na jej obecnym etapie rozwoju. Bo nie tylko na te pytania nauka nie potrafi odpowiedzieć. Czy tak naprawdę wiemy, czym jest elektryczność? Skąd na samym początku wzięła się energia lub wszechświat? Może kiedyś nauce uda się odpowiedzieć również na te podstawowe pytania. Póki to nie nastąpi — jeśli w ogóle nastąpi — możemy tylko spekulować, teoretyzować, postulować i stawiać hipotezy.

Aby wyjaśnić cuda łaski i ewolucji, formułujemy hipotezę istnienia Boga, który chce, byśmy się rozwijali, Boga, który nas miłuje. Wielu z nas hipoteza ta wydaje się zbyt prosta, zbyt łatwa, zbyt fantazyjna — dziecinna i naiwna. Ale czy mamy jakąś inną? Ignorowanie faktów poprzez uciekanie się do wizji tunelowej nie jest odpowiedzią. Nie możemy uzyskać odpowiedzi, jeśli nie zadamy pytania. Choć nasza hipoteza może się wydawać prosta, to nikt, kto obserwował faktyczne dane i zadawał takie pytania, nie był w stanie sformułować lepszej. Dopóki komuś się to nie uda, dopóty jesteśmy skazani na dziecinne pojęcie miłującego Boga lub na teoretyczną próżnię.

A jeśli potraktujemy naszą hipotezę serio, to odkryjemy, że proste pojęcie miłującego Boga może być podstawą wcale nieprostej filozofii.

Zakładając, że nasza zdolność miłowania oraz pęd do rozwoju i ewolucji są czymś, co tchnął w nas Bóg, musimy zadać pytanie, w jakim celu to uczynił. Dlaczego Bóg chce, byśmy się rozwijali? Dokąd zmierzamy? Nie chcę wdawać się w teologiczne niuanse i mam nadzieję, że uczeni w piśmie wybaczą mi wszystkie skróty myślowe i niedomówienia mojej wielce spekulatywnej teologii. Niezależnie bowiem od tego, jak ostrożnie będziemy podchodzić do tego zagadnienia, ci, którzy postulują obecność miłującego Boga i rzeczywiście się nad tymi zagadnieniami zastanawiają, muszą w końcu dojść do zatrważającego wniosku: Bóg chce, byśmy się Nim stali. Rozwijamy się ku boskości. Bóg jest celem ewolucji. To On jest źródłem siły ewolucji i to On jest jej przeznaczeniem. To właśnie mamy na myśli, mówiąc, że On jest Alfą i Omegą, początkiem i końcem.

Powiedziawszy, że jest to zatrważająca idea, i tak użyłem stosunkowo łagodnego sformułowania. Choć idea ta jest bardzo stara, miliony ludzi od tysięcy lat pierzchają przed nią w popłochu. Żadna bowiem inna idea, która kiedykolwiek pojawiła się w umyśle ludzkim, nie nakłada nań takiego ciężaru. Jest to najbardziej wymagająca idea w całej historii ludzkości. Nie dlatego, że jest niewyobrażalna; wręcz przeciwnie, jest kwintesencją prostoty. Jeśli jednak w nią uwierzymy, to będzie wymagać od nas wszystkiego, co możemy z siebie dać, wszystkiego, co mamy. Czym innym jest wiara w starego, dobrego Boga, który zajmuje się nami z pozycji siły, jakiej nigdy nie osiągniemy. Czym innym zaś jest wiara w Boga, którego wolą jest, byśmy osiągnęli Jego pozycję, Jego moc, Jego mądrość i Jego tożsamość.

Gdybyśmy uwierzyli, że człowiek może stać się Bogiem, już sama natura takiej wiary nałożyłaby na nas zobowiązanie do czynienia wszelkich wysiłków w celu osiągnięcia tego, co możliwe. Ale my takiego zobowiązania podjąć nie chcemy. Nie chcemy być zmuszeni do tak ciężkiej pracy. Nie chcemy być obarczeni tak wielką odpowiedzialnością jak Bóg. Nie chcemy być zmuszeni do myślenia przez cały czas. Póki trwamy w przeświadczeniu, że nie jesteśmy w stanie osiągnąć boskości, nie musimy się martwić o nasz rozwój duchowy ani zmierzać ku coraz wyższym poziomom świadomości i miłującego działania. Możemy odprężyć się, obejrzeć telewizję i być zwykłymi ludźmi.

Jeśli Bóg jest w swoim niebie, a my tu na dole, w swoim piekiełku, i nigdy nie dojdzie do naszego spotkania, to całą odpowiedzialność za ewolucję i kierowanie wszechświatem możemy zrzucić na Niego. Możemy robić swoje, by zapewnić sobie wygodę na stare lata, żyć nadzieją na posiadanie zdrowych, szczęśliwych i wdzięcznych dzieci i wnuków, a poza tym nie musimy niczym zaprzątać sobie głowy. Cele te i tak są trudne do osiągnięcia, i nie do pogardzenia. Gdy jednak uwierzymy, że człowiek może się stać Bogiem, nigdy nie będziemy mogli spocząć na laurach i powiedzieć sobie: „W porządku. Zrobiłem, co do mnie należało". Musimy nieustannie dopingować się do rozwijania swojej mądrości i coraz większej skuteczności. Z taką wiarą sami zaprzęgniemy się — i to do samej śmierci — do kieratu samodoskonalenia i rozwoju duchowego. Odpowiedzialność spoczywająca na Bogu stanie się naszą odpowiedzialnością. Nic więc dziwnego, że przeświadczenie o możliwości stania się Bogiem odstrasza tak wielu. Idea Boga, który wspiera nasz rozwój, byśmy mogli dojrzeć i Mu dorównać, stawia wyzwanie naszemu lenistwu.

274

ENTROPIA I GRZECH PIERWORODNY

Mówiąc o rozwoju duchowym, należy również wspomnieć o przeszkodach, na jakie natrafiamy, wędrując jego drogą. Najważniejszą jest nasze lenistwo. Jeśli je pokonamy, poradzimy sobie również z innymi przeszkodami, jeśli nie — nie uporamy się z żadnymi. Jest to zatem książka mówiąca o przezwyciężaniu własnego lenistwa. W części poświęconej dyscyplinie pokazałem przykłady lenistwa kryjącego się w próbach uniknięcia uzasadnionego cierpienia i w szukaniu dróg na skróty. Mówiąc o miłości, stwierdziłem, że jej brak przejawia się w niechęci do poszerzania własnej jaźni. Lenistwo jest przeciwieństwem miłości. Rozwój duchowy wymaga wielkiego wysiłku. Dzięki dotychczasowym rozważaniom doszliśmy do punktu, z którego możemy spojrzeć na naturę lenistwa i uzmysłowić sobie, że lenistwo jest siłą entropii przejawiającą się w życiu każdego z nas.

Przez długie lata pojęcie grzechu pierworodnego uważałem za bezsensowne, a nawet budziło ono mój sprzeciw. Nie uważałem seksualizmu za coś szczególnie grzesznego. Ani mojego łakomstwa. Zdarzało się dość często, że gdy nie umiałem odmówić sobie przyjemności zjedzenia czegoś wyjątkowo smacznego, doskwierało mi potem poczucie przejedzenia, lecz z pewnością nie miałem poczucia winy. Widziałem różne grzechy tego świata: kłamstwa, uprzedzenia i okrucieństwo. Jednak nie widziałem u niemowląt jakiejś wrodzonej grzeszności ani nie uważałem za racjonalnie uzasadnione przeświadczenia, że ciąży na nich przekleństwo, bo ich przodkowie spożyli owoc z drzewa poznania dobra i zła. Stopniowo zacząłem sobie jednak uzmysławiać, że lenistwo jest powszechnym grzechem. W mojej walce, której celem jest pomaganie pacjentom w rozwoju, zauważyłem, że ich głównym wrogiem jest ich własne lenistwo. Dzięki nim uzmysłowiłem sobie, że również we mnie jest podobna oporność na poszerzanie swojej jaźni o nowe obszary myślowe, obowiązki i kompetencje. Jedną z wielu moich bardzo ludzkich cech jest lenistwo. I właśnie ze względu na nie biblijna opowieść o wężu i jabłku nabrała nagle sensu.

Według mnie najważniejsze jest to, o czym Biblia wprost nie mówi. Bóg miał zwyczaj przechadzać się po ogrodzie „w porze, kiedy był powiew wiatru" i mógł się komunikować z człowiekiem. Dlaczego więc Adam i Ewa, każde z osobna lub razem, przed lub po usłyszeniu podszeptu węża, nie zapytali Boga: „Ciekawi nas, dlaczego nie chcesz, byśmy spożyli owoc z drzewa poznania dobra i zła. Podoba nam się tutaj i nie chcielibyśmy okazać niewdzięczności, ale Twój nakaz w tej sprawie wydaje się nam niezrozumiały i bylibyśmy wdzięczni, gdybyś nam go objaśnił". Jednak o nic nie spytali. Okazali nieposłuszeństwo i złamali prawo Boże, nie starając się zrozumieć, dlaczego jest właśnie takie; nie podjęli wysiłku rzucenia bezpośredniego wyzwania Bogu, zakwestionowania Jego autorytetu, czy choćby próby skomunikowania się z Nim, jak należałoby się spodziewać po ludziach dorosłych. Usłuchali węża, lecz przed podjęciem działania nie wysłuchali racji Boga.

Skąd to zaniedbanie? Dlaczego nie podjęli żadnego wysiłku, lecz ulegli pokusie i przeszli do działania? Ów brak wysiłku jest według mnie istotą grzechu. Adam i Ewa mogli doprowadzić do dysputy między wężem a Bogiem, ale ponieważ tego nie uczynili, nie poznali Jego racji. Dysputa między wężem a Bogiem byłaby symboliczną dysputą między dobrem a złem, która powinna stale się toczyć w umysłach ludzkich. Zaniechanie przez nas tej dysputy lub prowadzenie jej „po łebkach" i bez zaangażowania jest przyczyną wszystkich złych uczynków, które nazywamy grzechami. Rozważając podjęcie jakichś działań, ludzie zazwyczaj nie pytają Boga o ich sensowność. Nie zasięgają Jego rady ani nie wsłuchują się w to, co Ten, Który jest immanentnym składnikiem umysłów ludzkich, ma do zakomunikowania. Popełniamy grzech zaniechania, bo jesteśmy leniwi. Podjęcie takiej wewnętrznej dysputy oznacza trud. Wymaga czasu i energii. Gdybyśmy słuchali „Boga, który jest w nas", okazywałoby się zwykle, że żądałby On obrania przez nas trudniejszej drogi, na której czeka nas więcej, a nie mniej wysiłku. Podjęcie dyskusji jest równoznaczne z otwarciem się na cierpienie i walkę. Każdy z nas, częściej lub rzadziej, powstrzymuje się od takiego wysiłku, próbuje uniknąć bolesnego kroku. Jak Adam i Ewa i jak wszyscy nasi przodkowie — jesteśmy leniwi. A zatem grzech pierworodny rzeczywiście istnieje: jest nim nasze lenistwo. Jest bardzo realny. Wszyscy jesteśmy nim skażeni: niemowlęta, dzieci, młodzież, dorośli, starcy; mądrzy i głupi; kalecy i zdrowi. Niektórzy są mniej leniwi od innych, lecz wszyscy do pewnego stopnia jesteśmy leniami. Bez względu na to, jak bardzo jesteśmy energiczni, ambitni czy mądrzy, jeżeli dokonamy odważnego i rzetelnego obrachunku moralnego, dostrzeżemy w sobie lenistwo — wewnętrzną entropię, która ściąga nas w dół i powstrzymuje przed rozwojem duchowym.

Niektórzy czytelnicy mogą zaoponować: „Ależ skąd! Wcale nie jestem leniwy. Pracuję sześćdziesiąt godzin tygodniowo. Wieczorami i podczas weekendów mimo zmęczenia wychodzę z żoną, zabieram dzieci na spacery, pomagam w pracach domowych i robię mnóstwo innych rzeczy. Chyba raczej przepracowuję się". Rozumiem tych ludzi, lecz podtrzymuję twierdzenie, że jeśli starannie poszukają, to znajdą w sobie lenistwo. Przybiera ono bowiem formy nie dające się zmierzyć liczbą godzin spędzonych w pracy czy poświęconych innym ludziom. Lenistwo przybiera przede wszystkim formę lęku. Aby to zobrazować, posłużmy się znów mitem o Adamie i Ewie. Ktoś mógłby na przykład stwierdzić, że Adam i Ewa powstrzymali się od zapytania Boga o przyczyny, dla których wydał takie prawo, nie z lenistwa, lecz z lęku. Lękali się budzącego nabożną cześć Boga i Jego gniewu. Choć nie każdy lęk jest lenistwem, wiele lęków bierze się właśnie z lenistwa. Wiele lęków odczuwanych jest przed zmianą status quo. Lękamy się, że jeśli ruszymy z miejsca, w którym znajdujemy się teraz, stracimy to, co mamy. W części poświęconej dyscyplinie powiedziałem, że ludzie lękają się nowych informacji, ponieważ jeśli je sobie przyswoją, będą mieli mnóstwo pracy nad aktualizacją map rzeczywistości, i dlatego instynktownie starają się jej uniknąć. Będą zwalczać nowe informacje, zamiast zabiegać o ich przyswojenie. Motywacją ich oporu jest lęk, ale podstawą tego lęku jest lenistwo, które samo w sobie jest lękiem przed konieczną do wykonania pracą. W części poświęconej miłości podobnie mówiłem o ryzyku poszerzania swojej jaźni o nowe terytoria, nowe obowiązki i kompetencje, nowe związki i nowe poziomy egzystencji. Tu również ryzykuje się utratę status quo i występuje lęk przed pracą, jakiej wymaga przejście na wyższy poziom. Jest więc całkiem prawdopodobne, że Adam i Ewa lękali się tego, co mogłoby ich spotkać, gdyby otwarcie zadali Bogu pytanie. Zamiast tego wybrali proste rozwiązanie, niedozwolony skrót, któremu na imię cwaniactwo: chcieli poznania bez zadawania sobie trudu poznawania i mieli nadzieję, że ujdzie im to na sucho. Zadawanie Bogu pytań może wymagać od nas wiele trudu i pracy. Z tej historii płynie morał, że pracę tę trzeba wykonać.

Psychoterapeuci wiedzą, że choć pacjenci przychodząc do nas, chcą zmienić to czy tamto, to w rzeczywistości zmiana ich przeraża, gdyż przeraża ich praca, jaką sami muszą wykonać, by ta zmiana zaszła. Z powodu tego przerażenia lub raczej lenistwa ogromna większość pacjentów — zwykle dziewięciu na dziesięciu — rozpoczynających proces psychoterapii rezygnuje z niej na długo przed jej zakończeniem. Większość pod byle pozorem rezygnuje przeważnie w ciągu kilku pierwszych sesji lub pierwszych miesięcy terapii. Ta dynamika ujawnia się z całą ostrością w przypadku pacjentów pozostających w związkach małżeńskich, którzy już podczas początkowych sesji uzmysławiają sobie, że ich małżeństwo jest tak chore i destruktywne, że powrót do zdrowia psychicznego mógłby wymagać rozwodu lub podjęcia niezwykle trudnego i bolesnego procesu całkowitej przebudowy związku. Pacjenci często przeczuwają taką konieczność, jeszcze zanim zgłoszą się na psychoterapię, a podczas pierwszych sesji uzyskują tylko potwierdzenie tego, co przeczuwali i co ich przerażało. Zaczyna ich przytłaczać lęk przed stawianiem czoła życiu w pojedynkę, co wydaje im się jeszcze trudniejsze niż wielomiesięczna czy wieloletnia praca ze swoim partnerem i terapeutą nad radykalnym polepszeniem związku. Przerywają więc leczenie po dwóch, trzech, czasem po dziesięciu czy dwudziestu sesjach. Stosują rutynowe wymówki: „Doszliśmy do wniosku, że nie wystarczy nam pieniędzy na naszą terapię", albo wycofują się, stawiając sprawę uczciwie: „Boję się, że terapia doprowadzi do rozpadu naszego małżeństwa. Wiem, że z mojej strony jest to unik. Może pewnego dnia zbiorę się na odwagę i wrócę do pana". Uzmysławiają sobie ogromny wysiłek, jakiego wymaga wydostanie się z pułapki, w której tkwią, i dlatego wolą obecne status quo, choć nie są z niego zadowoleni.

Na wcześniejszych stadiach rozwoju duchowego ludzie przeważnie nie uzmysławiają sobie swojego lenistwa, chociaż zdarza im się przyznawać: „Oczywiście, że czasem jestem leniwy — tak jak inni". Jest tak dlatego, że leniwy składnik jaźni — jak diabeł, którym być może jest — nie ma żadnych skrupułów i jest mistrzem w przybieraniu oszukańczych masek. Ukrywa swoje lenistwo, uciekając się do racjonalizowania, którego rozwijająca się część osobowości nie jest jeszcze w stanie przejrzeć lub zwalczyć. Dlatego wszelkie propozycje poszerzenia swojej wiedzy w jakiejś dziedzinie osoba taka będzie zbywać wymówką: „Tylu ludzi już się tym zajmowało i nie potrafiło udzielić żadnych sensownych odpowiedzi" lub: „Znałem takiego jednego, który się tym zajmował. Był alkoholikiem i popełnił samobójstwo", czy też: „Jestem za stary na to, żeby się zmienić" albo: „Próbujesz mną manipulować, bym przestał być sobą. Psychoterapeuci nie powinni tego robić". Wszystkie te wymówki skrywają lenistwo pacjentów lub studentów nie tyle przed terapeutą czy nauczycielem, ile przed sobą samym. Pokonywanie lenistwa zaczyna się bowiem od jego rozpoznania i odnalezienia go w sobie.

Z tych przyczyn ludzie na wyższych stadiach rozwoju duchowego są bardziej od innych świadomi swojego lenistwa. Ci, którzy są najmniej leniwi, zwykle uważają siebie za najbardziej opieszałych. W mojej osobistej walce o dojrzałość stopniowo uzmysławiam sobie perspektywy, które jakby same z siebie chciały mi umknąć, lub też miewam przebłyski nowych, konstruktywnych dróg myślenia, na których zaczynam jakby z własnej woli zwalniać kroku. Podejrzewam, że nie udaje mi się dostrzec wielu tych cennych myśli i nie obieram wspaniałych szlaków, którymi mogłyby mnie poprowadzić. Jednak gdy uświadamiam sobie, że zaczynam powłóczyć nogami, siłą woli zmuszam się do przyśpieszenia kroku w tym właśnie kierunku, którego unikam. Walka z entropią nigdy się nie kończy.

Wszyscy mamy jaźń chorą i jaźń zdrową. Bez względu na to, jak bardzo jesteśmy znerwicowani, czy nawet psychotyczni, choć możemy być całkowicie owładnięci lękiem i przeżeń sparaliżowani, zawsze jest w nas jakaś cząstka, jakkolwiek mała by ona była, która chce, byśmy się rozwijali, która chce zmiany i rozwoju, którą pociąga to, co nowe i nieznane i która ma wolę wykonania pracy i podjęcia ryzyka nieodzownych dla rozwoju duchowego. Niezależnie z kolei od tego, jak z pozoru bardzo jesteśmy zdrowi i duchowo rozwinięci, zawsze jest w nas cząstka, choćby najmniejsza, która nie chce, byśmy wyrażali wolę rozwoju, obstaje przy tym, co stare i dobrze znane, lęka się każdej zmiany i wysiłku, za wszelką cenę pragnie wygody i chce uniknąć bólu, nawet jeśli karą za to jest brak skuteczności, stagnacja lub regres. U niektórych zdrowa część jaźni jest niesłychanie mała, zdominowana przez lenistwo i bojaźliwość części chorej. Inni mogą się szybko rozwijać, gdyż ich dominująca, zdrowa część jaźni ochoczo podąża coraz wyżej, walcząc o ewoluowanie w kierunku boskości. Ta zdrowa część naszej jaźni musi jednak bezustannie zachowywać czujność wobec wszelkich przejawów lenistwa zdradzanych przez chorobę kryjącą się w zakamarkach umysłu. Pod tym jednym względem wszyscy ludzie są sobie równi. Każdy z nas ma dwie jaźnie: chorą i zdrową — pęd do życia i pęd do śmierci. Każdy z nas reprezentuje całą ludzkość, w każdym z nas jest instynkt boskości i nadzieja rodzaju ludzkiego, lecz także pierworodny grzech lenistwa, wszechobecna siła entropii, która cofa nas do dzieciństwa, do łona i prehistorycznych bagnisk, z których wyewoluowaliśmy.

PROBLEM ZŁA

Zasugerowawszy, że lenistwo jest grzechem pierworodnym i być może jest diabłem przyprawiającym naszą jaźń o chorobę, warto uzupełnić ten obraz pewnymi spostrzeżeniami na temat natury zła. Zło jest jednym z największych problemów teologicznych. Podobnie jak w odniesieniu do innych zagadnień religijnych psychologia naukowa wychodzi z założenia, że zło nie istnieje. A właśnie psychologia mogłaby się znacznie przyczynić do zgłębienia tego zagadnienia. Mam nadzieję, że moja kolejna książka rzuci na nie pewne światło*. Na razie, by nie odbiegać zbytnio od tematyki niniejszej książki, ograniczę się tylko do krótkiego przedstawienia czterech wniosków, do jakich doszedłem w moich rozważaniach nad naturą zła.

Po pierwsze, uważam, że zło obiektywnie istnieje. Nie jest wytworem wyobraźni prymitywnego, religijnego umysłu, nieudolnie usiłującego wyjaśnić to, co jest dlań niewiadomą. Naprawdę istnieją ludzie, którzy reagują nienawiścią na dobro i jeśli leży to w ich mocy, dobro niszczą. Nie czynią tego, kierując się świadomą złośliwością, lecz ślepotą, gdyż nie uzmysławiają sobie własnego zła, a w zasadzie starają się

_____

* Autor ma na myśli swoją książkę *People of the Lie*, New York, Simon & Schuster, 1983 (przyp. tłum.).

uniknąć uzmysłowienia go sobie. Tak jak diabeł opisywany w książkach o tematyce religijnej, ludzie ci nienawidzą światła i uczynią wszystko, by się przed nim skryć, a nawet podejmują próby jego zgaszenia. Gaszą światło w swoich własnych dzieciach i wszystkich, którzy znajdą się w zasięgu ich władzy. Ludzie źli nienawidzą światła, gdyż ono pokazuje im, jacy rzeczywiście są. Nienawidzą dobra, ponieważ demaskuje ich zło; nienawidzą miłości, gdyż obnaża ich własne lenistwo. Zniszczą światło, dobroć i miłość, by uniknąć bólu uzmysłowienia sobie, jacy są. Dlatego, po drugie, twierdzę, że zło jest skrajną postacią lenistwa. Według mojej definicji miłość jest antytezą lenistwa. Zwykłe lenistwo jest bierną niezdolnością do miłowania. Lenie nie kiwną palcem, by poszerzyć swoją jaźń, póki nie zostaną do tego zmuszeni. Niemiłowanie uczynili swoim sposobem na życie, lecz mimo to nie są ludźmi złymi. Natomiast w odróżnieniu do nich ludzie źli aktywnie unikają poszerzania swojej jaźni. Podejmą każde działanie, jakie leży w ich mocy, by zachować integralność swojej chorej jaźni. W tym celu zamiast wspierać i troszczyć się o innych, będą ich niszczyć. Jeśli uznają za stosowne, będą usiłowali na wszelkie sposoby zniszczyć zdrowie duchowe, o ile je w kimkolwiek dostrzegą. Dlatego definiuję zło jako sprawowanie władzy politycznej, czyli otwarte lub skryte narzucanie własnej woli innym po to, by uniknąć poszerzania swojej jaźni w celu wspierania rozwoju duchowego. Zwykłe lenistwo jest niemiłowaniem; zło jest antymiłością.

Po trzecie, istnienie zła jest nieuniknione, przynajmniej na obecnym etapie ewolucji człowieka. Zważywszy na siłę entropii i fakt, że ludzie mają wolną wolę, niektórzy będą starać się zapanować nad swoim lenistwem, inni zaś — nie. Ponieważ entropia i wspierający ewolucję napływ miłości są siłami przeciwstawnymi, więc naturalną koleją rzeczy u większości ludzi będą się one względnie równoważyć. Nieliczne jednostki będą okazywać czystą miłość, inne zaś, równie nieliczne, będą przejawiać skrajną entropię lub zło. Jako że w ich działaniu uzewnętrzniają się siły przeciwstawne, ekstremiści będą się nawzajem zwalczali, gdyż zło cechuje nienawiść do dobra, cechą zaś dobra jest nienawiść do zła. Doszedłem też do ogólnego wniosku, że choć entropia jest siłą przemożną, w swojej skrajnej formie jest zadziwiająco nieskuteczną siłą społeczną. Byłem świadkiem działania zła, które zaciekle atakowało i skutecznie niszczyło ducha i umysły wielu dzieci. Jednak złu nie udaje się zapobiec ewolucji gatunku ludzkiego. Każda dusza, którą niszczy — a niszczy ich wiele — przyczynia się do zbawienia innych. Wbrew bowiem swojej woli zło działa jak latarnia morska, ostrzegając innych przed swoimi rafami. Większość z nas została obdarzona łaską instynktownego odczuwania grozy wobec niegodziwości zła. Gdy rozpoznamy jego obecność, nasza jaźń mobilizuje się dzięki uzmysłowieniu sobie jego istnienia. Świadomość obecności zła jest sygnałem do samooczyszczenia. Zło ukrzyżowało Jezusa, lecz jednocześnie wyniosło go tak wysoko, że dowiedzieli się o Nim wszyscy. Nasze osobiste zaangażowanie w walkę ze złem na tym świecie jest jedną z dróg naszego rozwoju.

EWOLUCJA ŚWIADOMOŚCI

W tej książce często używam słów „zmysłowość", „uzmysławiać sobie". Ludzie źli opierają się uzmysłowieniu sobie swojego stanu. Cechą ludzi rozwiniętych duchowo jest uzmysławianie sobie własnego lenistwa. Ludzie często nie uzmysławiają sobie swojej religii lub widzenia świata, lecz jeśli chcą się rozwijać, muszą uzmysłowić sobie swoje przesłanki i skłonność do polegania na uprzedzeniach. Dzięki „braniu w nawias" i trosce miłości coraz bardziej uzmysławiamy sobie naturę miłowanych przez nas ludzi i świata. Zasadniczym elementem dyscypliny jest coraz głębsze uzmysławianie sobie własnej odpowiedzialności i mocy dokonywania wyboru. Zmysłowość i zdolność do uzmysławiania przypisujemy części umysłu, którą nazywamy świadomym lub świadomością. I dlatego rozwój duchowy możemy zdefiniować jako rozwój lub ewolucję świadomości. Słowo „świadomy" (ang. *conscious*) pochodzi z łaciny. Składa się z przedrostka *con-* oznaczającego „z" oraz czasownika *scire*, co znaczy „wiedzieć". Być świadomym, znaczy więc dosłownie „z-wiedzieć". Ale jak mamy rozumieć owo „z"? Wiedzieć z czym lub z kim? Mówiliśmy już, że nieświadoma część naszego umysłu posiada nadzwyczajną znajomość wszechrzeczy. Wie o wiele więcej od nas, jeśli przez „my" rozumiemy naszą jaźń świadomą. Gdy uzmysławiamy sobie jakąś nową prawdę, dzieje się tak dlatego, że rozpoznajemy (ang. *recognize*), iż jest prawdziwa, rozpoznajemy to, co znaliśmy cały czas. A zatem czy nie możemy założyć, że owo „z-wiedzieć" znaczy znać z nieświadomym? Rozwój świadomości jest uzmysławianiem sobie w naszym świadomym umyśle rzeczy znanych nieświadomemu, które już tę znajomość posiada. Jest to proces synchronizacji umysłu świadomego z nieświadomym. Koncepcja ta nie powinna dziwić psychoterapeutów, którzy często definiują terapię jako proces uświadamiania sobie nieświadomego lub poszerzania sfery świadomości w stosunku do sfery nieświadomego.

Nie wyjaśniliśmy jeszcze jednak, jak to się dzieje, że nieświadome posiada znajomość rzeczy, których świadomie jeszcze się nie nauczyliśmy. I znów zadajemy tak podstawowe pytanie, że nie znajdujemy na nie naukowej odpowiedzi. Możemy tylko stawiać hipotezy. Ponownie muszę stwierdzić, że nie znam bardziej satysfakcjonującej hipotezy nad postulat Boga tak nam bliskiego, że jest wprost częścią nas samych. Najbliższym miejscem, w którym możesz odnaleźć łaskę, jesteś ty sam. Jeśli szukasz mądrości większej od twojej, możesz ją odnaleźć w sobie. Te dywagacje sugerują, że płaszczyzna wspólna dla Boga i człowieka jest płaszczyzną porozumiewania się świadomego z nieświadomym. Mówiąc prościej, nasze nieświadome jest Bogiem. Bogiem wewnątrz nas. Cały czas byliśmy i jesteśmy częścią Boga. Bóg zawsze był z nami, jest teraz i zawsze będzie. Czy to jest możliwe? Jeśli czytelnika napawa grozą pojęcie, że nasze nieświadome jest Bogiem, to niech sobie przypomni, że nie jest to żadna heretycka teoria, gdyż w istocie nie różni się od chrześcijańskiej koncepcji Ducha Świętego, który jest w nas wszystkich. Myślę, że związek między Bogiem i nami zrozumiemy łatwiej, gdy wyobrazimy sobie nieświadome jako kłącze o bardzo rozbudowanym, ukrytym systemie korzeni, które żywi drobną roślinkę świadomości, widoczną dla naszych zmysłów. Porównanie to zaczerpnąłem od Junga, który określając samego siebie jako „odprysk nieskończonej boskości", napisał:

> Życie wydawało mi się zawsze czymś na kształt rośliny wyrastającej z kłącza. Jej prawdziwego życia nie widać, gdyż kryje się ono w kłączu. Część widoczna nad ziemią trwa tylko przez jeden sezon. Potem ten efemeryczny twór marnieje. Myśląc o nie kończącym się rozwoju i rozpadzie życia i różnych cywilizacji, nie możemy się oprzeć wrażeniu daremności. Jednak nigdy nie opuszcza mnie przeświadczenie, że pod tym odwiecznym przemijaniem coś trwa i wiecznie żyje. To, co widzimy, jest kwiatem, który przemija. Kłącze pozostaje*.

Jung nigdy nie poszedł tak daleko, by rzeczywiście stwierdzić, że Bóg istnieje w nieświadomym, choć jego prace wyraźnie zmierzały w tym kierunku. Podzielił jednak nieświadome na bardziej powierzchowne, indywidualne „nieświadome osobiste" i głębsze „nieświadome zbiorowe", wspólne dla całej ludzkości. W mojej wizji zbiorowe nieświadome jest Bogiem, świadomość jest człowiekiem jako indywiduum, a osobiste nieświadome jest łącznikiem między Bogiem

---

* C.G. Jung, *Memories, Dreams, Reflections*, red. Aniela Jaffe, New York, Vintage Books, 1965, s. 4.

i indywiduum. Będąc płaszczyzną styku, ludzkie nieświadome powinno być miejscem zamieszania, sceną walki między wolą Boga a wolą indywidualnego człowieka. Przedtem opisałem nieświadome jako domenę dobroci i miłości. Jestem przeświadczony, że właśnie takie jest. Jednak sny, choć zawierają przesłania miłującej mądrości, zawierają również wiele oznak konfliktu. Sny mogą odświeżać, lecz mogą też być przerażającym koszmarem. Z powodu chaotycznej natury snów większość myślicieli umiejscawiała choroby psychiczne w nieświadomym, jakby to ono było źródłem wszelkiej psychopatologii, a symptomy chorób czymś na kształt demonów z głębin, wychodzących na powierzchnię po to, by opętać chorego. Już powiedziałem, że jestem przeciwnego zdania. Uważam, że siedzibą psychopatologii jest świadomość, a zaburzenia psychiczne są zaburzeniami świadomości. Dochodzą do głosu, ponieważ nasza świadoma jaźń opiera się mądrości nieświadomego, i skutkiem tego rozbratu jest choroba. Ponieważ nasza świadomość jest nieuporządkowana, występuje konflikt między nią a pragnącym ją uzdrowić nieświadomym. Innymi słowy, choroba psychiczna pojawia się wtedy, gdy wystąpi znaczna dewiacja świadomej woli indywiduum względem woli Boga, która jest własną nieświadomą wolą tegoż indywiduum.

Powiedziałem, że ostatecznym celem duchowego rozwoju indywiduum jest stać się jednym z Bogiem. Być jednym z Bogiem to wiedzieć z... Bogiem. Ponieważ nieświadome jest Bogiem, cel ludzkiego rozwoju możemy więc zdefiniować jako osiągnięcie przez świadomą jaźń boskości. Dla człowieka oznacza to zupełne i całkowite stanie się Bogiem. Czyżby tym celem było więc dołączenie świadomości do nieświadomego, tak aby wszystko stało się nieświadomym? Z pewnością nie. Dochodzimy do sedna zagadnienia. Chodzi o to, żeby stać się Bogiem, zachowując świadomość. Jeśli kiełkujący z kłącza nieświadomego Boga pączek świadomości sam może stać się Bogiem, znaczy to, że Bóg przybrałby nową formę życia. Taki jest sens naszej indywidualnej egzystencji. Rodzimy się po to, byśmy jako świadome jednostki mogli stać się nową formą życia Boga.

Świadomość jest wykonawczą częścią naszej psychiki. To świadome, które podejmuje decyzje i przekłada je na czyny. Gdybyśmy mogli stać się zupełnie nieświadomymi, stalibyśmy się w rzeczywistości podobni do noworodków, które być może są bardzo blisko Boga, lecz nie są zdolne do podjęcia żadnego działania, które sprawiłoby, że obecność Boga przejawiłaby się w tym świecie. Jak wspomniałem, w mistycznej myśli niektórych teologów hinduizmu i buddyzmu występuje postulat regresji, zgodnie z którym stan noworodka, bez granic ego, jest porównywalny do nirwany, a osiągnięcie nirwany przypomina powrót do łona. Zgodnie z teologią, której założenia rozwijam w tej książce, podobnie jak większość mistyków postuluję coś zgoła innego. Celem nie jest stanie się nie posiadającym ego, nieświadomym niemowlęciem; celem człowieka jest wykształcenie dojrzałego, świadomego ego, które stanie się ego Boga. Skoro jako dorośli stąpający po tej ziemi możemy podejmować niezależne wybory, które wywrą wpływ na świat, i jednym z tych wyborów może być podporządkowanie naszej dojrzałej woli woli Boga, to w naszym świadomym ego Bóg zyskałby nową i mocną formę życia. Stalibyśmy się Jego reprezentantami; można rzec, Jego ramieniem, a przez to Jego częścią. I na ile przez świadome decyzje będziemy mogli kształtować świat zgodnie z Jego wolą, o tyle nasze życie stanie się narzędziem bożej łaski. Staniemy się uosobieniem bożej łaski szerzącej Jego dzieło wśród ludzkości, tworząc miłość tam, gdzie jej przedtem nie było, podciągając bliźnich na osiągnięty przez nas poziom zmysłowości i przyczyniając się do ewolucji rodzaju ludzkiego.

NATURA WŁADZY

Opierając się na dotychczasowych rozważaniach, możemy się pokusić o sformułowanie pewnych poglądów na temat natury władzy. W kwestii tej panuje wiele nieporozumień. Jedną z przyczyn takiego stanu rzeczy jest fakt, że istnieją dwa rodzaje władzy: polityczna i duchowa. Analizując różne religie, można dojść do wniosku, że wytyczenie linii granicznej między nimi jest trudne. Na przykład przed narodzinami Buddy wróżbici przepowiedzieli jego ojcu, że gdy dorośnie, Budda stanie się albo najpotężniejszym władcą kraju, albo człowiekiem ubogim, który będzie jednym z największych przywódców duchowych, jakich kiedykolwiek znał świat. Jedno z dwojga, ale nie jedno i drugie. Szatan również kusił Jezusa wszystkimi królestwami na Ziemi i ich chwałą, jednak Jezus odrzucił tę możliwość, by — pozornie bezsilny — umrzeć na krzyżu.

Władza polityczna jest możliwością jawnego lub skrytego zmuszania innych do realizowania czyjejś woli. Ta zdolność określona jest przez prerogatywy związane z tytułem monarchy, prezydenta lub ze zgromadzonym majątkiem. Nie tkwi ona w osobie, która sprawuje urząd lub dysponuje bogactwem. I dlatego władza polityczna nie musi wiązać się z dobrocią lub mądrością. Królami na tej ziemi bywali ludzie bardzo głupi i bardzo źli. Natomiast władza duchowa zawsze tkwi w konkretnej osobie i nie polega na egzekwowaniu od innych respektowania woli przywódcy. Ludzie o wielkiej władzy duchowej mogą być bardzo bogaci i niekiedy mogą zajmować stanowiska politycznych przywódców, ale najczęściej są ubodzy i nie mają władzy politycznej. Jakimi możliwościami dysponuje więc władza duchowa, skoro nie ma zdolności zmuszania do posłuchu? Jest to władza polegająca na podejmowaniu decyzji i uzmysławianiu sobie ich wszystkich konsekwencji. A zatem władza duchowa jest pełną świadomością.

Większość ludzi przez cały czas podejmuje decyzje, nie uzmysławiając sobie, co czynią. Podejmują działania, nie rozumiejąc własnych motywów ani ich wszystkich następstw. Czy rzeczywiście wiemy, co robimy, akceptując lub odrzucając potencjalnego klienta? Gdy dajemy klapsa dziecku, awansujemy podwładnego lub flirtujemy z drugą osobą? Ci, którzy przez dłuższy czas byli aktywnymi politykami, wiedzą, że działania podejmowane w najlepszych intencjach często nie przynoszą spodziewanych skutków, a czasem nawet okazują się szkodliwe. Natomiast zdarza się, że działania ludzi angażujących się w jakieś niepewne na pozór sprawy mogą w ostatecznym rozrachunku okazać się konstruktywne. To samo dotyczy wychowywania dzieci. Czy lepiej zrobić coś dobrego ze złych powodów czy coś złego z dobrych pobudek? Często to, co uważamy za swój największy sukces, okazuje się naszą największą porażką, to zaś, co z pozoru wydawało się całkowitą klęską, okazuje się największym sukcesem. Uważając, że mamy absolutną pewność, możemy być totalnie zagubieni, a najbliżsi oświecenia możemy być wtedy, gdy zdaje się nam, że jesteśmy całkowicie zagubieni i niepewni.

Co robić, dryfując po morzu ignorancji? Nihiliści powiedzą: „Nic". Zaproponują, by dryfować dalej, jakby na rozległym morzu nie można było wytyczyć żadnego sensownego kursu i portu przeznaczenia. Jednak są też ludzie na tyle świadomi, by uzmysławiać sobie, że błądzą i że pozostaje im żywić nadzieję, iż potrafią własnym wysiłkiem wydostać się z ignorancji dzięki rozwijaniu swojej świadomości. Mają rację. To jest możliwe, lecz pełna świadomość nie przyjdzie do nich w jednym, olśniewającym akcie oświecenia. Zbliża się stopniowo, krok po kroku, a każdemu krokowi musi towarzyszyć cierpliwy wysiłek studiowania i obserwowania wszystkiego, przede wszystkim — siebie samego. Duchowi przywódcy są uczniami pełnymi pokory. Droga rozwoju duchowego jest drogą nieustannej nauki, która trwa do końca życia.

Jeżeli podąża się tą drogą wystarczająco długo i z wystarczającym zaangażowaniem, to oderwane aspekty poznania zaczną się układać w całość. Wszystko stopniowo nabierze sensu. Po drodze natrafimy na ślepe uliczki, rozczarowania i wnioski, do których dojdziemy tylko po to, by je odrzucić, lecz osiąganie coraz głębszego poziomu rozumienia sensu naszego istnienia jest możliwe. I stopniowo osiągniemy poziom, na którym rzeczywiście będziemy wiedzieć, co czynić. Wtedy będziemy mogli sięgnąć po prawdziwą władzę.

Sprawowanie władzy duchowej jest w zasadzie doświadczeniem radosnym. Radość przychodzi wraz z mistrzostwem. Zaiste, nie ma większej satysfakcji od bycia ekspertem — gdy rzeczywiście wiemy, co czynimy. Ci, którzy osiągnęli wyżyny duchowego rozwoju, są ekspertami w sztuce życia. Jest jeszcze inna radość, o wiele większa. To radość komunii z Bogiem. Gdy naprawdę wiemy, co czynimy, uczestniczymy w boskiej wszechwiedzy. Uzmysławiając sobie całkowicie naturę sytuacji, motywów, jakimi się kierujemy, chcąc na nią wpływać, oraz skutków i całej rozciągłości następstw naszego działania, osiągamy poziom świadomości, jakiego możemy oczekiwać tylko od Boga. Na najwyższym poziomie rozwoju duchowego nasza świadoma jaźń potrafi podporządkować się woli Boga, dzięki czemu jesteśmy w stanie Go poznać.

Nawet ci, którzy osiągnęli to stadium rozwoju duchowego, stadium wielkiej świadomości, nadal kierują się radosną pokorą. Jednym ze składników ich świadomości jest bowiem uzmysławianie sobie, że ich niezwykła mądrość ma swoje źródło w ich nieświadomym. Uzmysławiają sobie, że wyrastają z kłącza, którym płynie do nich znajomość rzeczy. Wysiłek uczenia nakierowany jest na zachowanie drożności tego połączenia. Uzmysławiają sobie również, że kłącze, czyli ich nieświadome, nie należy tylko do nich, lecz do całej ludzkości — do całego życia. A zapytywani o źródło ich władzy i znajomości rzeczy, zawsze odpowiadają: „To nie moja władza. Cząstka tej władzy, która jest we mnie, jest tylko drobnym przejawem daleko większej mocy. Ja jestem tylko przekaźnikiem. To moc, która nie jest moja". Powiedziałem, że pokora jest radosna. Jest taka dlatego, że uzmysławiając sobie swoje połączenie z Bogiem, ludzie o rzeczywistej władzy doświadczają minimalizacji poczucia swojej jaźni. „Bądź wola Twoja, nie moja. Uczyń ze mnie swoje narzędzie" — oto ich jedyne pragnienia. Taka utrata jaźni zawsze niesie pewnego rodzaju spokojną ekstazę, podobną do doświadczenia zakochania się. Uzmysławiając sobie swój zażyły związek z Bogiem, ludzie ci przestają odczuwać samotność. Doświadczają komunii.

Choć tak radosne, doświadczanie władzy duchowej jest również zatrważające. A to dlatego, że im większa jest świadomość, tym trudniej podjąć działanie. Wspomniałem już o tym pod koniec pierwszej części, podając przykład dwóch generałów, z których każdy musi podjąć decyzję o wprowadzeniu dywizji do bitwy. Ten, dla którego dywizja oznacza wyłącznie jednostką bojową, może spać spokojnie. Natomiast dla generała świadomego, że ma pod swoją komendą ludzi, z których każdy może stracić życie, decyzja będzie męczarnią. Wszyscy jesteśmy generałami. Każde nasze działanie może wpłynąć na los całej cywilizacji. Decyzja o ukaraniu lub pochwaleniu dziecka może mieć ogromne skutki. Łatwo jest działać, gdy mamy ograniczoną świadomość i wydaje się nam, że nie mamy żadnego wpływu na to, gdzie lecą wióry rąbanego przez nas drewna. Ale im większą dysponujemy świadomością, tym więcej danych musimy uwzględnić przy podejmowaniu decyzji. Im większą mamy znajomość rzeczy, tym nasze decyzje stają się trudniejsze i bardziej skomplikowane, lecz zarazem tym łatwiej przewidzieć, w którą stronę polecą przysłowiowe wióry. Jeśli zaś przyjmiemy na siebie odpowiedzialność za próbę przewidzenia, gdzie upadnie każdy wiór, to poczujemy się z pewnością tak przytłoczeni złożonością tego zadania, że uciekniemy w bezczynność. Jednak nawet bezczynność jest pewną postacią działania. W określonych warunkach może być najlepszym wyjściem, w innych z kolei przyniesie katastrofalne i niszczące skutki. Władza duchowa to nie tylko świadomość, lecz również zdolność podejmowania decyzji z coraz większą świadomością. Władza podobna władzy Boga jest zdolnością do podejmowania decyzji z Boską świadomością. Jednak wbrew powszechnemu mniemaniu wszechwiedza nie ułatwia, lecz utrudnia podejmowanie decyzji. Im bardziej zbliżamy się do boskości, tym bardziej współczujemy Bogu. Uczestnictwo w Boskiej wszechwiedzy oznacza również podzielanie Jego męczarni.

Jest jeszcze inny problem władzy: osamotnienie*. Pod tym względem występuje pewne podobieństwo między władzą duchową a polityczną. Sytuacja człowieka wspinającego się na szczyt ewolucji duchowej przypomina sytuację człowieka piastującego najwyższą władzę polityczną. Nie ma wyższej instancji, na którą mógłby przerzucić odpowiedzialność, obarczyć winą za decyzje i spytać, co robić. Na tym poziomie może nie być nikogo, kto podzieliłby jego męczarnie i odpowiedzialność. Inni mogą doradzać, lecz decyzja należy tylko do niego. Będzie osamotniony w swojej odpowiedzialności. Pod jednym względem osamotnienie wynikające ze sprawowania władzy duchowej jest jeszcze większe niż w przypadku władzy politycznej. Rzadko kiedy poziom świadomości ludzi będących u władzy politycznej jest tak wysoki jak pozycja, którą zajmują, mają więc prawie zawsze wokół siebie osoby na takim samym poziomie duchowym, z którymi mogą się porozumiewać. Królowie i prezydenci zawsze mają swoich doradców i ekspertów. Jednak ten, kto wspiął się na najwyższy poziom świadomości — władzy duchowej — nie ma sobie równych, z którymi mógłby dzielić poziom swojego rozumienia. Jednym z najbardziej przejmujących motywów w Ewangeliach jest ciągłe poczucie frustracji Jezusa, spowodowane niemożnością znalezienia kogokolwiek, kto mógłby Go naprawdę zrozumieć. Choć usilnie starał się, choć posze-

---

* Wprowadzam rozróżnienie między osamotnieniem (ang. *aloneness*) a samotnością (ang. *loneliness*). Przez osamotnienie rozumiem niemożność dzielenia się myślami, ideami i spostrzeżeniami na osiągniętym przez siebie poziomie rozumienia ze względu na ich niezrozumiałość dla otoczenia.

rzał swoją jaźń, nie mógł podnieść do własnego poziomu umysłów nawet swoich uczniów. Najmądrzejsi szli za Nim, lecz nie mogli nadążyć. Cała miłość, którą Jezus miał w sobie, nie mogła uwolnić Go od konieczności podążania przodem w całkowitym osamotnieniu. Ten rodzaj osamotnienia jest wspólny wszystkim tym, którzy najdalej zaszli drogą rozwoju duchowego. Jest ciężarem tak wielkim, że nikt nie zdołałby go unieść, gdyby nie fakt, że im dalej w tyle pozostawiamy swoich bliźnich, tym bardziej zbliżamy się do Boga i pogłębiamy nasz związek z Nim. W komunii rozwijającej się świadomości i znania z Bogiem jest dość radości, która wesprze nas w dalszej wędrówce.

ŁASKA A CHOROBA PSYCHICZNA: MIT ORESTESA

Dotychczas podałem kilka na pozór nie mających ze sobą wiele wspólnego stwierdzeń dotyczących zdrowia i chorób psychicznych: „Nerwica jest zawsze substytutem uzasadnionego cierpienia", „Zdrowie psychiczne to wierność rzeczywistości za wszelką cenę", „Choroba psychiczna występuje wtedy, gdy dochodzi do rozłamu między świadomą wolą człowieka a wolą Boga, będącą jego wolą nieświadomą". Przyjrzyjmy się teraz bliżej zagadnieniu chorób psychicznych i połączmy te oderwane stwierdzenia w jedną spójną całość.

Żyjemy w rzeczywistym świecie. By żyć dobrze, musimy jak najlepiej zrozumieć jego rzeczywistość. A to łatwo nie przychodzi. Jest wiele bolesnych aspektów rzeczywistości świata i stosunków, które nas z nim łączą. Możemy je zrozumieć tylko poprzez wysiłek i cierpienie. Każdy z nas w mniejszym lub większym stopniu usiłuje ich uniknąć. Ignorujemy bolesne aspekty rzeczywistości, wypierając pewne nieprzyjemne fakty z naszej świadomości. Innymi słowy, próbujemy bronić swoją świadomość przed rzeczywistością. Czynimy to na różne sposoby, które przez psychiatrów nazywane są mechanizmami obronnymi. Każdy z nas je stosuje, przez co ograniczamy swoją świadomość. Jeśli z powodu lenistwa i lęku przed cierpieniem będziemy usilnie bronić się przed uzmysłowieniem sobie pewnych faktów, to może dojść do tego, że nasze rozumienie świata będzie miało mało lub zgoła nie będzie miało nic wspólnego z rzeczywistością. A ponieważ nasze działania opierają się na naszym rozumieniu, w skrajnych przypadkach możemy przejawiać irracjonalne zachowania. Jeśli posuniemy się zbyt daleko, to nasi bliźni dojdą do wniosku, że straciliśmy poczucie rzeczywistości i uznają nas za chorych psychicznie, choć sami będziemy uważać się za w pełni poczytalnych*. Jednak nim sprawy zajdą tak daleko, że bliźni przypną nam łatkę pomylonych, otrzymamy od naszego nieświadomego informację, że oddalamy się od rzeczywistości. Nieświadome zwiastuje ten fakt na różne sposoby: poprzez koszmary senne, napady lęku, depresję i inne objawy emocjonalne. Choć nasz świadomy umysł zaprzecza rzeczywistości, nasze wszechwiedzące nieświadome — dokładnie rozumiejąc sytuację — usiłuje nam pomóc, wywołując objawy, dzięki którym możemy sobie uzmysłowić, że coś jest nie tak. Innymi słowy, nieprzyjemne objawy choroby psychicznej są przejawami łaski. Są darami „potężnej mocy spoza naszej świadomości wspierającej nasz rozwój duchowy".

Omawiając zagadnienia dyscypliny, wspomniałem, iż depresja jest sygnałem, że nie wszystko jest w porządku i że

---

* Zdaję sobie sprawę, że powyższy schemat choroby psychicznej jest nazbyt uproszczony. Nie uwzględnia czynników genetycznych, fizycznych lub biochemicznych, które mogą odgrywać główną rolę w przypadku pewnych schorzeń. Poza tym zdarza się, że niektórzy ludzie mają lepszy kontakt z rzeczywistością niż ich „chore" środowisko, które z powodu swojej własnej choroby przypina im etykietkę „niepoczytalnych". Mimo to podany schemat jest prawdziwy w odniesieniu do większości chorób psychicznych.

należałoby coś zmienić. Wiele przypadków, które przytoczyłem, ilustrując inne zagadnienia, można wykorzystać również do zilustrowania tego, o którym mówię teraz: nieprzyjemne objawy choroby psychicznej są sygnałem ostrzegawczym, że dana osoba obrała mylną drogę, że jej duch nie rozwija się i że znalazła się ona w poważnym niebezpieczeństwie. Pozwolę sobie przytoczyć jeszcze jeden przykład, by wyraźnie zademonstrować tę rolę objawów chorobowych.

Betsy była dwudziestodwuletnią miłą i inteligentną kobietą, która wyróżniała się dziewczęcą wprost skromnością. Zgłosiła się do mnie z powodu ostrych napadów lęku. Miała wierzących rodziców — przedstawicieli niższej klasy społecznej, którzy odejmowali sobie od ust i oszczędzali, by móc posłać córkę jedynaczkę na studia. Po pierwszym roku postanowiła rzucić studia, choć osiągała dobre wyniki w nauce i wyszła za mąż za mechanika z sąsiedztwa. Zaczęła pracować w supermarkecie. Przez dwa lata wszystko dobrze się układało. Potem jednak zaczęły u niej występować napady lęku. Pojawiały się jak grom z jasnego nieba. Nie można było ich przewidzieć, ale występowały tylko wtedy, gdy Betsy znajdowała się poza domem, bez męża. Mogły wystąpić podczas zakupów, w pracy lub gdy była na mieście. Podczas napadów lęku ogarniała ją przytłaczająca panika. Musiała porzucić to, czym się w danej chwili zajmowała, i natychmiast wrócić do domu lub do warsztatu, w którym pracował jej mąż. Tylko w jego obecności lub w mieszkaniu panika ustępowała. Z powodu tych napadów musiała rzucić pracę.

Gdy środki uspokajające przepisane przez internistę przestały działać i nawet nie osłabiały napadów lęku, Betsy zwróciła się o pomoc do mnie. „Nie wiem, co się ze mną dzieje — szlochała. — Wszystko w moim życiu układało się wspaniale. Mąż jest dla mnie dobry. Bardzo się kochamy. Lubiłam swoją pracę. A teraz wszystko stało się takie okropne. Nie wiem, dlaczego właśnie mnie to spotkało. Chyba oszaleję. Proszę mi pomóc. Proszę coś zrobić, żeby wszystko było tak jak kiedyś".

Podczas naszych sesji wyszło jednak na jaw, że wcale nie było tak dobrze. Z wielkimi oporami wyznała, że choć mąż był dla niej dobry, wiele jego zachowań ją drażniło. Miał złe maniery. Nie miał prawie żadnych zainteresowań. Jego jedyną rozrywką było oglądanie telewizji. Będąc z nim, odczuwała nudę. W pewnym momencie Betsy zaczęła zdawać sobie sprawę, że praca kasjerki w supermarkecie też ją nudzi. Zaczęliśmy więc analizować przesłanki, dla których porzuciła studia i zdecydowała się na tak monotonne życie. „Na studiach czułam się bardziej nieswojo — przyznała. — Młodzież narkotyzowała się i uprawiała wolną miłość. Nie czułam się dobrze w tym środowisku. Moje koleżanki, a także koledzy, którzy chcieli się ze mną przespać, uważali mnie za dziwoląga. Uważali, że jestem naiwna. Złapałam się na tym, że zaczynam wątpić w samą siebie, w Kościół, a nawet podważać niektóre wartości wyznawane przez moich rodziców. Myślę, że po prostu przestraszyłam się". Podczas terapii skupiliśmy się na analizowaniu wątpliwości, od których uciekła, opuszczając college. Po pewnym czasie wróciła na studia. Jej mąż też wykazał chęć rozwijania się i sam podjął naukę. Horyzonty obojga zaczęły się szybko poszerzać. I jak należało oczekiwać, napady lęku ustąpiły.

Różnie można patrzeć na ten dość typowy przypadek. Ataki lęku u Betsy były formą agorafobii (co dosłownie oznacza lęk przed rynkiem (gr. *agora*), lecz przez co obecnie rozumie się lęk przed otwartą przestrzenią) i w jej przypadku wyrażały lęk przed wolnością. Doznawała ich, gdy znajdowała się poza domem, gdy dysponowała swobodą nawiązywania kontaktów z innymi ludźmi. Lęk przed wolnością leżał u podstaw jej choroby psychicznej. Ktoś mógłby powiedzieć, że to napady lęku wyrażające lęk przed wolnością były jej chorobą. Dla mnie jednak bardziej użyteczne i pouczające jest inne spojrzenie na tę sprawę. U Betsy lęk przed wolnością wystąpił na długo przed pojawieniem się napadów lęku. Z powodu tego lęku rzuciła studia i zaczęła spowalniać swój rozwój. Według mojej diagnozy Betsy już wtedy była chora — trzy lata przed wystąpieniem napadów lęku. Nie zdawała sobie jednak sprawy ze swojej choroby ani z krzywdy, jaką sama sobie wyrządziła, rezygnując z własnego rozwoju. Dopiero wyraźne objawy — napady lęku, które według niej „spadały na nią jak grom z jasnego nieba" — uświadomiły jej w końcu, że jest chora, i zmusiły do powrotu na ścieżkę zdrowienia i rozwoju.

Jestem przekonany, że powyższy schemat da się odnieść do większości chorób psychicznych. Objawy i choroba nie są tym samym. Choroba istnieje długo przed wystąpieniem objawów. Objawy nie są chorobą, lecz mogą zapoczątkować zdrowienie. Fakt, że są niepożądane, jeszcze dobitniej świadczy o tym, że pod ich postacią przejawia się zjawisko łaski — dar od Boga lub, inaczej mówiąc, przesłanie od nieświadomego, które próbuje wymóc uważne przyjrzenie się samemu sobie i zapoczątkowanie procesu zdrowienia.

Jak to z łaską zazwyczaj bywa, wielu usiłuje „obejść się bez łaski" i nie zważa na przesłania od nieświadomego. Robią to na różne sposoby, lecz celem większości tych manewrów jest zrzucenie z siebie odpowiedzialności za chorobę. Przede wszystkim ignorują objawy i udają, że nie są one niczym szczególnym i że każdy „od czasu do czasu ma jakieś tam napady". Osoby, u których zaczynają pojawiać się objawy choroby psychicznej, próbują radzić sobie z nimi, rzucając pracę, unikając prowadzenia samochodu, przenosząc się do innego miasta czy rezygnując z pewnych form aktywności. Usiłują pozbyć się tych objawów, zażywając środki przeciwbólowe, „pigułki szczęścia" przepisane przez doktora, znieczulając się alkoholem lub narkotykami. Nawet jeśli zaakceptują występowanie symptomów, to o swój stan będą zazwyczaj obwiniać innych: rodzinę, fałszywych przyjaciół, pracodawcę, chore społeczeństwo czy po prostu los. Tylko nieliczni, którzy akceptują odpowiedzialność za występujące u siebie objawy, którzy zdają sobie sprawę, że symptomy te są przejawem choroby duszy, zważają na przesłanie od swojego nieświadomego i akceptują otrzymaną łaskę. Akceptują swoją nieadekwatność i ból pracy niezbędnej do powrotu do zdrowia. Ci, którzy jak Betsy gotowi są stawić czoło bólowi psychoterapii, otrzymają wielką nagrodę. To o nich Chrystus mówił w pięknych słowach: „Błogosławieni ubodzy w duchu, albowiem do nich należy królestwo niebieskie"*.

To, co powiedziałem o związku między łaską a chorobą psychiczną, zostało pięknie wyrażone w wielkim greckim micie o Orestesie i eryniach**. Orestes był wnukiem Atreusza — człowieka, który chciał za wszelką cenę dowieść, że ma moc większą niż bogowie. Ponieważ dopuścił się wobec nich zbrodni, bogowie rzucili klątwę na cały jego ród. Z powodu klątwy prześladującej Atrydów matka Orestesa, Klitajmestra, zamordowała jego ojca, a swojego męża — Agamemnona. Ta zbrodnia sprowadziła z kolei klątwę na Orestesa, ponieważ — zgodnie z greckim kodeksem honorowym — syn miał obowiązek pomścić ojca, mordując jego mordercę. Jednak matkobójstwo było najcięższym grzechem, jaki Grek mógł popełnić. Orestes cierpiał męczarnie. W końcu uczynił to, co zgodnie z tradycją powinien uczynić, i zabił swoją matkę. Za ten grzech bogowie ukarali go, przysyłając doń erynie — trzy potwory, które tylko on mógł widzieć i słyszeć. Potwory te prześladowały go za dnia i w nocy upiornym chichotem, uszczypliwymi uwagami i straszną aparycją.

Prześladowany przez nieodstępne erynie Orestes błąkał się po kraju, próbując odpokutować popełnioną przez siebie zbrodnię. Po wielu latach rozmyślań i wyrzeczeń poprosił bogów, żeby zdjęli z niego przekleństwo Atrydów i uwolnili go od erynii. Uważał, że odpokutował za zamordowanie matki.

---

* Biblia Tysiąclecia, Poznań–Warszawa, Wydawnictwo Pallottinum, 1982, Mt 5, 3.

** Istnieje wiele różnych wersji tego mitu. Ta, którą podaję, jest streszczeniem z: Edith Hamilton, *Mythology*, New York, Mentor Books, New American Library 1958. Pomysł wykorzystania tego mitu zawdzięczam Rollo Mayowi, który posłużył się nim w książce *Miłość i wola* (Warszawa, PIW, 1978). Wykorzystał go także T.S. Eliot w sztuce *Zjazd rodzinny* (w: *Wybór dramatów*, przeł. Jerzy Sito, Kraków, Wydawnictwo Literackie, 1982, s. 71-149).

Bogowie odprawili nad nim sąd. Przemawiający w obronie Orestesa Apollo dowodził, że to on doprowadził do sytuacji, w której Orestes nie miał wyboru. Nie ponosił więc odpowiedzialności za swój czyn. Na te słowa Orestes poderwał się i zaprzeczył swojemu obrońcy słowami: „To ja zabiłem matkę, nie Apollo". Bogowie zdumieli się. Nigdy przedtem żaden Atryda nie wziął na siebie całej odpowiedzialności, zamiast zrzucać ją na bogów. Wydali korzystny dla Orestesa wyrok i nie tylko uwolnili go od klątwy Atrydów, lecz przemienili erynie w eumenidy — miłujące duchy, które swoimi radami pomogły Orestesowi odmienić koło fortuny.

Znaczenie tego mitu jest oczywiste. Eumenidy, czyli „życzliwe", są również nazywane „łaskawymi". Urojone erynie, które tylko Orestes mógł postrzegać, symbolizują objawy jego choroby psychicznej, jego osobiste piekło. Przemiana erynii w eumenidy jest transformacją choroby psychicznej w rozwój duchowy. Mogło do niej dojść tylko dzięki temu, że Orestes zaakceptował odpowiedzialność za swoją chorobę. Choć pragnął zostać uwolniony od erynii, nie uważał ich obecności za niesprawiedliwą karę ani nie postrzegał siebie jako ofiary spisku świata zewnętrznego. Erynie, których obecność była skutkiem klątwy rzuconej na ród Atrydów, są również symbolem tego, że do choroby psychicznej przyczyniają się stosunki panujące w rodzinie; jest ona dziełem dziadków i rodziców, których dzieci karane są za grzechy swoich ojców. Choć mógł to uczynić, Orestes nie zrzucał jednak winy na rodzinę ani przodków. Nie miał pretensji do bogów czy „przeznaczenia". Zaakceptował fakt, że to on ponosi odpowiedzialność za stan, w jakim się znalazł, i podjął wysiłek, by go odmienić. Proces ten trwał długo — tak jak każda dogłębna psychoterapia. Jednak dzięki niemu Orestes został uzdrowiony, a w procesie zdrowienia — podjętym jego własnym wysiłkiem — te same zjawiska, które przysparzały mu cierpień, przeobraziły się potem w źródło jego mądrości.

Każdy doświadczony psychoterapeuta wielokrotnie uczestniczył w spektaklu na kanwie mitu o Orestesie i na własne oczy widział przemianę erynii w eumenidy w umysłach i życiu pacjentów, których terapia się powiodła. Ta przemiana nie jest łatwa. Gdy tylko pacjenci zdadzą sobie sprawę, że proces psychoterapii będzie wymagał przyjęcia całkowitej odpowiedzialności za swój stan i wyjście z niego, większość z nich rezygnuje zeń — niezależnie od tego, jak bardzo na początku byli skłonni mu się poddać. Wolą być chorzy i mieć swoich bogów, których mogą obwiniać, niż być zdrowi i nie obwiniać nikogo. Spośród niewielu, którzy kontynuują terapię, większość i tak trzeba nauczyć przyjęcia całkowitej odpowiedzialności za siebie, gdyż jest to nieodłączną częścią procesu zdrowienia. Taka nauka, czy raczej „trening", jest bardzo pracochłonna, ponieważ terapeuta metodycznie — raz po raz, dzień po dniu, sesja po sesji, miesiąc po miesiącu, a nawet rok po roku — konfrontuje pacjentów z faktami unikania przez nich odpowiedzialności. Często trzeba ich niemalże ciągnąć na siłę, jak niesforne, szamocące się i wrzeszczące wniebogłosy dzieci, póki sobie nie uświadomią swojej całkowitej odpowiedzialności za siebie samych. Po wielu latach terapii niektórym to się powiedzie. Rzadko kiedy pacjent podejmujący terapię jest od samego początku gotów do zaakceptowania całkowitej odpowiedzialności za siebie. W takich przypadkach terapia — jakkolwiek może wymagać roku lub dwóch lat — jest stosunkowo krótka, przebiega gładko i sprawia dużo zadowolenia pacjentowi i terapeucie. W każdym razie, względnie łatwo czy z trudnościami, szybko, czy też po dłuższym czasie i z oporami, dojdzie do przemiany erynii w eumenidy.

Ci, którzy stawili czoło swojej chorobie, którzy przyjęli na siebie całkowitą odpowiedzialność za nią i dokonali w sobie zmian niezbędnych do jej przezwyciężenia, zostaną nie tylko uzdrowieni i uwolnieni od klątwy swojego dzieciństwa i przodków, lecz również stwierdzą, że żyją w nowym i zupełnie innym świecie. To, co kiedyś uważali za problemy, będą postrzegać jako możliwości. Co kiedyś wydawało się odstręczającą przeszkodą, stanie się frapującym wyzwaniem.

Nieprzyjemne myśli staną się pożytecznymi refleksjami, a wywłaszczane przedtem uczucia okażą się źródłem energii i drogowskazem. Wydarzenia, które przedtem wydawały się przekleństwem, będą uważane za dary. Do tych darów zostaną zaliczone również objawy choroby, z której zostali uzdrowieni. „Moja depresja i napady lęku były najlepszym, co mogło mnie spotkać, prawdziwym błogosławieństwem" — twierdzi wielu pacjentów po pomyślnej terapii. Nawet jeśli zakończą ją, nie wynosząc z niej wiary w Boga, to zazwyczaj wyjdą z niej z bardzo realnym poczuciem, że spotkała ich łaska.

OPÓR WOBEC ŁASKI

Orestes nie poszedł do psychoterapeuty i musiał radzić sobie sam. Nawet gdyby w starożytnej Grecji praktykowali doświadczeni psychiatrzy i tak musiałby sam się uzdrowić, bo jak już powiedziałem, psychoterapia jest tylko pomocą naukową, formą dyscypliny, i to pacjent decyduje, czy skorzysta z tej pomocy, a jeśli tak, to z jakim skutkiem. Zdarzają się pacjenci, którzy potrafią pokonać wszystkie przeszkody: brak pieniędzy, niezadowalające doświadczenia podczas terapii prowadzonej przez innych terapeutów, dezaprobatę krewnych, złe traktowanie przez lekarzy państwowych i decydują się na terapię, chłonąc z niej wszystko niemal do ostatniej kropli. Są też tacy, którzy odrzucają terapię, choćby podawano im ją na srebrnej tacy. Inni znów nawet jeśli zaangażują się w związek terapeutyczny, to podczas sesji będą zachowywać się biernie i nie wyniosą z niej nic bez względu na umiejętności, wysiłki i miłość okazywaną przez terapeutę. Gdy na zakończenie udanej terapii czuję, że pomogłem wyzdrowieć pacjentowi, wiem, że w rzeczywistości byłem tylko katalizatorem, który zadziałał. Skoro ludzie mogą wyzdrowieć nie tylko dzięki psychoterapii, lecz również obywając się bez niej, to dlaczego tak niewielu zdrowieje, a tak wielu nie zdrowieje? Skoro droga rozwoju duchowego — aczkolwiek trudna — jest otwarta dla wszystkich, to dlaczego tak niewielu postanawia nią wędrować?

Uważam, że to zagadnienie miał na myśli Jezus, mówiąc: „Wielu jest powołanych, lecz mało wybranych"*. Dlaczego więc tak mało jest wybranych i czym ta mniejszość różni się od większości? Jeśli spytamy o to psychoterapeutów, powiedzą, że ta różnica bierze się ze stopnia nasilenia choroby psychicznej. Ujmując to inaczej, uważają, że większość ludzi cierpi na choroby psychiczne, lecz niektórzy są poważniej chorzy, a im bardziej ktoś jest chory, tym trudniej pomóc mu wyzdrowieć. Istnieje zależność między nasileniem choroby psychicznej a czasem, w którym dotknięta nią osoba doświadczyła jako dziecko deprywacji rodzicielskiej, jej stopniem i zakresem. Uważa się, że osoby cierpiące na psychozy doświadczały bardzo złego rodzicielstwa podczas pierwszych dziewięciu miesięcy życia. Objawy choroby będącej jego następstwem można łagodzić za pomocą pewnych metod leczenia, lecz samej choroby prawie nie sposób wyleczyć. Osoby cierpiące na zaburzenia charakteru doświadczały należytej opieki w wieku niemowlęcym, lecz były poważnie zaniedbywane między dziewiątym miesiącem a drugim rokiem życia. U tych osób objawy choroby psychicznej są zazwyczaj słabsze niż u psychotyków, lecz choroba może też mieć poważny przebieg i trudno je z niej wyleczyć. Uważa się, że nerwicowcy doświadczali dobrej opieki we wczesnym dzieciństwie, lecz rodzice nie zaspokajali należycie ich potrzeb rozwojowych po drugim roku życia — przeważnie między piątym a szóstym. Dlatego osoby te są mniej poważnie chore niż charakteropaci i psychotycy i o wiele łatwiej można pomóc im wyzdrowieć.

Myślę, że powyższy schemat rozwoju chorób psychicznych

* Biblia Tysiąclecia, op. cit., Mt 22, 14; zob. też Mt 20, 16.

z grubsza odpowiada prawdzie. Uważany jest za kanon teorii psychiatrycznej, który na wiele sposobów wykorzystuje się w praktyce, i dlatego nie należy go odrzucać. Jednak nie wyjaśnia on wszystkiego. Nie mówi nic o wpływie opieki rodzicielskiej w późnym dzieciństwie i w latach dojrzewania. Istnieją podstawy, by sądzić, że złe rodzicielstwo w późniejszych latach również może wywołać chorobę psychiczną, dobre zaś potrafi skompensować wiele szkód, a może nawet wszystkie, odniesionych w wyniku wcześniejszych zaniedbań. O ile posługując się powyższym schematem, można przewidywać rokowania terapii w sensie statystycznym — statystycznie łatwiej jest uzdrowić nerwicowców niż charakteropatów, a ci z kolei lepiej rokują niż psychotycy — o tyle nikt nie jest w stanie dokładnie przewidzieć przebiegu choroby i skuteczności terapii w konkretnym przypadku. Podam przykład: najszybsze i w pełni udane rozpoznanie w mojej dotychczasowej praktyce dotyczyło pacjenta, który zgłosił się z poważną psychozą, a po dziewięciu miesiącach terapia zakończyła się sukcesem. Kiedy indziej przez trzy lata pracowałem z kobietą, która cierpiała „tylko" na nerwicę, lecz w jej przypadku udało się osiągnąć minimalną poprawę.

Wśród czynników, których nie uwzględnia przedstawiony schemat rozwoju chorób psychicznych, jest nieuchwytne „coś", co u indywidualnego pacjenta można określić jako „wolę rozwoju". Jeśli ktoś jest poważnie chory, lecz wykazuje wyjątkowo silną wolę rozwoju, to zostanie uzdrowiony. Natomiast u osoby, u której zdiagnozowano łagodną chorobę, lecz nie wykazuje ona woli rozwoju, nie nastąpi znacząca poprawa stanu zdrowia. Jestem przekonany, że wola rozwoju pacjenta jest najistotniejszym czynnikiem decydującym o powodzeniu lub niepowodzeniu psychoterapii. Jednak jest to czynnik, który nie jest w ogóle rozumiany ani uwzględniany przez teoretyków współczesnej psychoterapii.

Choć uważam, że wola rozwoju jest bardzo istotna, myślę, że nie uda mi się istotnie przyczynić do lepszego poznania tego czynnika, ponieważ teoria, która mówi o jego roli, zatrąca o to, co niezbadane i nieznane. Jest oczywiste, że wola rozwoju byłaby tym samym co miłość. Miłość to wola poszerzania jaźni w celu wspierania własnego lub cudzego rozwoju duchowego. Ludzie prawdziwie miłujący są więc z definicji ludźmi rozwijającymi się. Mówiłem już, że zdolność miłowania rozwija się dzięki miłującej opiece rodzicielskiej. Należy jednak zauważyć, że miłujące wsparcie ze strony rodziców nie gwarantuje, iż ich dziecko stanie się dorosłym, który w swoim życiu będzie przejawiał wolę miłowania. Czytelnik być może pamięta, że druga część tej książki kończy się czterema pytaniami dotyczącymi miłości. Nad dwoma z nich właśnie teraz się zastanawiamy: Dlaczego niektórzy ludzie nie reagują na wysiłki najlepszych i prawdziwie miłujących psychoterapeutów? Dlaczego niektórzy, z pomocą psychoterapii czy bez niej, potrafią skompensować szkody zadane przez najgorsze rodzicielstwo i stać się ludźmi miłującymi. Czytelnik być może pamięta również, że stwierdziłem wtedy, iż wątpię, bym potrafił udzielić na te pytania zadowalającej odpowiedzi. Sugerowałem jednak, że pojęcie łaski może rzucić trochę światła na te zagadnienia.

Doszedłem do wniosku i próbowałem wykazać, że wola miłowania i obejmowana przez nią wola rozwoju stymulowane są nie tylko przez miłość rodzicielską zaznaną w dzieciństwie, lecz w ciągu całego życia przez łaskę lub, mówiąc inaczej, miłość Bożą. Jest to potężna moc spoza ludzkiej świadomości działająca za pośrednictwem ludzkiego nieświadomego na wiele różnych, niezrozumiałych sposobów i za pośrednictwem innych niż rodzice osób. To dzięki łasce możemy kompensować szkody wyrządzone przez brak miłości rodzicielskiej i stać się miłującymi ludźmi stojącymi na drabinie ewolucji człowieka o wiele wyżej od własnych rodziców. Dlaczego więc niektórzy rozwijają się duchowo i mogą ewoluować ponad poziom doświadczonego przez nich rodzicielstwa? Jestem przeświadczony, że łaska dostępna jest dla wszystkich i wszyscy jednakowo jesteśmy otuleni miłością Boga; nikt nie ma jej więcej od innych. Dlatego jedyna odpowiedź, jakiej mogę udzielić, brzmi następująco: większość z nas decyduje się nie dawać posłuchu wezwaniom łaski i odrzuca jej pomoc. Słowa Chrystusa: „Wielu jest powołanych, lecz mało wybranych" zinterpretowałbym następująco: „Wszyscy są wzywani, lecz niewielu decyduje się słuchać".

Pytanie przybiera więc następującą formę: Dlaczego tak niewielu decyduje się odpowiedzieć na wezwanie łaski? Dlaczego większość z nas opiera się jej? Była już mowa o tym, że łaska uzbraja nas w nieświadomą odporność na choroby. Dlaczego więc przejawiamy prawie taką samą odporność na zdrowie? Odpowiedź na to pytanie już padła. Przyczyną jest nasze lenistwo, pierwotna siła entropii, której klątwa ciąży na nas wszystkich. Tak jak łaska jest źródłem siły prowadzącej nas coraz dalej drogą duchowego rozwoju, tak entropia sprawia, że opieramy się tej sile. Pozostajemy na dotychczasowym poziomie, lecz zdarza się również, że schodzimy niżej, by wieść życie, które stawia przed nami jak najmniej wyzwań. Dużo mówiliśmy o tym, jak trudno narzucić sobie dyscyplinę, szczerze miłować i rozwijać się duchowo. Naturalne i zrozumiałe jest to, że staramy się unikać trudności. Choć zajmowaliśmy się podstawowymi zagadnieniami entropii, czyli lenistwa, pozostał jeszcze pewien aspekt tego problemu, który zasługuje na szczególną uwagę, a mianowicie kwestia władzy.

Psychiatrom i wielu laikom znany jest fakt, że u większości ludzi wkrótce po awansowaniu na stanowiska łączące się z większym zakresem władzy lub odpowiedzialności zadziwiająco często pojawiają się problemy psychiczne. Psychiatrzy wojskowi, którzy dobrze znają zagadnienie „nerwicy z awansu", wiedzą też, że problem ten nie występuje na szerszą skalę tylko dlatego, iż większość wojskowych potrafi skutecznie unikać awansowania. Wielu zawodowych podoficerów niższego stopnia po prostu nie chce zostać sierżantami czy starszymi sierżantami. Jest też bardzo wielu inteligentnych podoficerów, którzy woleliby umrzeć niż zostać oficerami. Odrzucają więc propozycje udziału w kursach oficerskich, choć ich inteligencja i doświadczenie predestynowałaby ich do objęcia wyższych stanowisk.

Z rozwojem duchowym jest tak samo jak z życiem zawodowym, powołanie do łaski jest bowiem awansem — awansem na stanowisko łączące się z większą odpowiedzialnością i władzą. Uzmysławianie sobie łaski, osobiste doświadczanie jej nieustającej obecności i świadomość bliskości Boga oznaczają poznawanie i ciągłe doświadczanie wewnętrznego wyciszenia i pokoju, co zna niewiele osób. To poznanie i świadomość niosą wielką odpowiedzialność. Doświadczać swojej bliskości Bogu to doświadczać zobowiązania bycia Bogiem, narzędziem Jego mocy i miłości. Powołanie do łaski oznacza powołanie do życia pełnego opiekuńczej troski, do życia w służbie, które może wymagać wielu pozornych wyrzeczeń. Jest ono awansem z duchowego dzieciństwa do duchowej dojrzałości, powołaniem do bycia rodzicem ludzkości. T.S. Eliot trafnie ujął to zagadnienie w bożonarodzeniowym kazaniu, wygłoszonym ustami Thomasa Becketa w sztuce zatytułowanej *Mord w katedrze*:

A teraz pomyślcie przez chwilę, co znaczy słowo „pokój". Czy zdaje się to wam dziwne, że głoszą go Aniołowie, gdy świat jest nieustannie nękany przez wojnę lub strach przed wojną? Czy zdaje się wam, że głosy anielskie są w błędzie, iż obietnica ich była oszustwem i rozczarowaniem? Rozważcie teraz, co sam Pan nasz powiedział o pokoju. Powiedział uczniom swoim: „Pokój zostawiam wam, pokój mój wam daję". Czy pokój tak rozumiał, jak my go rozumiemy: królestwo Anglii w pokoju z sąsiadami, baronowie w pokoju z królem, gospodarz liczący zysk w pokoju zdobyty, palenisko sprzątnięte, najlepsze wino na stole dla przyjaciela, żona dzieciom nucąca? Ci ludzie, Jego uczniowie, podobnych rzeczy nie znali: puścili się w podróż daleką, by cierpieć na lądzie i na morzu, aby znosić tortury, więzienia, rozczarowania i śmierć męczeńską. Cóż tedy przez pokój rozumiał? Jeśli o to pytacie, winniście pamiętać, że mówił także i to: „nie tak jak daje świat, Ja wam daję". Tak więc dał uczniom swoim pokój, lecz nie ten, który świat daje*.

Tak więc z pokojem dawanym przez łaskę przychodzi wielka odpowiedzialność, obowiązki i powinności. Nie dziwi więc fakt, że wielu wykwalifikowanych sierżantów wcale nie pociągają szlify oficerskie. Nie dziwi też, że pacjentom poddającym się psychoterapii nie w smak jest władza związana z prawdziwym zdrowiem psychicznym. Młoda kobieta, która z powodu ogólnej depresji poddawała się psychoterapii i po roku zaczęła nieźle się orientować w psychopatologii swojej rodziny, pochwaliła mi się kiedyś z radością, że udało się jej skutecznie i z łatwością zapanować nad pewnym konfliktem. „Czułam się świetnie — stwierdziła. — Chciałabym częściej tak się czuć". Powiedziałem, że to jest możliwe, i wyjaśniłem, że czuła się tak dobrze, ponieważ po raz pierwszy występowała z pozycji siły, rozumiejąc problemy komunikowania się między członkami jej rodziny i przebiegłe sposoby, za pomocą których próbowali nią manipulować, by spełniała ich nierealistyczne wymagania. Dlatego udało się jej zapanować nad sytuacją. Jeśli zacznie rozumieć również inne sytuacje, to będzie jej coraz łatwiej nad nimi zapanować, a tym samym coraz częściej będzie doświadczać tego przyjemnego uczucia. Pacjentka spojrzała na mnie przerażona. „Ależ ja wtedy musiałabym przez cały czas myśleć!" — powiedziała. Potwierdziłem, że jej siła będzie wciąż rosła dzięki nieustannemu myśleniu, co sprawi, że wyzbędzie się poczucia bezradności leżącego u podstaw jej depresji. Pacjentka wpadła w furię. „Nie chcę myśleć przez cały czas! — wrzasnęła. — Nie po to tu przyszłam, żeby sobie utrudniać życie. Chcę móc się odprężyć i cieszyć się życiem. Oczekujesz ode mnie, że będę robiła za Syna Bożego, czy może nawet za samego Boga?!" Wkrótce potem ta obiecująca i inteligentna pacjentka przerwała terapię, choć do jej zakończenia było jeszcze

---

* T.S. Eliot, *Wybór dramatów*, op. cit., s. 38-39.

daleko. Przeraziły ją wymagania, jakie stawiałoby przed nią zdrowie psychiczne. Laikom może się to wydawać dziwne, lecz psychoterapeutom znany jest fakt, że ludzi najbardziej przeraża właśnie zdrowie psychiczne. Głównym zadaniem psychoterapii jest nie tylko przywrócić je pacjentom, lecz poprzez posługiwanie się mieszanką pociech, zapewnień i surowości także zapobiec ich ucieczce od tego stanu, gdy już go osiągną. Jeden z aspektów tej bojaźni jest raczej uzasadniony i sam w sobie nie taki znów niezdrowy. Mam tu na myśli lęk przed nadużywaniem władzy, gdy się ją zdobędzie. Święty Augustyn napisał: „*Dilige et quod vis fac*", co oznacza, że jeśli miłujesz i zważasz na to, co czynisz, możesz czynić, co zechcesz*. Osoba, która z pomocą psychoterapii zawędruje wystarczająco daleko drogą rozwoju duchowego, w końcu wyzbędzie się poczucia bezradności wobec bezlitosnego i przytłaczającego świata. Pewnego dnia zda sobie sprawę, że może osiągnąć wszystko, czego zapragnie. Uświadomienie sobie tej wolności przeraża. „Jeśli mogę robić, co chcę — pomyśli — cóż powstrzyma mnie przed popełnieniem ogromnych błędów, zbrodni, przed niemoralnością i nadużywaniem wolności i władzy? Czy moja uwaga i miłość wystarczą, by utrzymywać się w ryzach?"

Jeśli uświadomienie sobie swojej władzy i wolności będziemy traktować jako powołanie do łaski, a tak często bywa, to nasza odpowiedź może brzmieć: „Panie! Boję się, że nie jestem godzien, byś mi ufał". Taka obawa jest integralną częścią uwagi i miłości, pomaga więc panować nad sobą i przeciwdziała nadużywaniu władzy. Dlatego nie powinno się jej odrzucać. Nie można jednak dać się jej tak zdominować,

---

* 1 Jn 7 *Patrologia Latina*, 35, 2033. [W literaturze polskiej maksyma św. Augustyna często jest tłumaczona jako „Kochaj i czyń co chcesz". Jednak autor w swoich rozważaniach wykorzystuje literalne znaczenie *dilige* (łac. *dilige* — zważaj, ceń, poważaj, miłuj). Dlatego dosłowne tłumaczenie łacińskiej maksymy św. Augustyna może brzmieć: „Zważaj i co sił czyń" — C.U.].

by powstrzymywała nas przed usłuchaniem głosu łaski i przyjęciem władzy, do jakiej sprawowania bylibyśmy zdolni. Niektórzy z powołanych przez łaskę mogą całymi latami zmagać się ze swoimi obawami, nim będą w stanie je przezwyciężyć i zaakceptować swoją boskość. Gdy natomiast trwoga i brak poczucia własnej wartości będą tak wielkie, że nie pozwolą na przyjęcie władzy, przeobrażą się w problem nerwicowy, z którym uporanie się może być jednym z głównych celów psychoterapii.

Wielu ludzi opiera się przed łaską nie z lęku przed nadużywaniem władzy. Nie zraża ich druga część maksymy św. Augustyna — „rób, co chcesz", lecz pierwsza — „zważaj". Często myślimy jak dzieci lub nastolatki: uważamy, że wolność i władza dojrzałości po prostu nam się należą, lecz nie w smak nam dojrzała odpowiedzialność i samodyscyplina. Tak jak czujemy się zdominowani przez swoich rodziców, społeczeństwo lub los, tak samo najwyraźniej potrzebujemy nad sobą jakiejś władzy, którą moglibyśmy obwiniać o naszą sytuację. Osiągnięcie takiego poziomu władzy, na którym nie ma kogo, prócz nas samych, obwiniać o nasz stan, napawa trwogą. Jak już wspomniałem, gdyby na tych wyżynach nie było przy nas Boga, ogarnęłoby nas przerażenie spowodowane naszym osamotnieniem. A człowiek ma zazwyczaj tak niewielką zdolność tolerowania osamotnienia spowodowanego sprawowaniem władzy, że woli odrzucić pomoc Boga niż samemu zostać sternikiem. Większość ludzi chce spokoju, lecz bez osamotnienia spowodowanego sprawowaniem władzy. Chcą cieszyć się właściwą ludziom dojrzałym wiarą we własne siły, lecz nie chcą dojrzeć.

Mówiłem już o tym, jak trudno jest dojrzeć. Tylko nieliczni wkraczają w dorosłość bez ambiwalencji i wahania, pożądając nowych i coraz większych wyzwań i obowiązków. Większość powłóczy nogami i osiąga tylko częściową dojrzałość, kuląc się z lęku przed wymogami stawianymi przez życie. Tak samo jest z rozwojem duchowym, nieodłącznym procesowi psychicznego dojrzewania. Albowiem powołanie do łaski w jej najwyższej formie jest wezwaniem do bycia jednym z Bogiem, do dorównania Mu. Dlatego jest wezwaniem do pełnej dojrzałości. Zwykliśmy myśleć, że nawrócenie albo powołanie do łaski witane jest okrzykiem radości. W mojej praktyce częściej zdarza się, że witane jest ono pełnym nabożnego lęku „Ojej!". Gdy usłyszymy powołanie do łaski, możemy powiedzieć: „Dzięki Ci, Panie" albo: „Panie, nie jestem godzien". Możemy też spytać: „Panie, czy naprawdę muszę?". A zatem fakt, że wielu jest powołanych, lecz mało wybranych, można wytłumaczyć trudem, jaki niesie z sobą powołanie do łaski. Pytanie nie brzmi więc: Dlaczego ludzie nie akceptują psychoterapii i nie odnoszą z niej pożytku, nawet jeśli jest prowadzona przez najlepszych fachowców?, czy też: Dlaczego ludzie opierają się łasce? — z powodu istnienia siły entropii jest to wręcz naturalne. Pytanie powinno brzmieć zupełnie inaczej: Jak to się dzieje, że nieliczni jednak idą za głosem łaski, odpowiadając na tak trudne wyzwanie? Co odróżnia tych niewielu od większości? Nie umiem na to pytanie odpowiedzieć. Ludzie ci mogą pochodzić z rodzin zamożnych i kulturalnych albo ubogich i przesądnych. Są wśród nich ci, którzy zaznali rodzicielskiej miłości i opieki, jak również ci, którzy byli pozbawieni miłości i prawdziwej troski. Mogą podejmować psychoterapię z powodu drobnych trudności w przystosowaniu lub z powodu ciężkiej choroby psychicznej. Mogą być starzy lub młodzi. Potrafią odpowiedzieć na wezwanie łaski szybko i z wyraźną łatwością. Mogą też walczyć i przeklinać, ustępując stopniowo, z bolesnym wysiłkiem, krok po kroku.

Po latach praktyki coraz mniej wybiórczo podchodzę do moich potencjalnych pacjentów. Przepraszam tych, którym z powodu własnej ignorancji odmówiłem. Teraz wiem, że na wcześniejszych etapach psychoterapii w ogóle nie można przewidzieć, którzy z moich potencjalnych pacjentów w ogóle nie odpowiedzą na terapię, u których nastąpi wyraźny, choć tylko częściowy rozwój, a kto w cudowny sposób przejdzie całą drogę rozwoju — aż do dostąpienia łaski. Sam Jezus mówił o nieprzewidywalności łaski, zwracając się do Nikodema tymi oto słowy: „Wiatr wieje tam, gdzie chce, i szum jego słyszysz, lecz nie wiesz, skąd przychodzi i dokąd podąża. Tak jest z każdym, który narodził się z Ducha"*.

PRZYJĘCIE ŁASKI

I znów doszliśmy do paradoksu. Dotychczas pisałem o rozwoju duchowym tak, jakby był on uporządkowanym, dającym się przewidzieć procesem. Stwarzało to wrażenie, że rozwoju duchowego można się nauczyć, tak jak można opanować jakąś dziedzinę wiedzy na studiach doktoranckich — jeśli zapłacisz czesne i będziesz dostatecznie ciężko pracował, to uda ci się zdobyć dyplom doktora. Słowa Jezusa „wielu jest powołanych, lecz mało wybranych" zinterpretowałem tak, że bardzo niewielu ludzi decyduje się usłuchać wezwania łaski ze względu na trudności, jakie się z tym wiążą. Tym samym wykazałem, że uzyskanie błogosławieństwa łaski jest sprawą naszego wyboru. W zasadzie stwierdziłem, że na łaskę trzeba zapracować. I z własnego doświadczenia wiem, że to prawda.

Wiem jednak również, że tak być nie musi. To nie my dostępujemy łaski, lecz to ona do nas przychodzi. Możemy ze wszystkich sił starać się otrzymać łaskę, a jednak ona nas ominie. Możemy też na pozór w ogóle nie przejawiać zainteresowania duchowością i wbrew sobie samym poczujemy jej powołanie. Choć na pewnym poziomie to my decydujemy, czy usłuchamy powołania, wydaje się oczywiste, że na innym poziomie Bóg dokonuje wyboru. Powszechnym doświadczeniem tych, którzy osiągnęli stan łaski, którym podarowano „nowe życie z nieba", jest zdumienie swoim stanem. Nie czują, by nań zapracowali. Choć mogą realistycznie

---

* Biblia Tysiąclecia, op. cit., J 3, 8.

uzmysławiać sobie szczególną dobroć swojej natury, nie przypisują jej sobie. Odczuwają raczej, że dobroć swojej natury zawdzięczają sile i mądrości większej niż ich własna. Ci, którzy są najbliżej łaski, najbardziej uzmysławiają sobie tajemniczy charakter tego daru.

Jak wytłumaczyć ten paradoks? Nawet nie spróbujemy. Można tylko powiedzieć, że choć nie możemy otrzymać łaski siłą własnej woli, to możemy otworzyć się na jej cudowne przyjście. Przygotować żyzny grunt i miejsce powitania. Jeśli podejmiemy trud zdyscyplinowania i staniemy się prawdziwie miłującymi ludźmi, to nawet nie mając pojęcia o teologii i nie myśląc o Bogu, będziemy dobrze przygotowani na przyjęcie łaski. I na odwrót, studiowanie teologii jest kiepską metodą przygotowania się na jej nadejście, niemal bezużyteczną. Pisząc ten rozdział, miałem świadomość doniosłości faktu, że uzmysłowienie sobie istnienia łaski może bardzo pomóc tym, którzy wybrali wędrówkę trudną ścieżką rozwoju duchowego. To uzmysłowienie ułatwi ich wędrówkę przynajmniej na trzy sposoby: pomoże im korzystać z łaski po drodze, da im pewniejsze wyczucie kierunku i doda odwagi.

Paradoks polegający na tym, że jednocześnie wybieramy łaskę i jesteśmy przez nią wybierani, jest istotą zjawiska „cudu z Serendibu". Zostało ono zdefiniowane jako „dar znajdowania rzeczy cennych lub miłych, których się nie szukało". Budda doznał oświecenia dopiero wtedy, gdy przestał o nie zabiegać — gdy pozwolił, by samo do niego przyszło. A może oświecenie przyszło właśnie dlatego, że przez bez mała szesnaście lat szukał go i przygotował się na nie? Musiał jednocześnie szukać i nie szukać. Upiorne erynie zostały przemienione w łaskawe eumenidy też właśnie dlatego, że Orestes zabiegał o przychylność bogów, a jednocześnie nie oczekiwał od nich pomocy. Dzięki tej samej paradoksalnej kombinacji szukania i nieszukania otrzymał dar „cudu z Serendibu" i błogosławieństwo łaski.

To samo zjawisko rutynowo przejawia się w sposobie, w jaki pacjenci posługują się swoimi snami w procesie psychoterapii. Niektórzy, uzmysławiając sobie fakt, że sny mogą zawierać podpowiedzi ułatwiające rozwiązanie ich problemów, będą tych podpowiedzi chciwie poszukiwać, rozmyślnie i z wielkim mozołem zapisując w najdrobniejszych szczegółach każdy sen i przynosząc na sesje terapeutyczne sterty notatek. Jednak ich sny zazwyczaj niewiele pomagają. Mogą wręcz przeszkadzać w psychoterapii. Po pierwsze, nie ma czasu, by te wszystkie sny dokładnie przeanalizować. Po drugie, tak obfity materiał może odciągać uwagę od bardziej owocnych metod psychoanalizy. A poza tym najczęściej cały ten materiał okazuje się niemożliwy do wyjaśnienia. Takich pacjentów trzeba oduczyć „uganiania się" za swoimi snami, by nauczyli się pozwalać im przychodzić, a nieświadomemu pozostawili wybór tych, które zaistnieją w ich świadomości. Nauczenie się tego może być trudne, ponieważ wymaga od pacjenta wyzbycia się woli kontrolowania oraz bardziej pasywnego związku z nieświadomym. Z chwilą gdy pacjent nauczy się nie rejestrować świadomie swoich snów za wszelką cenę, zapamiętanego materiału będzie dużo mniej, lecz będzie on miał o wiele większą wartość. W rezultacie sny pacjenta — owe dary od nieświadomego, których się nie szuka — znacznie ułatwią proces zdrowienia. Zdarza się jednak i tak, że wielu pacjentów rozpoczyna terapię, w ogóle nie uzmysławiając sobie tego ani nie rozumiejąc, jak wielką wartość mogą mieć ich sny. Wypierają je więc ze świadomości, uważając za bezwartościowe i nieważne. Tych pacjentów trzeba więc nauczyć zapamiętywania snów i doceniania skarbów, jakie mogą się w nich kryć. Aby skutecznie posługiwać się snami, musimy pracować nad uzmysławianiem sobie ich wartości i korzystać z nich, gdy do nas przychodzą, lecz również pracować nad tym, by ich usilnie nie wypatrywać ani zbytnio nie oczekiwać. Musimy pozwolić im być prawdziwymi darami.

Tak samo jest z łaską. Dowiodłem, że sny są tylko jedną z postaci, w jakiej dawany jest nam ten dar. Takie samo paradoksalne podejście powinniśmy stosować w odniesieniu do wszystkich innych jej przejawów: niespodziewanie uzyskiwanych wglądów, przeczuć i wszystkich synchronicznych zdarzeń czy „cudów z Serendibu". I do miłości jako takiej. Każdy chce być miłowany. Wpierw jednak musimy dać się miłować. Musimy przygotować się, by nas miłowano. Czynimy to, stając się ludźmi miłującymi i zdyscyplinowanymi. Gdy będziemy zabiegać o to, by nas miłowano, i oczekiwać, że zostaniemy pokochani, wtedy tak się nie stanie. Uzależnimy się i będziemy łakomi cudzej miłości, a nie prawdziwie miłujący. Natomiast wspierając siebie i innych, nie zabiegając przede wszystkim o nagrodę, damy się miłować, a nagroda, której nie szukaliśmy, sama do nas przyjdzie. Tak jest z miłością ludzką i miłością Boga.

Głównym celem rozdziału poświęconego łasce jest pomóc wędrującym drogą rozwoju duchowego w nauce zdolności korzystania z „cudów z Serendibu". A zatem zredefiniujmy to zjawisko nie jako dar sam w sobie, lecz wyuczoną zdolność rozpoznawania i posługiwania się darami łaski, które są nam dawane spoza sfery naszej świadomej woli. Posiadłszy tę zdolność, stwierdzimy, że niewidzialna ręka i niewyobrażalna mądrość Boga prowadzi nas drogą rozwoju duchowego z nieskończenie większą precyzją, niż byłaby do tego zdolna nasza świadoma wola. Z taką pomocą wędrówka będzie przebiegać coraz szybciej.

W ten lub inny sposób idee te zostały już sformułowane dużo wcześniej — przez Buddę, Chrystusa, Lao-Cy i wielu innych. Oryginalność moich spostrzeżeń polega na tym, że doszedłem do tych samych wniosków zupełnie inną, dość oryginalną drogą. Jeśli czytelnik zapragnie szerszej perspektywy niż ta, jaką może uzyskać na podstawie moich zapisków, to musi odwołać się do oryginalnych, starożytnych tekstów. Jednak nie powinien oczekiwać, że dowie się wszystkiego. Wielu pacjentów psychoterapii z powodu swojej bierności, uzależnienia, lęku i lenistwa chce, by pokazać im każdy centymetr drogi i zagwarantować, że każdy krok będzie bezpieczny i wart podjętego wysiłku. Takiej gwarancji dać nie można, ponieważ droga rozwoju duchowego wymaga odwagi, inicjatywy oraz niezależności myślenia i działania. Choć dysponujemy myślami proroków i pomocą łaski, wędrówkę trzeba odbyć samemu. Żaden nauczyciel nie weźmie nas na plecy i nie zaniesie do celu. Nie ma z góry ustalonych formuł. Rytuały są jedynie pomocami naukowymi, a nie nauką samą w sobie. Możemy spożywać wyłącznie zdrową żywność, odmawiać przed śniadaniem pięć zdrowasiek, modlić się z twarzą zwróconą na wschód albo na zachód, chodzić w niedzielę do kościoła, lecz to nie przywiedzie nas do celu wędrówki. Nie ma takich słów ani nauk, które zdejmą z wędrującego drogą rozwoju duchowego konieczność wypracowania własnych sposobów, wysiłek i lęk odnajdowania własnych ścieżek w jego konkretnym przypadku, które zaowocują zespoleniem jego jaźni z Bogiem.

Nawet jeśli w pełni rozumiemy te zagadnienia, droga rozwoju duchowego pozostaje tak samotna i trudna, że często tracimy odwagę. Fakt, że żyjemy w wieku nauki, aczkolwiek pod pewnymi względami pomocny, wywołuje jeszcze większą bojaźń. Ponieważ wierzymy w mechaniczne zasady rządzące wszechświatem, nie wierzymy w cuda. Dzięki nauce wiemy, że zamieszkujemy samotną planetę krążącą wokół przeciętnej wielkości gwiazdy zagubionej w jednej z milionów galaktyk. Pokazując nam nasze miejsce w ogromnym wszechświecie, nauka wpaja nam wizerunek nas samych jako z góry zaprogramowanych i rządzonych przez siły wewnętrzne nie podlegające naszej woli: chemię mózgu i tarcia między naszym nieświadomym a świadomością, które zmuszają nas, byśmy czuli się i zachowywali w określony sposób nawet wtedy, gdy uzmysławiamy sobie, że nie wiemy, co czynimy. Zastąpienie mitów informacją naukową sprawiło, że doskwiera nam poczucie, iż jako jednostki nie mamy żadnego znaczenia. Jakie bowiem znaczenie może mieć człowiek, a nawet cała ludzkość, skoro rządzą nami wewnętrzne, chemiczne i psychologiczne siły, których nie rozumiemy, we wszechświecie tak ogromnym, że nawet nauka nie potrafi go zmierzyć?

Jednak ta sama nauka pozwoliła mi dostrzec rzeczywistość zjawiska łaski. Starałem się przekazać to moje postrzeganie jego cudownego charakteru. Bo gdy tylko dostrzeżemy rzeczywistość łaski, zachwieje to naszym postrzeganiem nas samych jako nie mających żadnego znaczenia i nieistotnych. Fakt, że prócz nas i naszej świadomej woli istnieje potężna siła wspierająca nasz rozwój i ewolucję, wystarczy, by całkowicie odmienić wyobrażenie o naszej znikomości. Istnienie tej siły (gdy ją dostrzeżemy!) potwierdzi ponad wszelką wątpliwość, że rozwój duchowy jest w najwyższym stopniu ważny dla czegoś większego od nas samych. Owo „coś" nazywamy Bogiem. Istnienie łaski już na pierwszy rzut oka jest nie tylko dowodem rzeczywistości Boga, lecz również rzeczywistości Jego woli, troszczącej się o rozwój duchowy każdego z nas. W ten sposób to, co niektórym wydawało się baśnią, okazuje się rzeczywistością.

Żyjemy pod okiem miłującego Boga i to nie gdzieś na peryferiach, lecz w centrum Jego wizji i troski. Możliwe, że wszechświat, który postrzegamy, jest tylko jednym z wielu stopni wiodących do Królestwa Bożego. Nie jesteśmy jednak zagubieni we wszechświecie. Przeciwnie, rzeczywistość łaski dowodzi, że ludzkość znajduje się w jego centrum. Czas i przestrzeń istnieją po to, byśmy nimi wędrowali. Gdy moi pacjenci tracą poczucie swojej istotności, gdy tracą serce do wysiłku, jakiego wymaga nasza wspólna praca, czasem mówię im, że właśnie biorą aktywny udział w ewolucyjnym skoku ludzkości: „Ja i ty jesteśmy odpowiedzialni za to, czy ten skok się powiedzie". Wszechświat — ten stopień został położony po to, by przygotować dla nas drogę, lecz to my musimy tę drogę przebyć: krok po kroku. Dzięki łasce nie potykamy się na niej zbyt często i dzięki łasce wiemy, że będziemy mile widziani u celu naszej wędrówki. O cóż więcej możemy prosić?

POSŁOWIE

Od ukazania się pierwszego wydania *Drogi rzadziej wędrowanej* otrzymuję mnóstwo listów od czytelników. Są to listy nadzwyczajne, pełne głębokich przemyśleń i miłości. Zawierają różne cenne dary: urywki poezji, cytaty i opisy osobistych doświadczeń, które wzbogacają moje życie duchowe. Stało się dla mnie oczywiste, że istnieje cała rzesza ludzi — dużo większa niż przypuszczałem — którzy bez rozgłosu bardzo daleko zawędrowali drogą duchowego rozwoju. Dziękowali mi za to, że ulżyłem ich poczuciu osamotnienia. I za to samo ja im dziękuję.

Niektórzy czytelnicy kwestionowali moje przeświadczenie o skuteczności psychoterapii jako formy dyscypliny wspierającej rozwój duchowy. Przypomnę więc, że ostrzegałem, iż psychoterapeuci są różni. I podtrzymuję moje twierdzenie, że większości pacjentów, którzy nie odnieśli korzyści z pracy z kompetentnym terapeutą, zabrakło woli niezbędnej do podołania jej rygorom. Wspomniałem też, że niewielki odsetek pacjentów — około pięciu procent — ma problemy psychiczne takiej natury, że nie odpowiada na psychoterapię, a dogłębna psychoanaliza może nawet ich stan pogorszyć.

Wszyscy ci, którzy przeczytali i zrozumieli tę książkę, z pewnością nie należą do tych pięciu procent. I zawsze to terapeuta jest odpowiedzialny za staranne, czasami wieloetapowe wykrycie tych niewielu osób, które nie powinny być poddawane psychoanalizie, i wskazanie im możliwości innej terapii, która w ich przypadku może przynieść lepsze wyniki.

Kto zatem jest kompetentnym psychoterapeutą? Ci spośród czytelników *Drogi rzadziej wędrowanej*, którzy zdecydowali się przyjąć pomoc psychoterapii, pytali, jak wybrać dobrego terapeutę, jak odróżnić kompetentnego od niekompetentnego. Moja pierwsza rada brzmi: wybór należy potraktować poważnie. To jedna z najważniejszych decyzji w całym życiu. Psychoterapia to ogromna inwestycja — nie tylko pieniędzy, lecz w jeszcze większym stopniu cennego czasu i energii. Maklerzy giełdowi nazwaliby ją inwestycją wysokiego ryzyka. Jeśli wybór będzie dobry, zwróci się po stokroć w dywidendach duchowych, o jakich nam się nie śniło. Choć wybór niewłaściwy nie wyrządzi wam wielkiej szkody, to zmarnujecie masę pieniędzy, czasu i energii.

A zatem dobrze rozważcie swój wybór. Nie wahajcie się zaufać własnym uczuciom i intuicji. Przeważnie już po jednej rozmowie z psychoterapeutą będziecie w stanie wychwycić dobre lub złe „wibracje". Jeśli są złe, to zapłaćcie za tę jedną wizytę i szukajcie innego. Takie odczucia przeważnie nie mają konkretnych przyczyn, lecz mogą powstać na podstawie pewnych obserwacji. Gdy ja sam zdecydowałem się na psychoterapię w 1966 roku, żywo interesowałem się udziałem Stanów Zjednoczonych w wojnie z Wietnamem i byłem do tego krytycznie nastawiony. W poczekalni mojego terapeuty zobaczyłem egzemplarze „Ramparts" i „New York Review of Book", liberalnych czasopism prezentujących na swoich łamach idee antywojenne. Poczułem dobre „wibracje", jeszcze zanim zobaczyłem mojego przyszłego terapeutę.

Jednak ważniejsze od poglądów politycznych, wieku czy płci terapeuty jest jego nastawienie do pacjenta, czy on lub ona okaże się naprawdę troskliwą osobą. Można to bardzo szybko wyczuć, choć terapeuta powinien zachowywać się powściągliwie i nie dawać ci gołosłownych zapewnień i obietnic na wyrost. Prawdziwie troskliwi terapeuci są jednocześnie ostrożni, zdyscyplinowani i przeważnie odnoszą się z rezerwą, lecz twoja intuicja powinna ci podpowiedzieć, czy rezerwa jest podyktowana szczerą troską o twoje zdrowie i czy kryje się za nią ciepło, czy też chłód.

Ponieważ terapeuta przeprowadzi z tobą wstępną rozmowę, zanim zdecyduje, czy chce, byś był jego pacjentem, ty również nie krępuj się zapytać go o interesujące cię sprawy. Jeśli jest to dla ciebie istotne, spytaj go o jego stosunek do takich zagadnień, jak równouprawnienie kobiet, homoseksualizm czy religia. Masz prawo do uczciwych, otwartych i przemyślanych odpowiedzi. Jeśli chodzi o inne pytania — na przykład jak długo potrwa terapia lub czy twoja wysypka skórna jest objawem psychosomatycznym — to przeważnie możesz zaufać terapeucie, który mówi, że nie wie. Tak to już zazwyczaj jest, że wykwalifikowani i skuteczni profesjonaliści są uczciwi i nie boją się przyznać, że czegoś nie wiedzą. Dlatego są zazwyczaj najbardziej kompetentnymi i godnymi zaufania.

Zdolności terapeuty mają bardzo mało wspólnego z jego dyplomami. Miłości, odwagi i mądrości nie można potwierdzić stopniami naukowymi. Dyplomowani psychiatrzy posiadający certyfikaty nadane przez rady naukowe i terapeuci z udokumentowanym dorobkiem przechodzą szkolenie tak rygorystyczne, że można mieć pewność, iż nie wpadniesz w ręce szarlatana. Ale utytułowany psychiatra wcale nie musi być lepszym terapeutą od psychologa, pracownika socjalnego czy duchownego i często się zdarza, że im nie dorównuje. Dwaj najlepsi terapeuci, których znam osobiście, nie ukończyli wyższych studiów.

Czasami poszukiwania psychoterapeuty najlepiej rozpocząć od ustnej rekomendacji. Jeśli znasz kogoś, komu ufasz, kto jest zadowolony ze swojego psychoterapeuty, to dlaczego nie miałbyś pójść do tego samego? Innym sposobem, szczególnie przydatnym, jeśli cierpisz na ostre objawy lub zaburzenia somatyczne, jest rozpoczęcie od wizyty u psychiatry. Psychiatrzy po studiach medycznych należą zwykle do najdroższych terapeutów, lecz dzięki swojemu przygotowaniu najlepiej zrozumieją wszystkie aspekty twojego stanu zdrowia. Pod koniec wizyty, gdy psychiatra wstępnie rozpozna naturę twojego problemu, możesz go poprosić o skierowanie do mniej wykwalifikowanego, a co za tym idzie, mniej kosztownego terapeuty, jeśli nie będzie miało to negatywnego wpływu na stan twojego zdrowia. Dobrzy psychiatrzy chętnie doradzają, którzy ze specjalistów są godni polecenia. Jeśli czujesz dobre „wibracje" u tego lekarza, a on wyrazi zgodę na to, by cię prowadzić, to nic nie stoi na przeszkodzie, byś korzystał właśnie z jego usług.

Jeśli masz skromne możliwości finansowe, a ubezpieczenie zdrowotne nie pokryje kosztów leczenia u prywatnego specjalisty, pozostaje ci lecznictwo państwowe. Tam opłata będzie dostosowana do twoich możliwości i możesz mieć pewność, że nie wpadniesz w ręce znachora. Jednak psychoterapia w klinikach państwowych jest zazwyczaj powierzchowna, a możliwość wyboru lekarza bardzo ograniczona. Mimo to często okazuje się skuteczna.

Tych klika wytycznych co do wyboru terapeuty z pewnością nie zaspokoi oczekiwań czytelników, lecz można podsumować je następująco: ponieważ psychoterapia wymaga intensywnego i zażyłego związku między dwojgiem ludzi, nic nie zwolni cię od obowiązku dokonania wyboru człowieka, któremu zaufasz jako przewodnikowi. Ktoś, kto jest najlepszym terapeutą dla jednej osoby, wcale nie musi być dobrym dla drugiej. Każdy człowiek — terapeuta czy pacjent — jest człowiekiem wyjątkowym i musisz zdać się na własny, intuicyjny osąd. Ponieważ niesie to ze sobą pewne ryzyko, więc życzę ci powodzenia. I ponieważ podjęcie psychoterapii z wszystkim, czego ona wymaga, jest aktem odwagi, przyjmij, proszę, wyrazy mojego szczerego podziwu.

marzec 1979

M. SCOTT PECK
Bliss Road,
New Preston, Connecticut 06777